C0-ALK-388

dictionnaire des mots perdus

dictionnaire des mots perdus

ALAIN DUCHESNE

THIERRY LEGUAY

FRANCE LOISIRS
123, boulevard de Grenelle, Paris

Collection dirigée par Claude Kannas
assistée de Christine Ouvrard
Mise en pages : Atelier Frédérique Longuépée
Secrétariat : Janine Faure
Suivi de la fabrication : Martine Toudert

Édition du Club France Loisirs, Paris,
avec l'autorisation de la Librairie Larousse

ISBN 2-7242-4560-1

à la mémoire de Roland BARTHES

La langue est un théâtre
dont les mots sont les acteurs.

FERDINAND BRUNETIÈRE

LE DÉSIR DE LA LANGUE

Il faut encourager les efforts
contre la désuétude des mots
dignes d'être conservés.

ÉMILE LITTRÉ

J'aimerais être lu tant que la langue vivra. *Cette confidence de Flaubert nous rappelle qu'une langue peut un jour disparaître à jamais.*

Georges Dumézil évoquait avec émotion ces parlers caucasiens qui s'éteignent lentement. Il invita même au Collège de France le seul homme à parler encore l'oubykh, *cet idiome turc aux 82 consonnes !*

Une langue est parfois délaissée comme « une vieille maîtresse ». Quand ils arrivèrent dans l'Empire ottoman, les Oubouch furent accueillis par les Tcherkesses, et peu à peu (en moins d'un siècle), ils se déshabituèrent de leur propre langue : *dans la vie de tous les jours, il leur était devenu plus commode, précise encore Dumézil, de parler en tcherkesse. Fort heureusement le français n'en est pas là. Il semble même se porter assez bien. Simplement, il se renouvelle ; des termes nouveaux apparaissent chaque jour, pour des vies brèves parfois, tandis que d'autres meurent, silencieusement.*

Ce livre est né du regret de voir des mots de bonne compagnie nous quitter.

On ne parle guère de ces termes obsolètes qui s'en vont doucement. Comme ces malades que l'on dit perdus, *ils sont encore près de nous (on les trouve souvent dans les dictionnaires récents), mais pour combien de temps ? Seraient-ils devenus inutiles, comme le laisserait penser une vision instrumentaliste du langage ? La réalité est tout autre, et sauf quand ils désignent des réalités disparues, c'est assez étrangement (souvent sans raisons apparentes) que des fragments de lexique désertent nos livres et nos paroles.*

Pourquoi ne dit-on plus que le temps s'abeausit ? *C'est là pourtant un terme utile, immédiatement compréhensible, et que rien n'a vraiment remplacé. Pourquoi avons-nous abandonné* sade *(antonyme de maussade !),* désamour, s'aheurter, musiquer, désheurer ? *Par négligence ou désinvolture ? En matière de langue, le désir s'accommode mal de la fidélité...*

*

* *

Pour aller à la recherche de mots perdus, nous avons surtout visité deux monuments lexicographiques : le Littré *et le* Nouveau Larousse illustré *(publié en 1897-1904), ouvrages qui nous offraient le plus justement le pays que nous voulions parcourir : une langue à la fois proche et lointaine, où jouait la distance douce (le quant-à-soi) favorable à la séduction.*

Ce voyage est aussi un hommage rendu à deux grands auteurs. Richesse des citations, subtilités sémantiques et partis pris plaisants chez Littré ; pulsion encyclopédique chez Larousse, avec tous les pièges que cela comporte : idéologie parfois grossière et finalement cocasse, humour involontaire : au Niger, « chez les Niams-Niams, le gibier et la chair humaine suppléent à l'insuffisance des animaux de boucherie ».

Trésor enfin de l'illustration, chez Larousse, constitué par une cohorte de graveurs inconnus aujourd'hui mais pas anonymes (leur nom est donné à la fin de chaque volume). Regardez les vignettes de Leblond ou Dessertenne : le trait est juste, net et vibrant, souvent somptueux, les images saisissantes, belles ou saugrenues, parfois énigmatiques...

Tous ces dictionnaires donnent l'exemple d'une séduction sans cesse renouvelée. D'autres ouvrages sont aujourd'hui plus précis et plus rigoureux. Mais c'est précisément par leur imperfection légère que le Larousse et le Littré nous attirent. Les choses trop belles ne sont pas vraies et les corps sans défaut n'ont plus de réalité.

Comment ne pas sourire en rencontrant telle image imprévue ou en lisant certaines définitions : « perruche : femelle du perroquet », *nous dit Littré ! Cette jubilation doit cependant nous inciter à la prudence et à la modestie : dans moins d'un siècle, nos descendants se moqueront de notre savoir et de nos croyances...*

Les dictionnaires sont remplis de monde : les mots s'y pressent en rangs serrés, nombreux, un peu égarés ou dissimulés. Quoi de mieux qu'une foule pour se cacher ?

Pourtant, cette multitude n'est pas un pur fatras, car tout est bien rangé. L'alphabet, principe efficace de mise en ordre, permet de trouver ce que l'on cherche, mais pas forcément ce que l'on désire. Comme tout édifice imposant et sacré, le dictionnaire (surtout encyclopédique) intimide ; mais comme la foule il fascine, parce qu'il fait miroiter des possibilités infinies de rencontres : on peut y « draguer » tout à loisir, à la recherche de mots séduisants comme des corps ou des visages.

La flânerie de la lecture apporte avec elle toutes les péripéties des voyages : surprises, fatigues, éblouissements, ennui. Certaines lettres sont des déserts ; on les traverse sans convoitise ; d'autres sont des pays de cocagne.

*
*   *

Notre langue fait l'objet d'incessants débats, et le lexique, domaine sensible, n'échappe pas à ces polémiques. D'aucuns voient le français s'appauvrir de jour en jour, sous les attaques conjuguées de l'école, de la télévision ou de l'anglais. En bref, les responsables, ce sont toujours les autres...

Il est vrai qu'on peut regretter la défaillance de certains préfixes ou suffixes qui entraînent des familles de mots à s'amenuiser. Mais restons circonspects, loin de tout jugement hâtif, car l'essentiel est peut-être ailleurs, dans l'attitude même des sujets parlants, qui doutent trop souvent de leur langue. Préférer, par exemple, systématiquement un mot anglais à un mot français (quand le choix est possible), c'est montrer que l'on ressent sa propre langue comme déclassée. Et à l'échelle mondiale, c'est la faire tomber au rang de dialecte honteux.

Enfin, nous pourrions surtout déplorer la domination dans le discours quotidien d'une langue abstraite (« technarquocratique » !) qui nous éloigne de réalités trop brutales et, paradoxalement, nous empêche de penser. Quelle n'est pas notre irritation à entendre tous ces termes qui font florès : investir, occulter, assumer, à la limite, rapport à, au niveau de, faire problème, *etc.*

Notre époque, malgré les apparences, est envahie par un puritanisme souvent retors dont la langue est le reflet. Bien des mots sont rejetés comme vulgaires. Nos anciens étaient moins pudibonds. Au bout du compte, c'est tout un lot de mots savoureux qui tombe dans la trappe.

Causer, *malgré Proust et Mme de Sévigné, est de moins en moins utilisé : il fait « peuple »... Quant à la* baguenaude, *ce n'est plus que le fruit du baguenaudier :* petit arbuste à fleurs jaunes ou rouges de la famille des papilionacées !

*

* *

Notre propos n'est en rien puriste ou passéiste : loin de nous l'idée que nous aurions définitivement perdu une langue plus belle et plus juste. Notre attitude est avant tout celle d'amateurs et de dilettantes, au sens fort de ces deux mots : ceux qui aiment et se délectent.

Des mots inactuels nous attiraient, et nous voulions les retrouver. C'est leur charge, affective *et* sensuelle, *qui a guidé notre choix ; nous n'avons retenu que ceux qui nous faisaient de l'effet. Venait ensuite leur utilité, ou plus exactement le fantasme de leur utilisation : Je me vois bien dire à quelqu'un, après Mme d'Épinay :* « Le baguenaudage, voilà à quoi se passe la vie. »

La langue n'est pas seulement là pour être manipulée de façon neutre ; elle réclame aussi d'être goûtée, touchée, tâtée, appréciée. *Il nous paraît important aujourd'hui de donner voix à cette sensibilité. On pourrait parler des mots comme on parle des vins, avec la même joie et un vocabulaire foisonnant. Cette sensualité attentive n'est d'ailleurs pas loin d'une éthique.*

Pour vivre, une langue mérite tous les égards de ses sujets. Chacun doit savoir ce qu'il dit, choisir ses mots avec discernement, et accepter d'en être responsable. En ce sens, la névrose, ce serait d'être toujours « à côté de ses mots ».

Nous aimerions garder certains mots parmi nous et, pourquoi pas, redonner souffle à quelques-uns d'entre eux. La recherche des mots perdus s'apparente ici à l'invention néologique ; ce que remarquait précisément Larousse, à propos du mot bienfaisance *(retrouvé au XVIIIe siècle par l'abbé de Saint-Pierre) et du mot* patriote *(dû à Saint-Simon parlant de Vauban) :* ces deux mots avaient, il est vrai, existé dans l'ancienne langue, mais leur résurrection constituait un véritable néologisme.

*

*   *

On désire sans doute une langue d'abord pour son lexique : c'est la chair et la peau, la syntaxe étant plutôt l'ossature. Les mots condensent en eux toute la sensualité de la langue : chatoiements des sons, clairs-obscurs de l'étymologie, vibrations du sens.

Il y a des mots qui pèsent, d'autres qui sont lisses, rugueux, sonores... Certains sont des créations poétiques à part entière (lendore : personne lente et paresseuse qui semble toujours assoupie). *D'autres, qui plaisent par leurs sonorités, laissent parfois imaginer, hors de tout chauvinisme, une francité phonétique attachante. On les aime alors comme on aime la musique de Rameau, les crus du Haut-Médoc, la peinture de Fragonard...*

L'étymologie représente la trace narrative de la vie du mot, le compte rendu de ses aventures. Elle captive, car elle est souvent romanesque. Comme dans les anciennes villas romaines, elle dessine des fresques à demi effacées qui laissent deviner d'étranges histoires d'amour. Roman des origines...

Beaucoup de mots ont une ascendance simple (à partir du latin en particulier) ; d'autres semblent être le produit d'unions illégitimes, d'accouplements bizarres ; quelques-uns, encore, produisent un trouble plus grand, étant comme orphelins : éléments venus d'on ne sait où, sans famille, nulle part présents dans les ouvrages faisant autorité en la matière : le Dauzat ou le Bloch et Wartburg. Il est difficile de supporter ce flottement, cette absence d'ancrage...

Enfin, nous séduisent les lueurs du sens. Très soigneusement, Littré distingue des mots que l'on considère ordinairement comme des synonymes : urbanité, civilité, courtoisie, politesse... *À lire ses explications, nous sentons poindre un malaise nouveau : le sentiment de vivre dans un brouillard lexical où* l'orgueil *se distingue mal de la* vanité, *et la* misère *de* l'indigence... *Littré ne se contente pas d'observer la langue, il la réinvente. Dans tous les cas, c'est une réhabilitation de la nuance, une invite à la subtilité.*

Nous avons besoin pour vivre de mots nombreux et affûtés. Bien des confusions et des discordes (intellectuelles ou affectives) ne profitent-elles pas d'un usage flou de la langue ?

*

* *

Tout comme l'amateur de langage, l'écrivain entretient avec sa langue une relation passionnée (affectueuse et forte) mais difficile, car il en éprouve les manques. Il sait en effet que les rapports entre le monde et le langage ne sont pas harmonieux. La littérature existe pour rémunérer le défaut des langues, *selon le vœu de Mallarmé.*

Traversant avec ardeur sa langue, l'écrivain nous fait découvrir par endroits la singulière étrangeté de notre propre culture. Aussi pourrait-il dire avec Malebranche : « Non, je ne vous conduirai point dans une terre étrangère, mais je vous apprendrai peut-être que vous êtes étranger dans votre propre pays ».

*Célèbres ou désuets, de nombreux auteurs visitent ces pages, au travers de citations qui donnent envie de les fréquenter un peu mieux. Ces éclats de langue (*lambeaux de pourpre, *dit Littré reprenant Homère) permettent de mieux considérer la phrase, mesure du travail de l'écrivain. Les phrases (celles de Rousseau par exemple, que Littré cite abondamment) induisent des désirs d'écriture. Elles sont incitatrices (alors que le texte long encombre ou inhibe) et instructives : la* tissure *d'un langage se voit mieux sur des échantillons. Elles témoignent aussi de l'aisance et de l'appétit avec lesquels La Fontaine, Voltaire ou Saint-Simon jouaient avec la langue.* Ne craignons jamais de nous permettre les turlupinades qui viennent au bout de nos plumes, *écrivait Mme de Sévigné.*

Il importe moins de suivre avec scrupules les règles d'une langue que de l'aimer. L'exigence de précision qui doit conduire notre parole n'a de sens que portée par l'affection la plus vive. Seuls importent l'audace et le goût du jeu. Ne craignons pas trop de « mal dire » et tentons parfois d'inventer. L'absence de désir est mortifère.

Alors, soyons optimistes mais vigilants : le sort d'une langue dépend de la passion et de la liberté de ceux qui en font usage.

DÉCORS

Les objets de notre entourage sont voués, comme nous, à disparaître, plus ou moins rapidement. Nous les aimons d'abord pour leur fragilité. L'emblème en serait peut-être le jouet fétiche de l'enfance, un jour cassé, oublié au fond d'une malle ou d'un placard, mais que l'on continue à aimer, pour le retrouver plus tard avec émotion. Tous les objets, dès lors qu'ils ont rejoint un certain passé, ressemblent à des jouets.

Le vieux Larousse illustré offre un vaste bric-à-brac, digne du marché aux Puces, où la *causeuse* côtoie les *castagnettes,* et les *cautères* les *caves à liqueurs :* rapprochements insolites, semblables à la réunion proposée par Lautréamont d'une machine à coudre et d'un parapluie sur une table d'opération.
Tous ces mots et ces objets, juxtaposés au hasard de l'alphabet, semblent aujourd'hui étranges ou cocasses. Avec eux naissent pourtant des questions ou des inquiétudes. À quoi renvoie exactement cette image tout à fait simple ? Pourquoi cette définition parfaitement claire, loin de rendre l'objet évident, fait-elle apparaître son existence comme incertaine, douteuse, contestable ?

Les définitions et les images sont porteuses d'une absence qui inspire le vertige. Ainsi quand nous lisons la définition du mot *nageoire : organe locomoteur des animaux aquatiques,* nous n'avons plus sous les yeux l'éventail humide et coloré du poisson qui évolue dans son élément. Le mot ne ruisselle plus de toutes les humeurs de la vie. Il est lui-même sorti de l'eau, pour n'être plus qu'une arête desséchée, une étiquette sans couleur.
Le réel échappe sans cesse au langage. La littérature lutte contre ce vertige de l'absence, avec passion, parfois jusqu'au désespoir, car elle seule nous parle aussi *justement* du désir et de la mort.

*
* *

Depuis les fameuses chaussures de Van Gogh jusqu'aux boîtes de soupe d'Andy Warhol, l'art moderne est une exploration aiguë de l'objet : une affirmation de sa souveraineté silencieuse dans un monde bruyant. C'est lui qui permet de voir autrement, comme pour la première fois, les images de ces choses dont la désuétude est accentuée par un graphisme daté.

Le vieux Larousse est un véritable « Catalogue Marcel Duchamp ». Tels des « ready-made », ces objets ont perdu leur utilité originelle, laissant jaillir et rayonner la force pure de leur beauté.

Parfois même, le doute nous envahit devant certains d'entre eux. On peut lire, par exemple, à *pectoplume : appareil servant à plumer les volailles, et à trier automatiquement les plumes suivant leur grosseur.* En fait, l'objet apparaît immédiatement grotesque et dérisoire. Et l'on se demande aussitôt si cette machine sérieuse et compliquée a bien un jour fonctionné. Ne serait-elle pas plutôt un ancêtre de ces monstres industrieux et stupides conçus par Tinguely ?

Solitaire et doucement obstiné, dans le murmure incessant du monde, l'objet se tient debout : il fait face.

Si le destin de tout objet est le « ready-made », c'est que le monde lui-même ne serait qu'un immense musée...

Notre société, qui confond bien souvent la vie et les images, n'a jamais autant produit de catalogues : enfilades d'objets apparaissant au gré des modes. Comme si, dès sa naissance, l'objet était voué à rejoindre la collection.

Curieuse époque, où souvent les « choses » ont plus de valeur que les individus...

La disposition, toujours arbitraire, du catalogue offre une présence rassurante face au scandale du désordre absolu. La mode est le masque frivole de la mort.

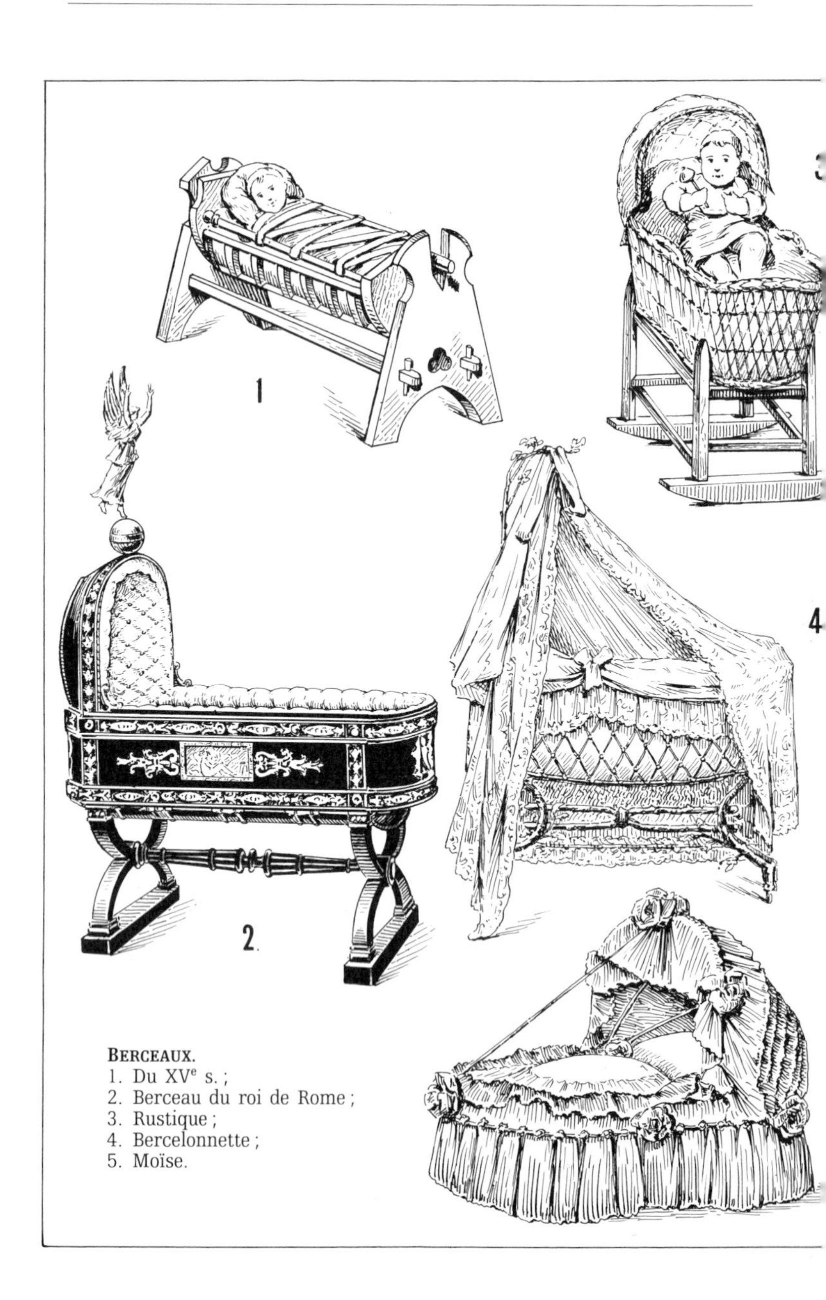

Berceaux.
1. Du XVᵉ s. ;
2. Berceau du roi de Rome ;
3. Rustique ;
4. Bercelonnette ;
5. Moïse.

s'abeausir verbe
Se mettre au beau. *Le temps s'abeausit, allons nous promener.* On dit aussi *beaucir.*

abeiller nom masculin
Rucher, endroit où sont les ruches d'abeilles. *Que fait ma mère ? Est-elle encore / Au jardin près de l'abeiller ?* (J. OLIVIER) « Abeiller est un joli mot. » (LITTRÉ)

aquilon nom masculin
[du latin *aquilo,* même sens]
Le vent du nord. Poétiquement, tout vent violent et froid. *D'un souffle l'aquilon écarte les nuages / Et chasse au loin la foudre et les orages.* (RACINE)

astré, ée adjectif
Éclairé par les astres. *Ils marchaient sans un mot sous le ciel astré.* - *Bien astré :* né sous un astre heureux. *Tout le monde ne peut pas être bien astré.*

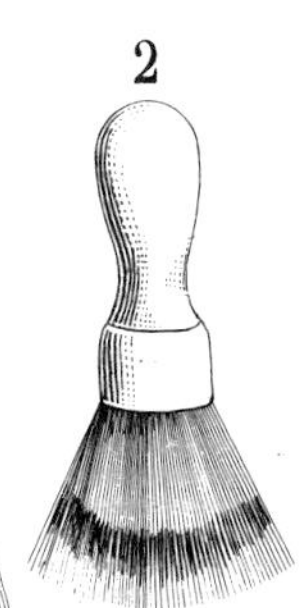

BLAIREAUX.
1. Pour la peinture ;
2. Pour la barbe.

azur nom masculin
[de l'arabe *lâzaward,* lui-même du persan *lâdjeward,* lapis lazuli]
Bleu clair. *Le soleil se couchait dans une nuée d'or et d'azur.* (VOITURE) *Que te fait tout cela ? Les nuages des cieux, / La verdure et l'azur sont l'ennui de tes yeux.* (HUGO)

azurement nom masculin
Action d'azurer ; état de ce qui est azuré. *Plus loin, dans l'azurement bleuâtre du lointain, on découvrait le coteau de Ménilmontant.* (GAUTIER)

azurer verbe
Rendre de couleur azur. *Le regard, à travers ce rideau de verdure, / Ne voit rien que le ciel et l'onde qu'il azure.* (LAMARTINE)

azurin, ine adjectif
Qui est d'un bleu pâle, tirant sur le bleu d'azur. *Sa capeline azurine lui allait fort bien.*

blanchoyer verbe
Avoir un reflet blanc. *L'on voit avec horreur d'antiques ossements / Blanchoyer à travers de pompeux ornements.* (MASSON) « Ce verbe, fait d'ailleurs comme *verdoyer,* est très bon, et, bien qu'il ne figure pas dans le Dictionnaire de l'Académie, il n'est jamais tombé en désuétude. » (LITTRÉ)

bonace nom féminin
[de l'italien *bonaccia,* même sens]
État de la mer pendant un calme plat. *Un temps de bonace. Je changeai d'un seul mot la tempête en bonace.* (CORNEILLE) Tranquillité, repos. *Chacun aspire, de temps à autre, à la bonace.*

BOUDEUSE.

camouflet nom masculin
[d'abord *chault mouflet ;* de *ca,* préfixe péjoratif remplaçant chaud, et *moufle,* visage rebondi]
Fumée épaisse que l'on souffle malicieusement dans le nez de quelqu'un avec un cornet de papier allumé. *Guide de mon esprit follet / Qui surtout chéris le burlesque / Souffle-moi par un camouflet / Un style qui soit bien grotesque.* (SCARRON) Affront, mortification. *Vendôme apprit qu'il ne serait plus payé comme général d'armée ; le camouflet fut violent.* (SAINT-SIMON)

CELLULES de la chapelle-école de la Roquette.

cascatelle nom féminin
[de l'italien *cascata,* cascade]
Petite cascade. Nombreuses attaques de paroles. *Longues cascatelles d'assonances injurieusement bouffonnes...* (GAUTIER)

casement nom masculin
[du latin *casa,* chaumière]
Intérieur, chez-soi. *Chacun aime son casement.*

céladon nom masculin
[de *Céladon,* personnage de *L'Astrée,* d'une tendresse fade]
Vert pâle tirant sur la couleur du saule ou de la feuille de pêcher. *Il lui offrit un chapeau orné d'un joli ruban céladon.*

céruléen, éenne adjectif
[du latin *caeruleus,* bleu de ciel]
Qui est d'une couleur azurée. *Eurydice, enveloppée d'une draperie céruléenne et couronnée de blanches asphodèles, donne la main à Orphée.* (HOUSSAYE)

chacunière nom féminin
Mot de plaisanterie signifiant la maison de chacun. *Chacun y fit sa chacunière.* (SCARRON) *Les filles s'en vont chacune à sa chacunière.* (Mme de SÉVIGNÉ)

chasse-cousin nom masculin
Mauvais vin. *Un cabaretier qui ne sert que du chasse-cousin.* Par extension, tout ce qui est propre à éloigner les parasites.

chasse-ennui nom masculin
Ce qui est propre à chasser l'ennui. *Le vin est parfois un bon chasse-ennui.*

chosier nom masculin
Uniquement dans la locution : *Va, quand tu seras grand, tu verras qu'il y a bien des choses dans un chosier :* bien des choses dans la vie qu'on ne peut expliquer.

cocagne nom féminin
[origine obscure ; peut-être du provençal *cocanha,* friandise]
Temps de réjouissance où l'on boit et mange abondamment. *Je vois des cocagnes pour un peuple immense, des feux d'artifice...* (VOLTAIRE) - *Pays de cocagne :* pays imaginaire où tout abonde, où l'on trouve tout à souhait. *Paris est pour le riche un pays de cocagne.* (BOILEAU)

concolore adjectif
Qui a une couleur uniforme. *Il possédait une fort belle collection d'insectes concolores.*

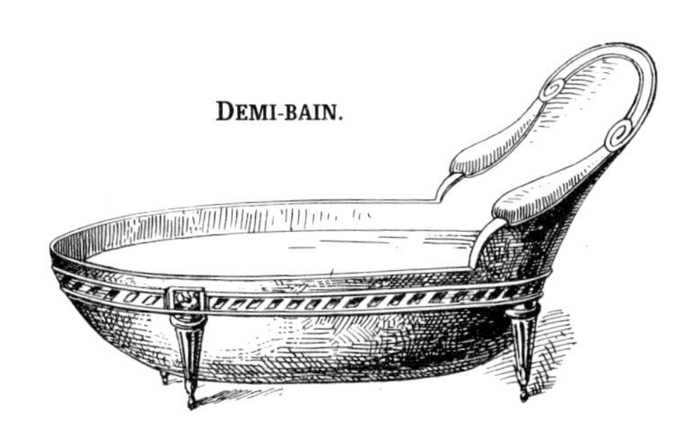

DEMI-BAIN.

conglutiner verbe
Joindre deux ou plusieurs corps avec une matière visqueuse. *Il faut manger du gruau, et du riz, et des marrons, et des oublies, pour coller et conglutiner.* (MOLIÈRE)

conglutineux, euse adjectif
[du latin *glutinare,* coller]
Visqueux, gluant. *Des humeurs putrides, tenaces et conglutineuses...* (MOLIÈRE)

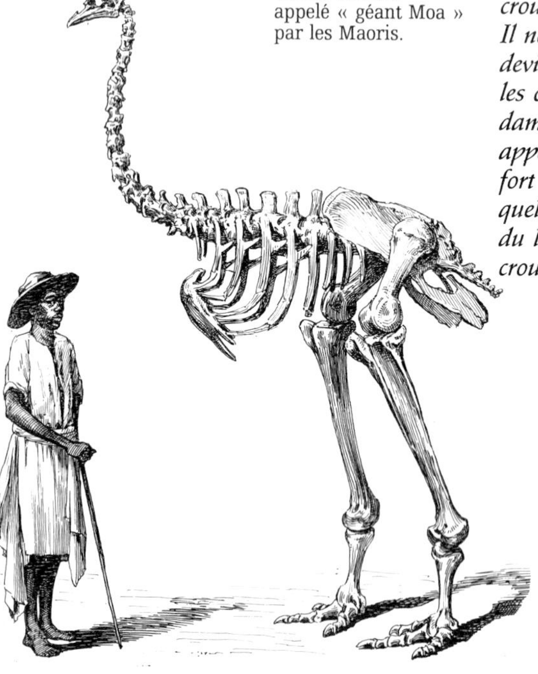

DINORNIS.
Oiseau coureur appelé « géant Moa » par les Maoris.

crapaudière nom féminin
Lieu bas, humide et malpropre. *Ce jardin est une crapaudière.* Repère de gens que l'on regarde comme méprisables. *Une crapaudière d'usuriers.*

crevaille nom féminin
Ripaille, repas où l'on mange avec excès. *Prince des crevailles.* (SAINT-AMANT) *Faire une crevaille.*

croustille nom féminin
Petite croûte. *Manger une croustille de pain.* Petit repas. *Il ne faut pas que les plaisirs deviennent des fatigues et que les chasseurs règlent la vie des dames sur l'heure de leur appétit ; je trouve cette vision fort plaisante de faire quelqu'un le maître du temps, du lieu et des mets de vos croustilles.* (Mme de SÉVIGNÉ)

ÉCORÇAGE du chêne-liège.

croustiller verbe
Manger (une nourriture légère). *J'étais occupé à croustiller là-bas les restes du souper...* (LEGRAND) *Croustiller des gâteaux.* Manger des petites croûtes de pain. *Cet enfant n'arrête pas de croustiller.*

drogueries nom féminin pluriel
[du néerlandais *drogerij,* sécherie, de *droog,* sec]
Choses vaines, inutiles, de peu de valeur. *Quand je vois les dames attachées à la rhétorique, à la judiciaire, à la logique et semblables drogueries, si inutiles à leurs besoins...* (MONTAIGNE)

embellie nom féminin
Amélioration du temps, devenant beau pour un moment, après une bourrasque, un grain violent ou un coup de vent obstiné. *Il attendait une embellie pour sortir.* Circonstance favorable, bonne occasion. *Dans sa vie, les embellies étaient rares.*

s'emboucaner verbe
[de *boucaner,* à cause de la couleur noire que donne la fumée aux objets que l'on boucane]
S'obscurcir, se couvrir, en parlant du temps. *Le soleil disparaît, et le ciel s'emboucane.* S'ennuyer. *Elle ne s'était jamais autant emboucanée que cet été-là.*

FILANZANE. Chaise servant au transport des voyageurs à Madagascar.

embouquiner verbe
Remplir de bouquins. *Embouquiner une chambre.* Procurer une grande quantité de livres. *Embouquiner quelqu'un.*

s'embouquiner verbe
Remplir son magasin ou sa demeure de livres. *Ce bibliophile passe son temps à s'embouquiner.*

évent nom masculin
[du verbe *éventer*]
Air libre, grand air. *Mettre des hardes à l'évent. - Avoir la tête à l'évent :* être très étourdi. *Écoutez, vous avez une tête à l'évent / Dont la vivacité pourrait vous nuire.* (DANCOURT)

fadet, ette adjectif
Un peu fade. *Une poire fadette. Il s'était mis à écrire des bluettes un peu fadettes.*

feuillir verbe
Se couvrir de feuilles, en parlant d'arbres. *N'attendez pas de ces arbres ni abri, ni ombrage, ni fleurs ; ils feuillissent tard, se dépouillent tôt, et vivent longtemps à demi-dépouillés.* (SAINTE-BEUVE)
« Ce verbe, qui correspond exactement à fleurir, devrait être remis en usage. » (LITTRÉ)

froidureux, euse adjectif
Qui amène le froid. *D'un hiver froidureux un gracieux printemps.* (DU BELLAY)
« L'Académie, en faisant ce mot synonyme de frileux, n'en a pas donné le vrai sens. » (LITTRÉ)

fruitage nom masculin
Fruits bons à manger. *Il ne vit que de laitage et de fruitage.*

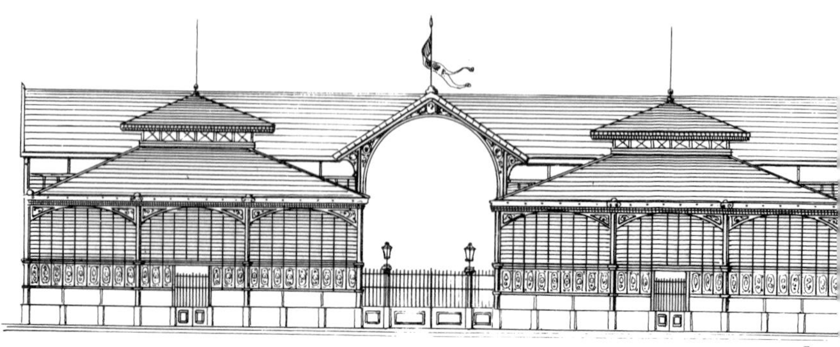

HALLE.
Grand marché couvert.

frusquin nom masculin
Ce qu'on a d'argent ; l'avoir en général. *Puis dans deux petits sacs mettant tout son frusquin...* (de SÉNECÉ) On dit aussi *saint-frusquin. Il a mangé tout son saint-frusquin.* « Quant au mot *saint* placé devant, il n'a rien que de très ordinaire ; les habitudes dévotieuses de nos pères leur avaient fait placer le mot *saint* devant divers substantifs ou adjectifs, sans autre intention que d'y fixer l'attention : *saint Lâche,* patron des paresseux, *saint Rabboni,* qui rabbonissait les mains, *saint Gin,* patron des ivrognes, *sainte-n'y-touche,* etc. » (LITTRÉ)

galetas nom masculin
[de la tour de *Galata,* à Constantinople]
Logement pratiqué sous les combles. *Puisque du dieu des eaux tu tires ta naissance / Loger au galetas choque la bienséance.* (BENSERADE) Tout logement misérable. *Il habite un galetas sale et minuscule.*

galimafrée nom féminin
[sans doute de *galer,* s'amuser, et du picard *mafrer,* manger beaucoup]
Mets mal préparé, déplaisant. *Tronchin l'a condamné à ne manger que des légumes ; Monsieur, a dit le duc de Lorges, je ne peux digérer votre galimafrée.* (VOLTAIRE)

JEU DE PAUME.

garance nom féminin et adjectif
[du francique *wratja*]
Couleur rouge que l'on tire de la plante du même nom. *En France, les pantalons de la troupe sont teints en garance. Elle aimait beaucoup son écharpe garance.*

garancé, ée adjectif
[participe passé du verbe *garancer :* teindre en garance]
Des violets et des roses garancés, supérieurs en vivacité aux violets et roses anglais.

gogaille nom féminin.
[de *gogue,* divertissement]
Repas joyeux. *Faire gogaille, être en gogaille. Enfin on danse, on fait gogaille.* (SCARRON) Plaisanterie. *Tu vas te chagriner pour un mot de gogaille.* (HAUTEROCHE)

happelourde nom féminin
[de *happer,* et *lourde,* sotte]
Pierre fausse, qui a l'apparence, l'éclat d'une pierre précieuse. *Tout est fin diamant aux mains d'un habile homme / Tout devient happelourde entre les mains d'un sot.* (LA FONTAINE) Personne d'un extérieur agréable mais dépourvue d'esprit. *Votre valet cent fois m'a donné de ces bourdes ; c'est nous prendre en un mot pour franches happelourdes.* (HAUTEROCHE)

JOUTE SUR L'EAU. Divertissement où deux hommes cherchent à se faire tomber à l'eau.

incarnadin, ine adjectif et nom masculin
De couleur incarnat, mais plus faible. *La belle amante de Céphale / En son habit incarnadin.* (VOLTAIRE) *Un ruban d'un bel incarnadin.*

incarnat, ate adjectif et nom
[de l'italien *incarnato,* qui a la couleur de la chair]
Qui est d'un rose vif, proche de la couleur de la chair. *Elle voulait ne pas paraître embarrassée ; mais elle sentait que le plus vif incarnat colorait ses joues.* (Mme de GENLIS)

liquescence nom féminin
[du latin *liquescere,* se fondre]
État de ce qui se fond ou paraît se fondre. *Gênes se noie dans la liquescence de l'air des sons.* (P. ADAM)

madré, ée adjectif
[de l'ancien français *madre,* bois tacheté, bigarré, varié en couleurs]
Marbré, tacheté. *Porcelaine madrée.* Rusé, matois, qui sait plus d'un tour. *Un renard, jeune encore, bien que des plus madrés...* (LA FONTAINE)
L'une et l'autre avaient reçu de Mme Dupin des multitudes de présents faits à mon intention, mais que la vieille madrée, pour ne pas me fâcher, s'était appropriés pour elle et pour ses propres enfants. (J.-J. ROUSSEAU)

MACHINE À PERFORER LES TIMBRES.

margouillis nom masculin
[du verbe *margouiller,* salir ; peut-être du latin *mergulus,* plongeon d'un oiseau, ou bien de *mare* et de l'ancien français *goille,* mare]
Lieu plein de boue et d'ordure. - *Laisser quelqu'un dans le margouillis :* le laisser dans l'embarras. *La pauvre philosophie se trouverait une seconde fois dans le margouillis dont Dieu et vous la vouliez préserver.* (d'ALEMBERT, lettre à Voltaire)

nacarat nom et adjectif
[de l'espagnol et du portugais *nacarado,* nacré]
Couleur rouge clair, entre le cerise et le rose. *D'abord superbe et triomphante / Elle vint en grand apparat / Traînant avec des airs d'infante / Un flot de velours nacarat.* (GAUTIER)

nuitée nom féminin
Espace d'une nuit. *Dépitée d'avoir sans un baiser consommé la nuitée.* (RÉGNIER) Ouvrage fait dans la nuit. *Les nuitées se payent plus cher que les journées.*

phantasmasie nom féminin
Apparence fantastique, visionnaire. *Pourquoi de soi-disant théologiens voudraient-ils faire du plus pur de notre conscience une phantasmasie de mystères ?* (PROUDHON)

pissatoire nom masculin
Vase propre à recevoir les urines et à empêcher leur exhalaison.

pommelé, ée adjectif
Couvert de nuages petits et arrondis. *Un ciel pommelé.* Proverbe : *Temps pommelé et femme fardée ne sont pas de longue durée.*

ramage nom masculin
[du latin *ramus,* branche]
Rameau, branchage. Chant des petits oiseaux qui se tiennent dans les rameaux. *L'oiseau, prêt à mourir, se plaint en son ramage.* (LA FONTAINE) Discours dénué de sens. *Pour vous soulager un peu de ce ramage barbare des grammaires...* (DIDEROT)

MAISON DE RAPPORT.

raout nom masculin
[de l'anglais *rout,* même sens]
Réunion, fête où l'on invite des personnes du monde. *N'allez-vous pas au raout de Mme d'Alvimare ?* (Ch. de BERNARD)

refuite nom féminin
Trajet que fait une bête chassée. Retardements, détours d'une personne qui veut échapper à quelque chose. *Mais cessez de chercher ces refuites frivoles...* (CORNEILLE) *Mme la duchesse ne prit pas le change ; accoutumée à ses refuites, elle le suivit jusqu'à ce qu'elle l'eût atteint.* (STAAL)

ripaille nom féminin
[de *Ripailles,* château sur le bord du lac de Genève, où Amédée, duc de Savoie, se retira et fut accusé de se livrer à la bonne chère]
Grande chère, débauche de table. *Ils firent tous ripaille / Chacun d'eux eut part au gâteau.* (LA FONTAINE) *Malgré la bataille / Qu'on livre demain / Ça, faisons ripaille / Charmante catin !* (BAUGENOT)

PELLE-À-CUL. Chaise de jardin.

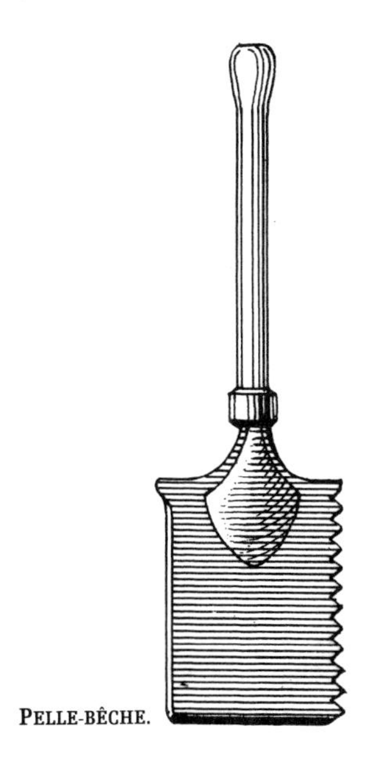

PELLE-BÊCHE.

ripopée nom féminin
[origine onomatopéique ; du latin *pappare,* manger, avec l'influence de *ripaille*]
Mélange que les cabaretiers font des différents restes de vins. *Ce n'est que de la ripopée.* Mélange de choses disparates. *Paris, ce tripot où les femmes font des ripopées de jeu et de coquetterie.* (D. de MONCHESNAY) Ouvrage composé d'idées communes ou incohérentes. *De toute sa vie, il ne publia que des ripopées.*

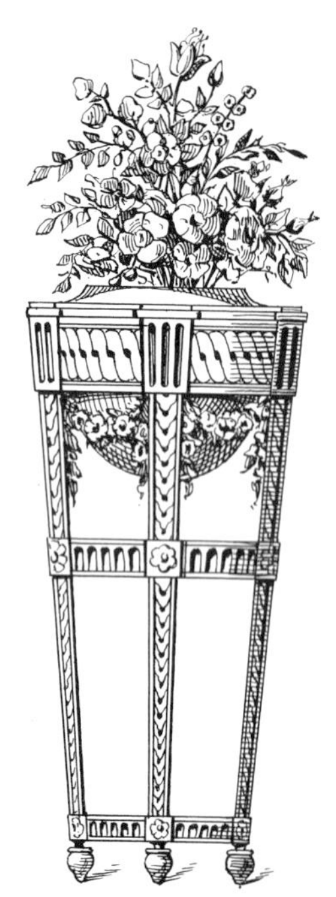

PETIT-PIED.
Porte-bouquets du XVIIIe s.

salébreux, euse adjectif
[du latin *salebrosus ;* de *salebrae,* aspérités]
Raboteux, rocailleux. *N'allez ni à Tulle, ni à Sarlat, ni même à Manot ; vous trouverez des chemins salébreux et ennemis des roues.* (FÉNELON)

salmigondis nom masculin
[croisement de *salemine,* lui-même provenant de *sel,* et de *condir,* assaisonner]
Ragoût de plusieurs viandes réchauffées. Se dit des choses qui n'ont ni liaison ni suite, de personnes réunies au hasard. *Sa conversation n'est qu'un salmigondis. Le comte de Brion faisait un salmigondis perpétuel de dévotion et de péchés.* (RETZ)

syrtes nom féminin pluriel
[du grec *surtis,* sables mouvants]
Sables mouvants, très dangereux pour les navires. *Que Neptune en courroux, s'élevant sur la mer, / D'un mot calme les flots, mette la paix dans l'air, / Délivre les vaisseaux, des syrtes les arrache.* (BOILEAU)

tartouillade nom féminin
Peinture d'une exécution très lâchée, et dans laquelle la composition et le dessin sont complètement sacrifiés à la couleur.

tartouiller verbe
Faire des tartouillades. *Il ne sait pas peindre : il ne fait que des tartouillades.*

tartouilleur adjectif
Qui tartouille. *Cette dernière disposition [l'absence d'horizon] semble être particulièrement affectionnée par les artistes tartouilleurs.* (DELÉCLUZE)

tendreté nom féminin
En parlant des viandes, des légumes, qualité de ce qui est tendre. *Les harmonies animales du blé consistent dans la souplesse et dans la tendreté de ses tiges.* (BERNARDIN de SAINT-PIERRE)

thébaïde nom féminin
Lieu désert en Égypte, où se retiraient des ascètes chrétiens, ainsi nommé parce qu'il était voisin de la ville de Thèbes. Lieu désert, solitude profonde. *Comment vos jours dureraient-ils plus d'un moment, puisque dans notre Thébaïde ils ne laissent pas de courir ?* (Mme de SÉVIGNÉ)

tortille ou **tortillère** nom féminin
[de *tortiller,* lui-même de *tort*]
Allée étroite et tortueuse dans un bois, dans un parc, pour se promener à l'ombre. *Une tortille sombre et fraîche.*

touffeur nom féminin
[de l'ancien français *étouffer,* remplir]
Exhalaison que l'on sent en entrant dans un lieu où il y a une grande chaleur. *La touffeur du lieu de la comédie.* (SAINT-SIMON)

tripotage nom masculin
[de *tripoter*]
Mélange qui produit quelque chose de malpropre ou de mauvais goût. *J'ai pris ce matin du tripotage de café avec du lait.* (Mme de SÉVIGNÉ)
Petits arrangements, intrigues, manigances. *Il m'a parlé de madame F., qui déclare ignorer absolument ce tripotage.* (BACHAUMONT)

ROTONDE en hémicycle pour locomotives.

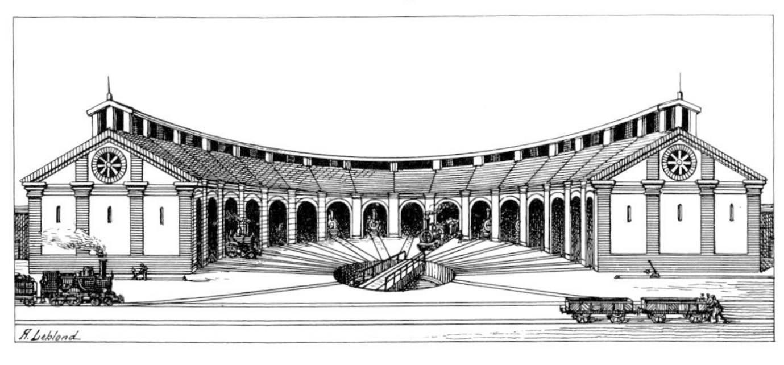

ultramontain, aine nom et adjectif
Qui habite au-delà des monts. Particulièrement, qui est situé, qui habite au-delà des Alpes. Se dit des maximes de la cour de Rome touchant la puissance ecclésiastique, et de ceux qui les appuient. *Jouvency employa la plus belle latinité à flatter et à établir les prétentions les plus ultramontaines.* (SAINT-SIMON). Substantivement. Celui qui soutient le pouvoir absolu du pape en toute matière. *Dans le même temps que l'on prenait en France ces précautions contre les entreprises des ultramontains...* (RACINE)

vairon adjectif masculin
[du latin *varius,* varié]
Qui est d'une couleur incertaine ou variée. Se dit aussi des yeux quand ils n'ont pas la même couleur. *Quelques chiens ont les yeux vairons.* (LECOQ)

vastité nom féminin
Qualité de ce qui est vaste. *Les oiseaux s'égaient à leur gré dans la vastité de l'air.* (FRANÇOIS de SALES)
« Mot vieilli, mais qu'il serait bon de remettre en usage. » (LITTRÉ) On a essayé de dire aussi *vastitude. Les vastitudes sablonneuses du Sahara.* (ROSNY)

SÉCHOIR et sortie des timbres-poste gommés.

ver-coquin nom masculin
[de *ver* et *coquin* : un ver mauvais, dangereux]
Nom des larves de divers insectes qui font beaucoup de tort aux bourgeons des vignes. Fantaisie, caprice. *Et de mon ver-coquin, je ne puis me défendre.* (RÉGNIER) *Chacun a son ver-coquin dans la tête et son malheur fatal.* (GUI PATIN)

vespasienne nom féminin
Grands vases en terre cuite, hauts comme une amphore, semblables à un tonneau coupé, que Vespasien établit comme urinoirs à Rome, et pour lesquels il perçut une taxe. Par imitation, urinoirs publics établis à Paris, sous forme de petites guérites ou de colonnes.

vespéral, ale adjectif
[du latin *vesper,* soir]
Qui appartient, qui a rapport au soir. *Il contemplait son visage dans la clarté vespérale.*

zéphire ou **zéphyr** nom masculin
[du grec *zephyros*]
Nom que les anciens donnaient au vent d'Occident. Tout souffle de vent doux et agréable. *Tout vous est aquilon, tout me semble zéphir...* (LA FONTAINE)

zinzolin nom masculin et adjectif
[de l'arabe *djoudjolân,* semence de sésame servant à faire cette couleur]
Couleur d'un violet rougeâtre. *Le grand serpent long de deux aunes / Tout parsemé de taches jaunes / De bleu, vert, gris, noir, zinzolin / Avait le regard très malin.* (SCARRON)

FLORE ET ZÉPHIRE,
d'après Bouguereau.

ACTEURS

Les écrivains sérieux nous apprennent, comme La Fontaine, que le monde est *une comédie dont la scène est l'univers.*

Dans ce théâtre un peu désuet se croisent pêle-mêle *clampins, croque-lardons, faiseurs, forfantes, jobards, lésineurs, matois, rodomonts, roquentins, vive-la-joie,* etc. C'est-à-dire, à quelques exceptions près, des trompeurs et des trompés, des attrapeurs et des attrapés.

L'Arroseur arrosé, des frères Lumière, inaugure l'histoire du cinéma de façon exemplaire. Cette saynète n'a rien de dérisoire, puisqu'elle nous propose, sur le mode burlesque, la formule de toute histoire : un individu en rencontre un autre qui va le tromper. Phrase élémentaire du récit. Les acteurs sont en place, le scénario prend forme, la comédie peut commencer...

Bien des mots de notre catalogue sont près de disparaître. *L'Écornifleur* n'est plus pour nous qu'une pièce de Jules Renard ; *Le Paltoquet* le titre d'un film à succès.

Par jeu, il serait amusant de faire revenir ces mots un instant et de leur trouver des propriétaires. Qui sont les *valets* dans nos maisons ? Les *courantins* dans nos magasins ? Trouve-t-on encore des *colas* et des *clampins ?* Où se cachent les *coquettes ?* Comment le *barbon* dissimule-t-il son âge ? D'ailleurs a-t-il toujours le même âge ?

Ces personnages entr'aperçus sont des images d'Épinal : le trait est vif, plutôt accusé, la couleur souvent brutale, un peu naïve. Figures semblables à celles des jeux de cartes universellement répandus : images nettes, sans ambiguïté ; la partie doit aller vite, et le mouvement interdit que l'on confonde une carte avec une autre. Et, comme dans les mises en scène sadiennes, où tout est précisément agencé, l'arrangement ne tolère aucune transgression ; la règle domine totalement : le roi vaut plus que la dame ; une dame peut prendre un valet ; l'as est le maître absolu.

Toute l'époque classique fait montre de telles figures. Que l'on pense aux portraits de La Bruyère ou à certaines pièces de Regnard : *le Distrait, la Coquette, le Joueur, l'Irrésolu ;* ou encore à divers morceaux de Couperin : *la Douce et Piquante, la Prude, l'Enchanteresse.*

Ces modèles figés existent encore aujourd'hui, mais autrement. Les individus ne se définissent plus comme des essences (les archétypes d'un caractère), mais par leur image, mouvante et contradictoire. Notre époque est conduite par la recherche obstinée du changement.

L'identité se décline au gré des formes de la mode. Et comme la séduction réclame de ne pas négliger ce qui attire *(l'attirail),* la même femme sera tour à tour, selon les dessous qu'elle porte, *La Divine, La Battante, La Magique, L'Initiatrice, La Princesse, La Vamp...* (Dans un dossier de *Marie-France* sur la lingerie fine.)

La contradiction n'est plus un obstacle ni une erreur : *Bonne nouvelle : la femme est normale ; la mode aussi. La femme aujourd'hui refuse les contraintes mais pas le plaisir. Elle vit avec autant de réalisme que de fantaisie. Elle est rationnelle ou pleine d'imprévu selon les circonstances. (Marie-Claire,* février 1987)

Les individus ont toujours des rôles, mais ces derniers peuvent se modifier à l'intérieur d'un même scénario : l'essentiel est de rester sur la scène. Un fantasme commun règle l'économie domestique du petit-bourgeois : « Avoir tous les objets en un seul » (le mixer, le couteau à six lames, le chiffon qui nettoie tout, etc.). Le désir de jouer soi-même tous les rôles, ou, symétriquement, de vivre aux côtés d'un être multiple, n'en est qu'une variante.

*
* *

Les mots habillent le corps, qui se transforme avec eux. Les *seins* ne sont plus vraiment la *gorge* mise en valeur par l'ancien bustier. Il devient également de plus en plus difficile d'écrire avec Renan : *Le sort de chaque être se détermine dans le sein de sa mère.*

Dans la confusion du temps, les distinctions ordinaires vacillent, les représentations s'affolent... *La peau est ce que nous avons de plus profond.* (Publicité pour un parfum.)

De même, *l'attifure* se modifie. Tel vêtement tombe en disgrâce, puis revient un jour, curieusement. Cette coiffure *à l'hurluberlu,* si prisée au XVIIe siècle, je la reconnais très bien : c'est celle de Maria Schneider dans *le Dernier Tango à Paris...*

Le démodé vestimentaire mène droit au paradoxe : cette parure ancienne semble un peu ridicule ; néanmoins, on a la certitude qu'elle reviendra, d'une manière ou d'une autre.

Le *commerce* entre les individus est d'abord un échange d'images. La rapidité qui prévaut dans les relations oblige à la simplification des signes. Notre regard sur les autres est avant tout un jugement : l'affirmation de défauts ou de qualités, l'expression de reproches ou de compliments. Le geste est terrible mais capital. Écoutons Bossuet : *La vraie perfection de l'entendement est de bien juger.* Ou La Rochefoucauld : *On est quelquefois un sot avec de l'esprit, on ne l'est jamais avec du jugement.*

Malgré la psychanalyse (dont le mérite est d'offrir une représentation non monolithique du Sujet), nous sommes pris dans le cercle infernal des qualifications définitives. L'adjectif se fige rapidement en nom, pour immobiliser l'autre. Nous refaisons sans cesse du La Bruyère : untel n'est plus seulement naïf à un moment donné, il devient *Le Naïf.*

Avant que d'être nés, nous sommes pris dans la toile des mots que les autres tissent pour nous. Notre sort dépend de quelques adjectifs...

Les mots pour dire les défauts sont plus nombreux, semble-t-il, que ceux qui expriment des qualités. L'homme serait plus inventif quand il s'agit de déprécier son prochain. Dire du mal donne de l'inspiration... L'origine de la littérature ne serait pas seulement le mensonge, comme le suggère Nabokov, mais aussi le racontar !

Parfois, on se prend à rêver d'un monde dans lequel on écarterait, à certaines périodes de l'année, toutes ces images brutales, qui tout à la fois nous font vivre et nous emprisonnent. Ces parenthèses heureuses verraient triompher l'exemption du sens, la suspension de toute appréciation : aucun jugement ne viendrait blesser les chatoiements variés de nos humeurs.

abigoti, ie adjectif
[de *bigot,* lui-même du moyen haut allemand *bi Gott,* par Dieu]
Devenu bigot, rendu bigot. *Le moine ayant donc été reçu du roi, comme étaient les moines de cet esprit abigoti, il reçut sa lettre étant à la chaise percée.* (d'AUBIGNÉ) « Bon mot à remettre en usage. » (LITTRÉ)

abstème nom et adjectif
Qui ne boit pas de vin. *Nous serions tous abstèmes si l'on ne nous eût donné du vin dans nos jeunes ans.* (J.-J. ROUSSEAU)

abuser, mésuser : « On mésuse de la chose qu'on emploie mal ; on abuse de la chose qu'on emploie à faire du mal. » (LITTRÉ)

abuseur nom masculin et adjectif
Celui qui trompe, qui séduit. *Il y a des galants qui font vanité d'être abuseurs de filles.* (FURETIÈRE)

acagnarder verbe
[de *cagnard*]
Rendre mou, lâche. *La mauvaise vie l'a acagnardé.*

s'acagnarder verbe
Paresser. *S'acagnarder dans un fauteuil.* Mener une vie obscure et fainéante. *Il n'a jamais rien fait d'autre que s'acagnarder.*

accointable adjectif
[du latin *accognitus,* reconnu]
Abordable. *Les gentilshommes d'Angleterre sont peu courtois, traitables et accointables.* (FROISSART)

accointance nom féminin
Liaison, fréquentation. *Je suis bien aise, en vérité, de cette honorable accointance.* (VOLTAIRE) Liaison entre deux personnes de sexe différent. *Il a eu des accointances avec cette femme.*

accointé nom masculin
Ami, allié. *Elle avait cinq maris, sans compter les accointés.*

s'accointer verbe
Se lier. *Il s'accointa de cette Larentia et l'aima tellement qu'il la laissa son héritière.* (AMYOT)

AVOUÉ.

accortesse ou **accortise** nom féminin
[de l'italien *accorto,* avisé]
Douceur complaisante, humeur enjouée.
Mme d'Espinoy n'était qu'une mortelle qui vivait avec Mme de Soubise dans l'accortise et la subordination de sa beauté et de sa faveur. (SAINT-SIMON)

affabilité nom féminin
Qualité de celui qui reçoit, qui écoute et entretient avec bienveillance ceux qui s'adressent à lui. *L'éclat du trône était tempéré par l'affabilité du souverain.* (MASSILLON)

affable adjectif
Qui se rend agréable à ceux qui l'approchent. *Affable à tous avec dignité, elle savait estimer les uns sans fâcher les autres.* (BOSSUET)
Substantivement. *Il faut mêler à propos l'affable et le sévère.* (ROTROU)

affablement adverbe
D'une manière affable. *Puis avec elle, assez affablement a devisé.* (HAUDENT)

affaireux, euse adjectif
Qui est embarrassé dans ses affaires. *Me semble plus misérable un riche malaisé, nécessiteux, affaireux, que celui qui est simplement pauvre.* (MONTAIGNE) Qui donne fort à faire, qui occupe beaucoup, le plus souvent sans profit. *Des conversations affaireuses.* (NODIER)

affété, ée adjectif
[de l'ancien français *afaitier,* préparer, disposer]
Qui est plein d'affectation, prétentieux. *Je laisse aux doucereux ce langage affété.* (BOILEAU) S'employait autrefois substantivement au sens de enjôleuse : *Méfiez-vous des affétées.*

afféterie nom féminin
Soin minutieux et trop marqué de plaire. *Le rouge et les mouches sont les afféteries des coquettes.* Recherche mignarde dans les manières et dans le langage. *Les afféteries du style, de langage. Vous n'êtes point sujette à faire des afféteries comme la plupart d'elles font.* (CARLOIX)

affidé, ée adjectif et nom
[du latin *ad,* à et *fidere,* se fier]
En qui on a confiance, sur qui l'on compte. *Ne voyant point revenir une servante qui lui était allée quérir une sage-femme affidée, elle s'était sauvée heureusement.* (SCARRON) *C'est l'un de ses affidés.* Agent secret et dévoué ; intrigant, espion. *Les affidés du comte de Saint-Paul l'informèrent des mauvaises dispositions du duc de Bourgogne.* (ANQUET)

affourcher verbe
Mettre à califourchon. *Un villageois sur son âne affourché.* (J.-B. ROUSSEAU)

s'affourcher verbe
S'installer à califourchon. *Après ma barque rompue, je m'affourche encore sur les éclats.* (MALHERBE)

aliboron nom masculin
[peut-être de *ellébore,* ou alors du nom hypothétique d'un philosophe arabe, *Al-Biruni*]
Maître aliboron : l'âne. *Arrive un troisième larron / Qui saisit maître aliboron.* (LA FONTAINE) Homme ignorant et stupide. *Sur ce point nous dépêchâmes ce maître aliboron du Fay, justement trompeur et trompé.* (d'AUBIGNÉ)

allant, ante adjectif
Qui aime à aller, à courir. *Elle voulut se promener ; elle savait que le marquis n'était pas très allant.* (J.-J. ROUSSEAU)

altier, ière adjectif
Qui a de l'orgueil, de la hauteur. *Don Diègue est trop altier, et je connais mon père.* (CORNEILLE) *Cet air noble et altier.* (BEAUMARCHAIS)

altier, dédaigneux, fier, haut, hautain, impérieux :
« Un dédaigneux vous méprise. Le fier ne se familiarise pas. Un homme haut domine ou veut dominer. Le hautain marque ou respire de la hauteur. L'altier nous intimide et veut nous asservir. L'impérieux veut être obéi. » (LAROUSSE)

BARBES.
1. Longue ;
2. À deux pointes ;
3. En pointe ;
4. Mouche et pattes de lapin ;
5. Favoris ;
6. Carrée ou en éventail ;
7. Côtelettes ;
8. Barbiche ;
9. Collier.

amusable adjectif
Qui peut être amusé. *Quel supplice d'amuser un homme [Louis XIV] qui n'est plus amusable !* (Mme de MAINTENON)

androphobe adjectif
Qui craint ou fuit le sexe masculin. *Nous fûmes rapidement agacés par cette assemblée androphobe.*

apercevance nom féminin
Faculté d'apercevoir, perspicacité. *Notre apercevance est grossière, obscure et obtuse.* (MONTAIGNE)

apoco nom masculin
[de l'italien *ha poco,* il a peu]
Homme de peu d'esprit, de peu de valeur. *Traiter quelqu'un d'apoco. Les apocos ne méritent pas notre considération.*

appareilleuse nom féminin
Péjorativement, femme qui s'entremet dans de mauvais commerces d'amour. *Elle était bien connue pour ses talents d'appareilleuse.*

aroutiné, ée adjectif
Qui a pris la routine d'une chose. *De vieux radoteurs comme moi, accoutumés à dormir sur le duvet des préjugés, aroutinés aux vieilles méthodes.* (le Père Duchesne)

attrape-minon ou **attrape-minette** nom masculin
[de *attraper* et *minon,* dans le sens de chat]
Hypocrite, personne ou chose trompeuse qui attrape les simples. *Ne faites pas entrer ce mâtin de cheval, c'est un attrape-minette.*
(le Père Duchesne)

austérisme nom masculin
Excès d'austérité, surtout en fait de pratiques religieuses. *L'austérisme est à l'austérité ce que le philosophisme est à la philosophie.*

autrice nom féminin
Féminin d'auteur. *De nos jours, les autrices sont de plus en plus nombreuses.*

Veuve avec la BARBETTE.
(XIVe et XVe s.)

avocasser verbe
Faire, dans la médiocrité et l'obscurité, la profession d'avocat. *Mieux vaut ne rien faire qu'avocasser.*

avocasserie nom féminin
Par dénigrement, la profession d'avocat. *La seule avocasserie prend tout le grain et ne laisse que la paille aux autres professions scientifiques.* (HUGO) Mauvaise chicane d'avocat, ou digne d'un avocat.

avocassier, ière adjectif
Qui a rapport aux mauvais avocats. *La gent avocassière, la faconde avocassière.*

bachelette nom féminin
[de l'ancien français *baisselete,* jeune fille, et de *bachelier*]
Jeune fille, souvent gracieuse. *C'est une gentille bachelette.*

badin, ine adjectif
[du provençal *badin,* sot]
Qui se plaît aux choses légères. *Riez, Zélie, soyez badine et folâtre à votre ordinaire.* (LA BRUYÈRE)

badin, enjoué, folâtre :
« Badin, quand on laisse de côté le sens ancien qui le rapproche de badaud, signifie celui qui, se plaisant aux choses légères, y met ou de l'esprit ou de la grâce. L'enjoué met de la gaieté aux choses qu'il dit. Le folâtre se livre à de petites folies qui ont leur charme, si la circonstance s'y prête, mais qui dépassent et le badinage et l'enjouement. » (LITTRÉ)

badouillard nom masculin
[de l'argot *bades,* lèvres]
Viveur, noceur. *À cette époque, il ne fréquentait que des badouillards.*

bambochade nom féminin
Peinture ou dessin représentant une scène grotesque et champêtre. Petite débauche. On dit aussi *bamboche*. *Faire des bamboches.*

BEC-DE-CANE.
Les chaussures en bec-de-cane se terminaient en un large bout camus.

bamboche nom féminin
[du peintre hollandais Pieter van Laer, dit *Il Bamboccio,* pour sa petite taille]
Grande marionnette. *Faire jouer des bamboches.* Enfant. *La despotique bamboche remarque que tout le monde est pressé à la servir.* (A. KARR) Personne mal faite et de petite taille. *En voyant ces bamboches titrées [des officiers de naissance], rien ne m'amusait davantage.* (le Père Duchesne)

bambocher verbe
Faire des bamboches, des débauches, des fredaines. *Il passe toutes ses nuits à bambocher.*

bambocheur, euse nom et adjectif
Personne qui aime à bambocher. *Les bambocheurs passent leur temps au cabaret, au café, au bal, criant, fumant, etc.* (G. SAND) *Un ouvrier bambocheur.*

SARAH BERNHARDT.

barbouiller verbe
Peindre grossièrement. *Il barbouillera longtemps sans rien faire de reconnaissable.* (J.-J. ROUSSEAU) Faire beaucoup d'écritures inutiles. *Tout le papier que j'ai autrefois barbouillé pour les dames...* (MONTAIGNE) *Je me reproche fort d'avoir barbouillé deux tomes pour un seul homme, quand cet homme n'est pas vous.* (VOLTAIRE) Écrire en mauvais style. *Je ne barbouille que de misérables narrations.* (Mme de SÉVIGNÉ) *Barbouiller un article.* Noircir, compromettre. *La calomnie barbouille la meilleure des réputations.*

barbouillerie nom féminin
État de ce qui est brouillé, mêlé, confus. Mésintelligence, commencement de brouillerie. *Il avait eu une barbouillerie avec son frère.*

barbouilleur nom masculin
Peintre médiocre. Personne qui aime à griffonner du papier. Mauvais écrivain très fécond. Individu qui parle beaucoup mais d'une façon obscure et embarrassée. *Le même homme est là un orateur incomparable, ici un barbouilleur de paroles.* (CORMENIN)

barbouillon nom masculin
Individu qui barbouille. *Il était vraiment musicien, et je n'étais qu'un barbouillon.* (J.-J. ROUSSEAU)

bégaud, aude adjectif
[peut-être de *bègue*]
Nigaud, stupide, ignorant. *Cette fillette est un peu bégaude.*

bégauder verbe
S'amuser sottement. *Il perd tout son temps à bégauder.*

béjaune nom masculin
[de *bec*]
Oiseau jeune et niais, qui a encore le « bec jaune ».
– *Montrer à quelqu'un son béjaune :* lui prouver sa sottise, son ignorance. *C'est fort bien fait d'apprendre à vivre aux gens et de leur montrer leur béjaune.* (MOLIÈRE)
Homme sot et inexpérimenté. *Mille béjaunes sont obsédés de l'idée du suicide, qu'ils pensent être la preuve de leur supériorité.* (CHATEAUBRIAND)

bélître nom masculin
[de l'allemand *bettler,* mendiant]
Homme de rien, homme sans valeur. *C'était un grand bélître, fort prévenu de son mérite et de sa capacité.* (SAINT-SIMON)

bellot, otte adjectif
Qui a quelque beauté, quelque gentillesse, qui fait le beau. *C'était un petit homme, bellot, d'une figure assez ridicule.* (SAINT-SIMON).
Substantivement. *Un jeune bellot.*

bénignité nom féminin
[du latin *benignus,* bienveillant]
Disposition du cœur par laquelle on se plaît à faire du bien à autrui. *Avec quelle bénignité J.-C. ne parle-t-il pas aux femmes dans l'Évangile !* (CHATEAUBRIAND)

bénin, igne adjectif
Par ironie, trop bon, trop facile. *Les maris les plus bénins du monde.* (MOLIÈRE)
Propice, favorable. *Un ciel bénin, une saison bénigne.*

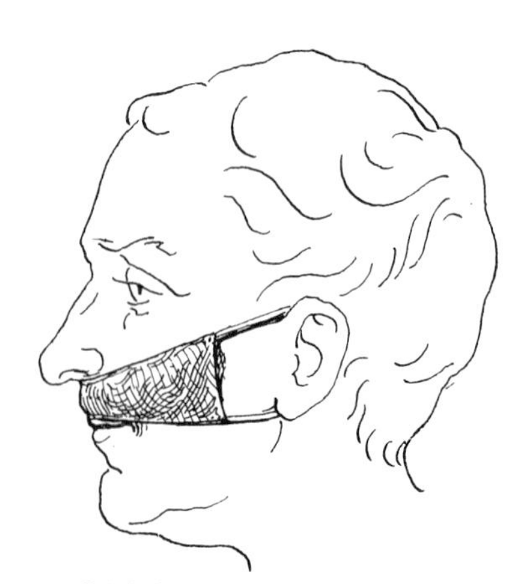

Emploi de la BIGOTELLE pour tenir les moustaches relevées pendant la nuit.

blêche nom et adjectif
[du normand *blèque,* blet, ou de l'allemand *bleich,* pâle]
Faible de caractère. *C'est un blêche.* Qui est d'un caractère peu sûr, hypocrite. *Je ne sais pas ce que c'est que de faire le blêche.*

blondin, ine nom masculin et féminin
Celui ou celle qui a les cheveux blonds. *Une petite blondine.* Jeune homme qui fait le beau, qui courtise le beau sexe. *Et de ces beaux blondins écouter les sornettes.* (MOLIÈRE)

bonhomie nom féminin
Qualité du bonhomme, de celui qui est à la fois bon de cœur et simple de manières. *Montre-moi un des nôtres qui ait conservé cette bonhomie.* (J.-J. ROUSSEAU) Simplicité d'esprit. *Il a la bonhomie de croire tout ce qu'on lui raconte.*

boniface nom et adjectif
Se dit d'une personne d'un caractère bénin, crédule presque jusqu'à la niaiserie. *Les bonifaces se font toujours avoir.*

bonifacement adverbe
Bonassement, avec une bonté niaise. *Il écoutait bonifacement tout ce qu'on lui disait.*

bravache nom masculin et adjectif
[de l'italien *bravaccio*]
Fanfaron, faux brave. *C'est un bravache ; on en plaisante ; il n'a plus de quoi être un héros.* (LA BRUYÈRE) *Tout bravache fait le matamore.* (G. SAND) *Une réponse fort bravache.* (CARLOIX) *Le monde est rempli d'hommes à la mine bravache.*

bravacherie nom féminin
Paroles de bravache. *Il n'y a ni rodomontade d'Espagne, ni bravacherie napolitaine qui puisse nous empêcher de demander la paix.* (Satire Ménippée)

Officier revêtu du CABAN.

braverie nom féminin
Toilette, beaux habits. *Je tiens que la braverie, que l'ajustement est la chose qui réjouit le plus les filles.* (MOLIÈRE) Action de braver. *C'est une action plus de crainte que de braverie.* (MONTAIGNE) Bravade. *La braverie insolente de la jeunesse...* (AMYOT) *Une infinité de présents, des pensions, des réparations de chemins, quinze ou vingt grandes tables, un jeu continuel, des bals éternels, des comédies trois fois la semaine, une grande braverie, voilà les États.* (Mme de SÉVIGNÉ) – *De braverie :* par bravade, en guise d'exploit.

Homme avec le CACHE-NEZ.

bretauder verbe
[de *Bertaud,* nom de personne employé péjorativement]
Tondre inégalement. *On a bretaudé ce chien. - Bretauder les cheveux de quelqu'un :* les lui couper trop courts. *Mme de Nevers y vint coiffée à faire rire ; la Martin l'avait bretaudée par plaisir comme un patron de mode, tous les cheveux coupés sur la tête et frisés par cent papillotes.* (Mme de SÉVIGNÉ)

cacochyme adjectif
[du grec *khymos,* humeur]
De constitution faible. *Mon âme est très mal à son aise dans mon corps cacochyme.* (VOLTAIRE) *Fagon mourut dans un grand âge pour une machine aussi contrefaite et aussi cacochyme qu'était la sienne.* (SAINT-SIMON) Mal disposé, mal né, d'humeur inégale. *C'est un esprit cacochyme.*

cafard, arde nom et adjectif
[de l'arabe *kafir,* qui n'a pas la foi]
Hypocrite, faux dévot. *À table, par un triste hasard / J'étais assis près d'un maître cafard.* (VOLTAIRE) *Mais je hais les cafards et la race hypocrite des tartuffes de mœurs.* (MUSSET) *Un air cafard, des insinuations cafardes.*

cagnard, arde nom et adjectif
[de *cagne,* mauvais chien et prostituée]
Qui a la fainéantise du chien couché. *Un homme cagnard, une vie cagnarde.*

cagnarder verbe
Faire le nonchalant, le paresseux. *Jamais en nulle saison / Ne cagnarde en ta maison.* (RONSARD)

cagnarderie ou **cagnardise** nom féminin
Caractère, conduite de cagnard ; nonchalance, fainéantise. *Être d'une cagnardise abominable.*

cagnardier, ière nom et adjectif
Paresseux, vagabond. *Une grosse et potelée cagnardière demandant l'aumône...* (A. PARÉ)

cailletage nom masculin
Bavardage. *Leur petit cailletage de parloir...* (J.-J. ROUSSEAU) *Le ton de ces lettres est petit, assez commun ; c'est proprement du cailletage.* (SAINTE-BEUVE)

cailleter verbe
Faire la caillette, bavarder. *Dès qu'elle rencontre quelqu'un, elle caillette pendant des heures.*

caillette nom féminin
[de *Caillette,* bouffon de Louis XII et François Ier]
Personne bavarde et sans consistance. *Canillac lui reprocha la futilité de son esprit, et son incapacité d'affaires et de secrets, et qu'en un mot il n'était qu'une caillette.* (SAINT-SIMON) Femme bavarde, qui cause sans cesse à tort et à travers. *Sa voisine est une caillette.*

cajoleur, euse nom masculin et féminin
[de *cajoler,* lui-même de *gaioler,* babiller comme un geai en cage]
Celui, celle qui emploie des paroles ou des manières caressantes pour gagner quelqu'un. *Elle n'eut pas la force de chasser tous ces cajoleurs.* (SCARRON) *Les cajoleurs de cour, qui semblent n'y être que pour faire des exclamations et des admirations de tout ce qu'ils voient et entendent.* (SULLY)

CANOTIERS.

caliborgnon adjectif
Qui voit mal. *Le fils du régent, brèche-dent, caliborgnon, punais...* (DECOURCHAMP) On dit encore *caliborgne.*

callipyge adjectif
[du grec *kallos,* beauté, et *pugê,* fesse]
Qui a de belles fesses. On a donné le nom de *Vénus callipyge* à une célèbre statue antique trouvée dans la maison de Néron. *Il aimait les beautés callipyges.*

camard, arde nom et adjectif
[de *camus*]
Qui a le nez court et plat. *Un camard. C'était une grosse fille écrasée, brune, laide, camarde, avec de l'esprit.* (SAINT-SIMON)

canulant, ante adjectif
Ennuyeux, fatigant. *Cette vieille dame est très canulante.*

canule nom féminin
[par allusion à l'emploi désagréable de la canule dans les lavements]
Personne très importune, très ennuyeuse. *Quelle canule !*

canuler verbe
Obséder, importuner. *Arrêtez de nous canuler !*

capricant, ante adjectif
[du latin *capra,* chèvre]
Sautillant. *Une allure capricante.* Qui va par saccades. *Un pouls un peu capricant.* (MOLIÈRE)

cascaret nom masculin
Homme d'apparence chétive. Misérable. *C'est un pauvre cascaret.*

cautèle nom féminin
[du latin *cautus,* prudent]
Finesse, prudence mêlée de ruse. *Qui veut entrer en grâce / Des dames bien avant / En cautèle et fallace / Faut être bien savant.* (MAROT)

cauteler verbe
User de ruse. *Pour réussir ses affaires, il avait toujours cautelé.*

CAPOTES :
1. soldat ;
2. officier.

cauteleusement ou **cautement** adverbe
D'une façon cauteleuse, avec ruse. *Mercure endormit cautement Argus.* (RABELAIS) *Feindre cauteleusement d'entrer dans les vues de quelqu'un.*

cauteleux, euse adjectif
Rusé. *La femme est un animal fin et cauteleux.* (d'ABLANCOURT)

céladon nom masculin et adjectif
[du nom d'un personnage de *L'Astrée* qui est toujours aux pieds et aux ordres de sa bergère]
Avec ironie, amant délicat et langoureux. *On voit des maris céladons.*

célébrisme nom masculin
Passion de la célébrité, amour de la gloire. *Je nomme célébrisme une noble ambition, une ostentation digne de louange.* (FOURIER)

cendreuse nom féminin
S'est dit dans le sens de *cendrillon :* femme ne quittant jamais la maison, l'âtre, le foyer. *C'est une femme qui est toujours dans une chaise, qui ne fait pas un pas, et qui est une vraie cendreuse.* (Mlle de MONTPENSIER)

chafouin, ouine adjectif
[de *chat,* et de *fouin,* forme masculine de *fouine*]
Personne petite, grêle comme une fouine, et qui a la mine sournoise et rusée. *L'abbé Dubois était un petit homme maigre, effilé, chafouin.* (SAINT-SIMON) *Avec sa petite mine chafouine...* (Mme de SÉVIGNÉ)

chalandise nom féminin
[de l'ancien français *chaloir,* être d'intérêt pour]
Clientèle, fréquentation habituelle d'une boutique. *Je voudrais parfois qu'il n'y eût que moi de femme au monde. Vous auriez de la chalandise.* (REGNARD)

CAPOTES de femme et d'enfant.

chattemite nom féminin
[de *chatte* et du latin *mitis,* doux]
Personne affectant des manières humbles et flatteuses. *Que maudit soit l'amour et les filles maudites qui veulent en tâter et font les chattemites.* (MOLIÈRE)

clampin, ine nom et adjectif
[sans doute de *clopin,* boiteux]
Paresseux, musard, flâneur. *Il ne veut rien faire : c'est un clampin.* Boiteux. *Le duc du Maine, tout clampin qu'il est...* (Lettres galantes).

Homme vêtu de la CARMAGNOLE.

clampiner verbe
Faire le paresseux. *Au lieu de travailler, il reste chez lui à clampiner.*

coïon nom masculin
[de l'italien *coglione,* testicule]
Lâche, poltron, sot. *Il n'arrête pas de faire le coïon.*

coïonnade nom féminin
Acte ou propos de coïon ; couardise. Badinerie. *S'amuser à des coïonnades.*

coïonner verbe
Traiter en coïon ; se moquer, se tromper, attraper. *Chacun cherche à coïonner son voisin.* Dire des coïonneries, ne pas parler sérieusement. *Vous voulez coïonner, je pense ?*

coïonnerie nom féminin
Action de coïonner ; poltronnerie ; badinerie. *Seigneur Arioste, demandait Hippolyte d'Este à l'auteur du* Roland Furieux, *où donc avez-vous pris tant de coïonneries ?*

colas nom masculin
Homme niais, stupide. *Rester là comme un colas !*

colasse nom féminin
Personne tout à fait stupide. *Il ne pourra pas supporter cette grosse colasse.*

compagnonne nom féminin
Femme qui vit avec un homme. *Sa compagnonne n'est pas sympathique.* Femme hardie, vigoureuse. *Horrible compagnonne / Dont le menton fleurit et dont le nez trognonne.* (HUGO)

courantin, ine nom masculin et féminin
Personne qui aime à vagabonder. *Elle est toujours par monts et par vaux ; c'est une courantine.* Celui que l'on emploie à des courses ou à des commissions.

courtisanesque adjectif
Qui est à la façon des courtisans, peu naturel. *Le miel de vos beaux conseils courtisanesques.* (VILLEROI) *J'emploie non la langue courtisanesque, mais celle des gens avec qui je travaille à mes champs.* (P.-L. COURIER)

courtisanesquement adverbe
D'une façon courtisanesque, comme une courtisane. *Une fort belle dame courtisanesquement vêtue.*

CARNASSIÈRE (pour la chasse).

crapaudaille nom féminin
Tas de crapauds. Ramassis de gens méprisables. *Balayez-moi toute cette crapaudaille.*

crapoussin, ine nom masculin et féminin
Personne petite, grosse et mal faite. *Lui, petit crapoussin, neveu d'un barbier de village...* (le Père Duchesne)

crasserie nom féminin
[du latin *crassus,* épais, grossier]
Acte de crasseux, de vilain. *Vous lui avez fait, je suis trop poli pour dire une crasserie, mais enfin une chose qui ne se fait pas.* (E. ABOUT) Avarice sordide. *Être d'une incroyable crasserie.*

croquant nom masculin
[de l'ancien verbe *croquer,* voler]
Homme de rien, sans consistance, sans valeur. *Passe un certain croquant qui marchait les pieds nus.* (LA FONTAINE) *Ces croquants-là vous disent plus de sottises dans une brochure de deux pages que la meilleure compagnie de Paris ne peut dire de choses agréables et instructives dans un souper de quatre heures.* (VOLTAIRE)

croque-lardon nom masculin
Parasite, personne qui cherche des invitations à dîner. *Vivre en croque-lardon.*

Chapeaux :
1. Louis XIII ;
2. Louis XIV ;
3. Louis XV ;
4. Révolution ;
5. En 1820 ;
6. Louis XVI ;
7. Directoire ;
8. Premier Empire ;
9. En 1838 ;
10. En 1848 ;
11. En 1860.

– **Chapeaux modernes :**
12. 13. 14. De femme ;
15. Haut de forme ;
16. Melon ;
17. Feutre mou ;
18. De paille (panama) ;
19. De jardin ;
20. Canotier ;
21. De feutre rigide ;
22. Ecclésiastique.

croque-note nom masculin
Musicien pauvre, sans talent et sans ressources. Musicien habile à croquer les notes, c'est-à-dire qui exécute assez bien, mais sans autre mérite. *Je ne fus jamais un grand croque-note.* (J.-J. ROUSSEAU)

crotu ou **crottu, ue** adjectif
Marqué par la petite vérole. *Veux-tu que je coure baiser un visage noir et crotu ?* (J.-J. ROUSSEAU)

Marchand de Coco.

cruche nom féminin
Personne ignorante et stupide. *J'aimerais mieux cent fois être grosse pécore. / Devenir cruche, chou, lanterne, loup-garou. / Et que monsieur Satan vous vînt tordre le cou.* (MOLIÈRE) – *Tant va la cruche à l'eau qu'à la fin elle s'emplit :* arrangement du proverbe bien connu par Beaumarchais, pour signifier qu'une fille qui s'expose finit par succomber.

crucherie nom féminin
Bêtise, ânerie. *Il ne pense qu'à des crucheries.*

débonnaire adjectif
[de la locution *de bon aire*]
Qui joint douceur et bonté. *Une contenance contente et débonnaire.* (MONTAIGNE) Dont la bonté va jusqu'à l'excès de tolérance. *Depuis Louis le Débonnaire, il n'y en eut jamais un si débonnaire que vous.* (SAINT-SIMON) - *Mari débonnaire :* mari qui ferme les yeux sur les légèretés de sa femme.

débonnairement adverbe
D'une manière débonnaire. *Traiter débonnairement les vaincus.*

débonnaireté nom féminin
Qualité du débonnaire. *Sa débonnaireté va jusqu'à la faiblesse.*

déparpaillé, ée adjectif
Négligé, débraillé. *Toujours il se néglige ; toujours il est déparpaillé.*

difficultueux, euse adjectif
Qui fait beaucoup de difficultés, qui est pointilleux. *Des difficultés ! Oh ! ma comtesse n'est point difficultueuse.* (LESAGE) Qui présente de nombreuses difficultés. *Une entreprise difficultueuse.*

dissipateur, trice nom masculin et féminin
[du latin *dissipare,* disperser]
Celui, celle qui disperse sa fortune dans le désordre. *Le jeu est le dissipateur des biens et des richesses.* (J.-J. ROUSSEAU) *Diderot dépensait ses idées avec l'insouciance d'un riche dissipateur.* (L. BLANC)

dissipateur, prodigue :
« Dissipateur dit plus que prodigue. Un homme est prodigue quand il fait facilement de la dépense et qu'il n'épargne pas son bien ; mais cela n'implique pas qu'il le dissipe ; sa prodigalité peut ne pas aller jusqu'à entamer absolument sa fortune. Au contraire le dissipateur fait si bien que bientôt il ne lui reste rien de la sienne. » (LITTRÉ)

entrefesson nom masculin
Partie du corps située entre les deux cuisses. *Son entrefesson ne manquait pas de charme.*

envieilli, ie adjectif
Devenu vieux dans. *Des pécheurs envieillis dans le crime.* (RACINE)

envieillir verbe
Faire paraître vieux. *Cette coiffure l'envieillit.*

s'envieillir verbe
Devenir vieux. *Mon âge, avant le temps, par les maux s'envieillit.* (RÉGNIER)

COIFFURE à la Frégate (1780).

équanime adjectif
[du latin *aequus,* égal, et *anima,* âme]
Dont l'humeur est égale. *M. de Chevreuse, toujours équanime, toujours espérant, toujours voyant tout en blanc.* (SAINT-SIMON)

équanimité nom féminin
Égalité d'humeur. *Sa mère avait su profiter de la douceur et de l'équanimité du duc de Chevreuse.* (SAINT-SIMON)

exorable adjectif
[du latin *exorare,* vaincre par des prières]
Qui se laisse fléchir par des supplications. *Voilà quel est le peuple : violent, mais exorable ; excessif, mais généreux.* (MIRABEAU)

façonner verbe
Faire des façons, des démonstrations affectées. *Je ne fais point difficulté de le dire, car à quoi bon façonner là-dessus ?* (LA ROCHEFOUCAULD)

A. COUVRE-NUQUE.

façonnier, ière adjectif
Qui fait trop de façons, de cérémonies. *Il a épousé une jeune nymphe de quinze ans, fille de M. et Mme de la Bazinière, façonnière et coquette en perfection.* (Mme de SÉVIGNÉ)

fafelu, ue adjectif
[peut-être de l'ancien français *fanfelue,* bagatelle]
Dodu. *Le pâté était fafelu.* (XVIe s.) Espiègle. *Cette petite infante éveillée et fafelue.* (Mme de SÉVIGNÉ)

faillance nom féminin
État de celui à qui le courage fait défaut. *Par faillance de cœur et défaut de génie, Louis-Philippe a reconnu des traités qui ne sont point de la nature de la Révolution.* (CHATEAUBRIAND) « C'est le simple de *défaillance ;* il mérite d'être repris à l'exemple de Chateaubriand. » (LITTRÉ)

faiseur, euse nom masculin et féminin
Personne qui a une certaine habileté pratique et routinière. *Ce que les faiseurs, quelque habiles qu'ils soient, entendent le moins, c'est le fantastique.* (GAUTIER) Intrigant qui s'ingénie pour faire valoir ses idées, pour faire réussir ses projets. *Le monde est aux faiseurs.*

fallace nom féminin
[du latin *fallacia,* ruse, tromperie]
Disposition à tromper. *Elle lui mit au sein la ruse et la fallace.* (RÉGNIER)

fallacieux, euse adjectif
Trompeur. « Fallacieux enchérit sur l'idée de trompeur. Un langage trompeur nous égare et nous présente les choses autrement qu'elles ne sont ; un langage fallacieux nous trompe pour nous nuire de dessein prémédité. » (LITTRÉ)

faquin nom masculin
[a d'abord signifié *portefaix ;* de l'italien *facchino,* porteur]
Homme de rien, individu méprisable. Faiseur d'embarras. Poseur, arrogant et impertinent. *Les faquins qui poursuivent la mémoire de Bayle méritent le mépris et le silence.* (VOLTAIRE)

faquinerie nom féminin
Action ou caractère du faquin. *Un homme qui se croit des plus braves du monde, veut porter le nom d'une terre au lieu que la terre devrait porter le sien ; quelle faquinerie !* (SOREL)

farfadet nom masculin
[du provençal *fadet,* fou, puis feu follet]
Esprit follet, lutin. Homme vif en ses mouvements, frivole en ses goûts et en ses discours. *C'est un farfadet.*

fatuisme nom masculin
Habitude de fatuité. *Son fatuisme est horripilant.*

fatuité nom féminin
[du latin *fatuitas,* sottise]
Suffisance, trop bonne opinion de soi-même. *La fatuité dédommage du défaut de cœur.* (VAUVENARGUES)
Propos ou actes impertinents. *Les rieurs sont pour lui ; il n'y a sorte de fatuités qu'on ne lui passe.* (LA BRUYÈRE)

DOUILLETTE d'ecclésiastique.
DOUILLETTE d'enfant.
DOUILLETTE (ébénisterie).

féminie nom féminin
L'ensemble des femmes, leurs habitudes, leur domaine. « Mot excellent, qui s'est malheureusement perdu. » (LITTRÉ) *Aujourd'hui, nous connaissons mieux la féminie.*

ferrer verbe
[de *fer*]
Soumettre, dominer. - *Se laisser ferrer :* être docile, obéissant, soumis. *Julie marche avec nous, je vois qu'on rôde autour d'elle, mais ma foi elle ne se laisse pas ferrer à tout le monde.* (P.-L. COURIER)

fesse-mathieu nom masculin
[qui bat Saint-Mathieu pour lui tirer de l'argent, Mathieu passant pour avoir été changeur avant sa conversion]
Usurier sordide, homme qui prête sur gage. *Vous êtes la fable et la risée de tout le monde, et jamais on ne parle de vous que sous les noms d'avare, de ladre, de vilain et de fesse-mathieu.* (MOLIÈRE)

finet, ette adjectif
Fin, rusé. *Comme elle était clairvoyante et finette...* (LA FONTAINE)

folâtre adjectif
Qui aime à faire gaiement de petites folies. *Riez, Zélie, soyez badine et folâtre à votre ordinaire.* (RETZ) Se dit aussi des choses. *Des jeux folâtres.*

folâtrement adverbe
D'une manière folâtre. *Voyant une beauté folâtrement accorte...* (RÉGNIER)

folâtrer verbe
Badiner follement. *Les plaisirs nonchalants folâtrent à l'entour.* (BOILEAU)

folâtrerie ou **folâtrie**
nom féminin
Action, parole folâtre. *On trouve la félicité par la gaieté et la folâtrie.* (MONTAIGNE)

forfante nom masculin
[de l'italien *furfante,* fripon, coquin]
Personnage qui se vante impudemment. *Il vaut mieux éviter les forfantes.*

forfanterie nom féminin
Hâblerie, charlatanisme. *Quelque mépris que le régent eut pour les forfanteries du maréchal, il en était quelquefois piqué, et avait été deux ou trois fois près de l'exiler.* (DUCLOS)

forfantier nom masculin
Celui dont le caractère est la forfanterie. *Je me suis longtemps inquiété pour savoir au vrai si Jean-Jacques était devenu enthousiaste de la vertu ou s'il n'était qu'un forfantier.* (BEAUMARCHAIS)

fripon, onne nom masculin et féminin
[de l'ancien français *friper,* dérober]
Personne qui vole habilement, surtout par des ruses. *Il savait qu'il y avait force courtisanes affamées, fort âpres après les étrangers, grandes friponnes, et d'autant plus dangereuses qu'elles étaient belles.* (SCARRON)
Homme inconstant en amour. *Vous êtes un adroit fripon, Clitandre, puisque vous m'avez trompée.* (DANCOURT)
Femme coquette, adroite et fine. *La friponne lui fait croire tout ce qu'elle veut.* (VOLTAIRE)

friponner verbe
Voler habilement en prenant de petites choses. *Entre vous autres belles / Mille cœurs friponnés passant pour bagatelles.* (Th. CORNEILLE)

friponnerie nom féminin
Manière d'être de celui qui friponne. *L'opulent n'est guère éloigné de la friponnerie.* (LA BRUYÈRE) *J'ajoutais que je donnerais volontiers bien de l'argent pour savoir qui avait inventé cette friponnerie.* (SAINT-SIMON)

frisque adjectif
[de l'allemand *frisch,* frais]
Vif et pimpant. *Dix jeunes femmes... frisques, gaillardes, attrayantes.* (LA FONTAINE)

frisquette adjectif féminin
Gentille. *Une fille jeune et frisquette.*

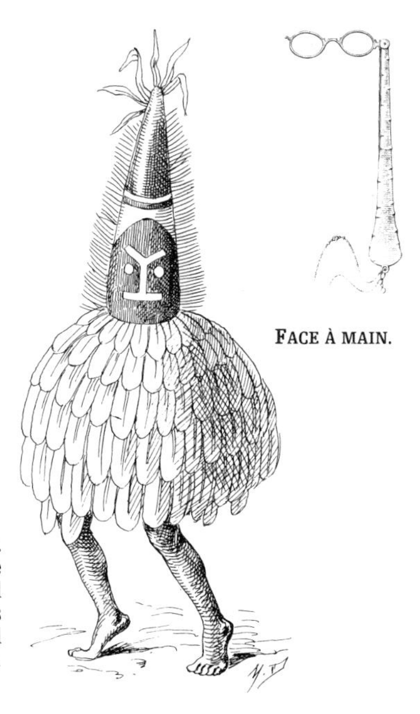

FACE À MAIN.

DOUK-DOUK. Personnage qui joue le rôle d'épouvantail chez les Mélanésiens de l'archipel de la Nouvelle-Bretagne.

gélasin, ine adjectif
[du grec *gelasinos,* rieur]
Qui a rapport au rire. - ***Dents gélasines :*** celles que l'on montre en riant. - ***Fossettes gélasines :*** celles qui se creusent dans la joue quand on rit.

gobe-mouches nom masculin
Celui qui n'a point d'avis à lui et qui paraît être de l'avis de tout le monde. Homme qui croit sans examen toutes les nouvelles débitées. ***J'allais avec la foule des gobe-mouches attendre sur la place l'arrivée des courriers, et, plus bête que l'âne de la fable, je m'inquiétais beaucoup pour savoir de quel maître j'aurais le bonheur de porter le bât.*** (J.-J. ROUSSEAU)

A. FRIPONNE (XVIIe s.). Jupe de dessous.

godelureau nom masculin
[de *god,* préfixe péjoratif, et de *galureau,* composé de *galer,* s'amuser, et de *lureau,* variante de luron]
Jeune homme étourdi qui fait le joli cœur auprès des femmes. ***La chambre des comédiennes était déjà pleine des plus échauffés godelureaux de la ville.*** (SCARRON)

gongonner verbe
Se dit de pièces de vêtements qui font des plis et vont mal. *Ce fichu gongonne.*

grimaud nom masculin
[du francique *grima,* masque, puis *grime ; faire la grime,* faire la moue]
Nom donné dans les classes aux élèves les plus ignorants. Mauvais écrivain, mauvais artiste. ***Allez petit grimaud, barbouilleur de papier.*** (MOLIÈRE) Pédant encroûté. ***Il sait le grec, c'est un grimaud.*** (LA BRUYÈRE)

grimaud, aude adjectif
Qui est d'humeur chagrine, maussade. ***Cette personne toujours grimaude fatigue son entourage.***

grimaudage nom masculin, **grimauderie** nom féminin
Radotage. ***Ôtez-vous donc de l'esprit tout ce grimaudage.*** (Mme de SÉVIGNÉ)

guenuche nom féminin
[de *guenon ;* en champenois, *guenuche,* femme de mauvaise vie]
Petite guenon. Femme petite et laide. *Il y a toujours des guenuches caressées dans le cabinet des rois et vêtues de toiles d'or.* (H. de BALZAC)

habillant, ante adjectif
Qui sied, qui va bien. *Une étoffe habillante.*

hallefessier nom masculin
Gueux, bélître, flatteur. *Tous ces hallefessiers qui nous ont presque mis à l'hôpital...* (NISARD)

hérisson, onne adjectif
Malgracieux, raide, inabordable. *La madame Grognac a l'humeur hérissonne.* (REGNARD)

A. GARDE-VUE.

hérissonnerie nom féminin
État d'une personne peu aimable. *Ce que je ne puis assez me lasser d'admirer, c'est la hérissonnerie de ces gens-là.* (MÉRIMÉE)

hideur nom féminin
[de l'ancien français *hide,* horreur, effroi]
Laideur extrême. *La mort dissimulait sa face / Aux trous profonds, au nez camard / Dont la hideur railleuse efface / Les chimères du cauchemar.* (GAUTIER) « Ancien mot fort nécessaire. » (LITTRÉ)

hommasse adjectif
Se dit d'une femme qui a les traits, la voix, les manières d'un homme. *La comtesse de Furstemberg avait été fort belle, mais grande et grosse, hommasse comme un cent-suisse habillé en femme.* (SAINT-SIMON)

s'hommasser verbe
Prendre les manières d'un homme. *La femme qui s'hommasse n'a plus d'empire sur les hommes.* (BERNARDIN de SAINT-PIERRE)

hommelet nom masculin
Petit homme, sans importance, sans force, sans valeur. *Que devons-nous faire, nous autres hommelets ?* (MONTAIGNE)

hurluberlu ou **hurlubrelu** nom masculin et adjectif
[de l'ancien français *hurelu,* ébouriffé, et *berlu,* qui a la berlue ; ou peut-être de l'anglais *hurly burly,* tumulte]
Personne étourdie, qui agit sans réflexion et d'une manière brusque. *Mademoiselle, grand hurluberlu, qui se trouvait partout avec son imagination, écrivit à Rancé et lui demanda quelques religieuses.* (CHATEAUBRIAND) Extravagant. *Les coiffures hurluberlues m'ont fort divertie.* (Mme de SÉVIGNÉ)

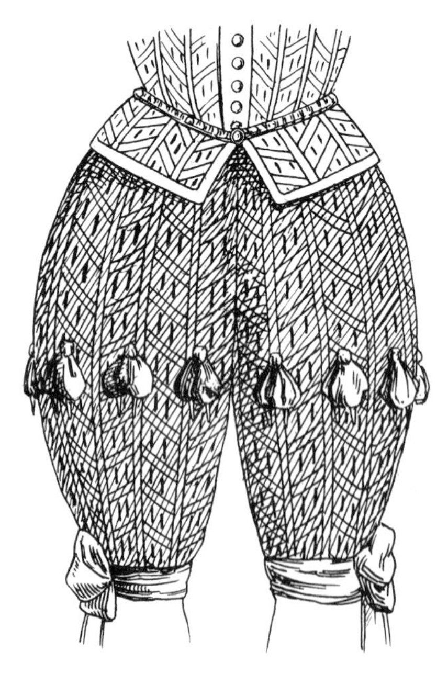

GIGOTTE (XVIe s.).

hurlupé, ée adjectif
[sans doute de l'ancien français *hurepé,* hérissé]
Hérissé, ébouriffé. *Enfin, dès six heures du matin, tout est en l'air, coiffure hurlupée, poudrée, frisée.* (Mme de SÉVIGNÉ)

imbriaque adjectif
[du latin *ebriacus,* ivrogne]
Ivre, fou, stupide. *Je pense que je suis aujourd'hui imbriaque ; j'oublie la moitié des choses dont j'ai besoin.* (HAUTEROCHE)

immanité nom féminin
[du latin *manis,* doux]
Cruauté monstrueuse. *L'immanité de Néron est restée célèbre.*

impollu, ue adjectif
Sans tache, non souillé. *Je saurai conserver d'une âme résolue / À l'époux sans macule une épouse impollue.* (CORNEILLE) On dit aussi *impollué.*

inadvertance, inattention : « Le premier s'applique à un esprit qui ne prend pas garde ; le second à un esprit dont l'attention ne se fixe pas. L'inadvertance est généralement un fait accidentel, isolé ; l'inattention est presque toujours un défaut habituel. » (LAROUSSE)

inadvertant, ante adjectif
[du latin *advertere,* faire attention]
Qui ne prend pas garde, qui a de l'inadvertance. *Les libertins sont bien venus dans le monde, parce qu'ils sont inadvertants, gais, plaisants, dissipateurs.* (DIDEROT)

infantelet, ette nom masculin et féminin
Jeune enfant, et, au féminin, jeune fille. *Vous êtes, belle infantelette / Une pomme encore verdelette.* (VAUQUELIN)

infélicité nom féminin
Manque de qualités favorables, fécondes. *Il se sent gêné par l'infélicité de son naturel.* (SAINT-ÉVREMONT)

Coiffure à L'HURLUBERLU (XVIIe s.).

infimité nom féminin
[du latin *infimus,* qui est au degré le plus bas]
Condition d'une personne infime. *Le cardinal Fleury avait passé sa vie d'abord dans l'infimité, après à se pousser et à faire sa cour à tout le monde.* (SAINT-SIMON)

ingambe adjectif
[de l'italien *in gamba,* en jambe]
Qui est bien en jambes, léger, dispos, alerte. *Le monde fut étonné de voir presque tout à coup un cul de jatte ingambe.* (SAINT-SIMON) Qui peut se déplacer, aller, venir. *Je ne croyais pas la duchesse du Lude assez ingambe pour aller à Saint-Cloud.* (Mme de MAINTENON)

ingénu, ue adjectif
[du latin *ingenuus*, qui a l'honnêteté d'un homme libre]
Qui a une innocence franche. *Il est difficile de se fâcher longtemps contre les personnes ingénues : elles désarment.* (DIDEROT) Simple, naïf, en parlant des choses. *Parole ingénue, sourire ingénu. Un air réformé, une modestie outrée, la singularité de l'habit ne relèvent pas le mérite ; ils le fardent et font peut-être qu'il est moins pur et moins ingénu.* (LA BRUYÈRE)

ingénuité nom féminin
Franchise naturelle et gracieuse. *Jurez par mon ingénuité combien j'ai l'âme sincère.* (SCARRON)

ingénuité, naïveté : « Ces deux mots désignent le naturel et la simplicité ; mais l'étymologie y met une nuance : l'ingénuité est ce qui est propre à une personne libre ; la naïveté exprime seulement ce qui est natif. De là vient que l'ingénuité est toujours un éloge, tandis que la naïveté touche quelquefois à une simplicité trop grande, à une sorte de niaiserie. » (LITTRÉ)

ingénument adverbe
De manière ingénue. *En ce cas, tout ce que doit faire un historien, c'est de conter ingénument le fait, sans vouloir pénétrer les motifs.* (VOLTAIRE)
Sincèrement, franchement. *J'aime mieux confesser ingénument mon péché que de me mettre en peine de le mal justifier.* (G. de BALZAC)

HURONS.

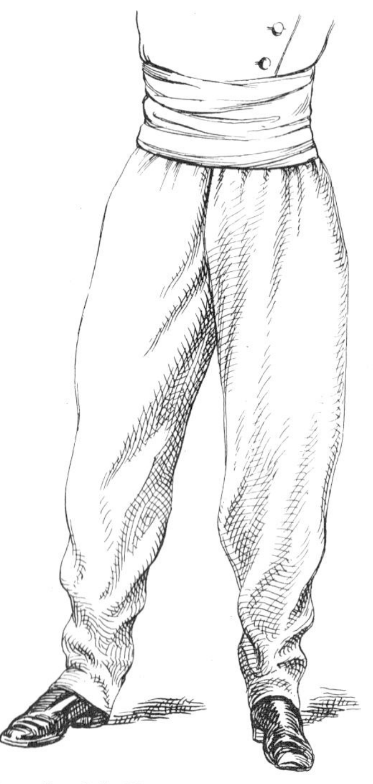

Pantalon à la HUSSARDE.

intempérance nom féminin
Ce qui est à l'opposé de la modération. *Cette intempérance de sagesse dont parle Saint-Paul...* (BOURDALOUE) - *Intempérance de langue :* trop grande liberté qu'on se donne de parler, soit en disant ce qui ne devrait pas être dit, soit en attribuant aux autres des actes ou des discours qui peuvent nuire à leur réputation. *Une intempérance de langue difficile à pardonner.* (DIDEROT) On parle aussi d'*intempérance de plume. On devrait châtier l'intempérance de plume qu'on remarque à tant d'auteurs.* (SAINT-ÉVREMONT)

janoterie nom féminin
[de *Janot,* type comique créé au XVIIIe s. par Dorvigny]
Niaiserie, simplicité extrême. *Sa janoterie en fait sourire plus d'un.*

jobard, arde nom et adjectif
[du personnage de *Job*]
Homme niais, crédule, qui se laisse facilement tromper. *Les escrocs vivent des jobards.*

jobarder verbe
Duper. *Son plaisir est de jobarder les autres.*

jobarderie nom féminin
Crédulité. Paroles de jobard. *Ennuyer quelqu'un de ses jobarderies.*

jobardeur, euse nom masculin et féminin
Personne qui jobarde. *Le monde est le terrain où se rencontrent jobards et jobardeurs.*

jocrisse nom masculin
[type comique de benêt au théâtre, popularisé par Dorvigny au XVIIIe s. ; peut-être une dérivation de l'ancien français *joquesus,* juche-toi dessus]
Benêt se laissant gouverner, ou s'occupant des soins du ménage qui conviennent le moins à un homme. *Si j'avais un mari, je le dis... je ne l'aimerais point s'il faisait le jocrisse.* (MOLIÈRE)

jugeoteur, euse nom masculin et féminin
Mauvais petit juge. Personne qui juge les autres sans les connaître. *Il donne son avis à tout bout de champ : c'est un jugeoteur.*

jugeur, euse nom masculin et féminin
Personne qui se plaît à juger, à critiquer. *La coterie des jugeurs.* (BEAUMARCHAIS)

lendore nom masculin
[sans doute de l'allemand *landel,* femme méprisable, avec influence du verbe *endormir*]
Personne lente et paresseuse qui semble toujours assoupie. *J'en dis un mot en badinant à Mlle de Blois et elle me répondit d'une façon qui me surprit, avec son ton de lendore : je ne me soucie pas qu'il m'aime, je me soucie qu'il m'épouse.* (CAYLUS)

Manches à l'IMBÉCILE
(à la mode en 1871).

lésine nom féminin
[de l'italien *lesina,* alêne ; du nom d'une compagnie d'avares qui réparaient eux-mêmes leurs chaussures]
Épargne sordide, grande avarice. *Il n'y a point d'association plus commune que celle du faste et de la lésine.* (J.-J. ROUSSEAU)

lésiner verbe
User de lésine. *Vous avez lésiné sur les frais.* (BEAUMARCHAIS)

lésinerie nom féminin
Vice de caractère qui porte à lésiner. *Il est d'une lésinerie honteuse.*

lésineur, euse nom masculin et féminin
Personne qui lésine. *Ne le fréquentez pas : c'est un mesquin, un lésineur.*

lésineux, euse adjectif
Qui a le caractère de la lésine. *Une économie lésineuse.*

longanimité nom féminin
[du bas latin *longanimitas,* même sens]
Noble indulgence qui fait endurer patiemment les torts de personnes inférieures ou ses propres maux. *Ce Dieu plein de longanimité et de patience.* (MASSILLON) Patience, courage dans la souffrance morale.

mâche-dru nom masculin
Gros mangeur, gourmand. *Son avarice l'empêche d'inviter des mâche-dru.*

mafflé, ée ou **mafflu, ue** adjectif.
[de *maffler,* manger beaucoup]
Qui a de grosses joues. *Sa taille était fort ordinaire, son visage long, mafflé, fort lippu, dégoûtant.* (SAINT-SIMON)

malévole adjectif
Qui a de mauvaises intentions. *Sous le bon plaisir du lecteur bénévole ou malévole...* (SCARRON)

malignité nom féminin
Inclination à faire, à penser, à dire du mal. *Je n'ai pas cette basse malignité de haïr un homme à cause qu'il est au-dessus des autres.* (VOITURE) *La malignité qui est cachée et empreinte dans le cœur de l'homme...* (PASCAL) Disposition à se distraire aux dépens d'autrui. *Sa malignité n'épargne pas même ses amis.*

malingrerie nom féminin
[de l'ancien français *haingre,* décharné, chétif]
État maladif. *Je suis retombé dans mes malingreries.* (VOLTAIRE)

INVALIDES :
1. Louis XV ;
2. 1er Empire ;
3. 1901.

malvoulu, ue adjectif
Peu aimé, peu estimé. *Il est malvoulu de tous ses camarades.*

maraud, aude nom masculin et féminin
[nom du matou, puis du vagabond, dans les parlers de l'Ouest et du Centre]
Celui, celle qui ne mérite pas de considération. (Terme d'injure et de mépris) *Sitôt que tu seras parti / Mon maraud de frère averti / Viendra tout piller à ma barbe.* (SCARRON)

maraude nom féminin
Pillage que les soldats excercent, avec ou sans permission. *Quatre cavaliers allant en maraude s'avancèrent jusqu'aux portes de Minden.* (VOLTAIRE) *Aller en maraude, à la maraude.*

marauder verbe
Aller en maraude. *Petits hommes d'État, entachés de poésie, qui maraudons de chétifs mensonges sur des ruines...* (CHATEAUBRIAND)

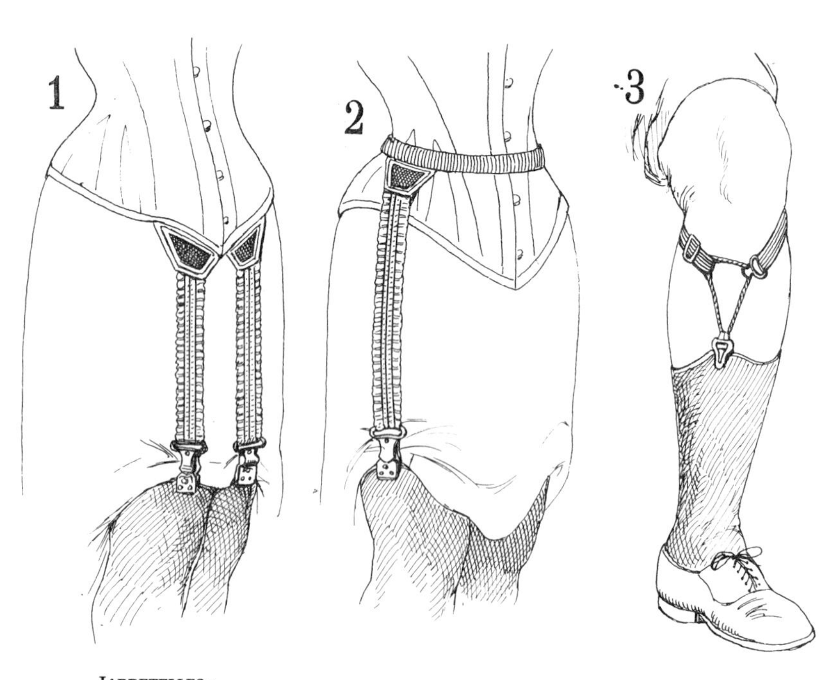

JARRETELLES :
1, 2. De femme ;
3. D'homme.

marauderie nom féminin
Acte de maraud. *Je n'ai pas voulu en enrager tout seul, j'ai voulu que vous me tinssiez compagnie, et c'est pourquoi je vous fais part de cette marauderie.* (RACINE)

marmouset nom masculin
[altération de *marmot*]
Petite figure grotesque. *Le cafre tira d'un lambeau de pagne un petit marmouset de bois.* (BERNARDIN de SAINT-PIERRE)
Par mépris, jeune homme sans valeur. *Quoi donc ! ce marmouset / Avec son poil blondin transplanté sur sa tête / Vous plairait pour époux ?* (MONTFLEURY)

maroufle nom masculin
[autre forme de *maraud*]
Terme de mépris qui se dit d'un homme grossier. *Ce maroufle-là me laisse toute seule à la maison comme si j'étais son chien.* (MOLIÈRE) *Je ne puis souffrir qu'elle traite César comme un marmouset.* (VOLTAIRE)

mâtin, ine nom masculin et féminin
[du latin *mansuetinus,* dérivé de *mansuetus,* apprivoisé]
Personne grossière ou désagréable. *Un vilain mâtin.* Luron, luronne. *Ah ! mâtine, nous vous y surprenons !* (MOLIÈRE) *Une petite mâtine.*

matois, oise nom et adjectif
[de l'argot *mate,* rendez-vous des voleurs]
Qui a, comme le renard, la ruse et la hardiesse. *Un vieux coq adroit et matois.* (LA FONTAINE) *Il est bien vrai que je me représentai aussi ce que pouvait être une matoise des plus raffinées.* (LESAGE)

matoisement adverbe
D'une manière matoise. *Il est venu matoisement.*

matoiserie nom féminin
Artifice. *Des tours pleins de matoiseries.*

mauclerc nom masculin
[du latin *malus,* mauvais, et *clerc*]
Homme ignorant. *Ce mauclerc ne manque pas de prétention.*

MELON à perruque.

mésavenance nom féminin
Désagrément. *Nous appelons laideur aussi, une mésavenance au premier regard.* (MONTAIGNE) *La vie est pleine de mésavenance.* (GAUTIER) « Terme vieilli mais bon à remettre en usage. » (LITTRÉ)

mésavenant, ante adjectif
Qui n'est point avenant. *Le talent de s'immortaliser par les lettres n'est une qualité mésavenante à quelque rang que ce soit.* (DIDEROT)

mirliflore nom masculin
[du latin *mirli flores,* ou de *mille fleurs,* avec influence de *mirlifique,* déformation de *mirifique*]
Jeune homme qui fait l'agréable, le merveilleux. *Je figurerais mal dans un cercle de petits mirliflores.* (Mme d'ÉPINAY)

MÉNESTREL.

morgue nom féminin
[du verbe *morguer,* braver]
Contenance sérieuse et fière. Orgueil et suffisance. *C'est injustice et folie de priver les enfants qui sont en âge, de la familiarité des pères, et de vouloir maintenir à leur endroit une morgue austère et dédaigneuse.* (MONTAIGNE)

morguer verbe
Traiter avec hauteur. *La médiocrité morgue le génie.* (CHATEAUBRIAND) Se soucier peu de. *Morguer la richesse, la mort.*

muche nom masculin
[de l'ancien français *musser,* cacher]
Jeune homme timide. *Ce jeune muche n'osait pas lui demander sa main.*

munificence nom féminin
[du latin *munus,* charge, fonction]
Qualité qui porte à faire de grandes libéralités. *À la munificence divine, il ne lui faut point de raison, si l'on peut parler de la sorte ; c'est la propre nature de Dieu.* (BOSSUET)

nice adjectif
[du latin *nescius*]
Qui ne sait pas, simple par ignorance.

nice adjectif
[de l'anglo-saxon, *nesc,* et de l'anglais *nice,* même sens]
Joli, bien fait.

nicet, ette adjectif
Gracieux. *Une simple maîtresse, qui soit douce et nicette...* (RÉGNIER)

obscurant nom masculin
Celui qui est opposé à la diffusion des Lumières, au progrès. *Les obscurants veulent abrutir les peuples.* (FOURIER)
On dit aussi *obscurantin* et *obscurantiste.*

ocieux, euse adjectif
[du latin *otium,* loisir]
Oisif. *Et ne tient point ocieuses / Ces âmes ambitieuses.* (MALHERBE)

ocieux, oisif : « Oisif se disait pour la personne, ocieux de la situation : pourquoi l'avoir abandonné ? » (MARMONTEL)

oculé, ée adjectif
Qui a de bons yeux.
Consolez-vous, bonne cousine, de n'avoir pas vu les glandes des crucifères ; de grands botanistes très bien oculés ne les ont pas mieux vues.
(J.-J. ROUSSEAU)

Le ménétrier
d'après Teniers.

Types Niams-niams.
Tribu anthropophage.

oubliance nom féminin
Disposition à oublier.
Effaçons, je vous en prie, de notre histoire tout ce qui s'est passé depuis quatre mois ; croyons que ce temps-là arriva au siècle des choses fabuleuses, et, pour notre commun contentement, apprenons ensemble l'art d'oubliance.
(G. de BALZAC)

pacant nom masculin
[de l'allemand argotique *Packan,* gendarme, huissier, mâtin]
Rustre. *Fi, cet homme est un pacant qui déchire les tympans délicats et salit les bouches de roses.* (Le Père Duchesne)

paltoquet nom masculin
[de l'ancien français *paletoc,* casaque de paysan]
Homme grossier, sans mérite, prétentieux. *C'est bien à toi, paltoquet, me disait-elle, à t'arrêter à ce chimérique honneur.* (MARIVAUX)

pantophile nom masculin
[mot créé par Voltaire]
Celui qui aime tout. *J'attends avec impatience les réflexions de pantophile Diderot sur* Tancrède *; tout est dans la sphère d'activité de son génie ; il passe des hauteurs de la métaphysique au métier d'un tisserand, et de là il va au théâtre.* (VOLTAIRE)

parentaille nom féminin
Ramassis de parents. *Toute ma parentaille est venue à mon jugement ; j'ai manqué tomber en syncope.* (P.-L. COURIER)

parentèle nom féminin
Ensemble de tous les parents.
Avoir une parentèle aristocratique. Mme de Bouillon nous pria instamment d'aller voir toute la parentèle nombreuse et grotesque. (SAINT-SIMON)

NOURRICES.

patelin, ine nom et adjectif
[de *Patelin,* personnage d'une comédie du XIVe s., qui par ses flatteries se fait vendre à crédit du drap, et trompe les gens avec ses paroles]
Se dit d'une personne souple, d'une douceur artificieuse. *La vieille, qui devenait de jour en jour plus flagorneuse et plus pateline avec moi...* (J.-J. ROUSSEAU)

patelin, patelineur, papelard : « Le patelin trompe en flattant, de par sa nature même ; le patelineur ne pateline qu'accidentellement, par occasion ; le papelard trompe en simulant la dévotion. » (LAROUSSE)

patelinage nom masculin
Manière d'être pateline. *Le patelinage est naturel aux femmes.*

pateliner verbe
Agir en patelin. *J'y mis un ton dur qu'il sentit, et qui ne l'empêcha pas de me pateliner encore en deux ou trois lettres, jusqu'à ce qu'il sût ce qu'il avait voulu savoir.* (J.J. ROUSSEAU) Traiter d'une manière pateline. *Pateliner un vieillard pour capter son héritage.* Mener avec ruse. *Pateliner une affaire.*

paterne adjectif
[du latin *paternus*]
Paternel. D'une bienveillance doucereuse. *J'allai voir le prélat ; il me reçut d'un air paterne, en m'appelant toujours mon cher monsieur Marmontel.* (MARMONTEL)

patte-pelu, ue nom masculin et féminin
[*pelu*, ancienne forme de *poilu*, ainsi dit parce qu'une patte poilue est douce au toucher]
Homme, femme dont la « patte », la manière d'agir est douce et flatteuse et qui s'en sert pour arriver à ses fins. *Le chat et le renard, / Deux francs patte-pelus qui, des frais du voyage, / Croquant mainte volaille, croquant maints fromages / S'indemnisèrent à qui mieux mieux.* (LA FONTAINE)

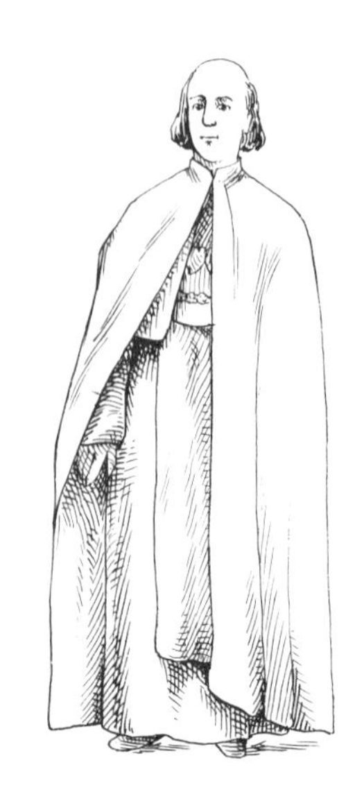

RELIGIEUX de Picpus.

pauvreteux, euse adjectif
Chétif, misérable. *Le comte de Châtillon, gentilhomme de la chambre du duc d'Orléans, était un seigneur fort pauvreteux.* (SAINT-SIMON)

pécore nom féminin
[du latin *pecora,* pluriel de *pecus,* bête de troupeau]
Personne stupide. *Son mari était une sorte de pécore lourde et ennuyeuse à l'excès.* (SAINT-SIMON)

pecque nom féminin
[du latin *pecus,* bête de troupeau]
Femme sotte et impertinente qui fait l'entendue. *A-t-on jamais vu, dites-moi, deux pecques provinciales faire plus les renchéries que celles-là ?* (MOLIÈRE)

pécunieux, euse adjectif
[du latin *pecunia*, argent]
Qui a beaucoup d'argent comptant. *Il vaut mieux, croyez-moi, vivre dans l'abondance que dans l'opulence ; soyez mieux que pécunieux, soyez riche.* (J.-J. ROUSSEAU) *L'Angleterre, la plus riche ou plutôt la plus pécunieuse des nations.* (de BONALD)

péronnelle nom féminin
[féminin de *perron,* dérivé de *Pierre,* ou peut-être du latin *Petronilla*]
Jeune femme sotte et babillarde. *Taisez-vous, péronnelle / Allez philosopher tout le saoûl avec elle.* (MOLIÈRE)

pertinacité nom féminin
Entêtement, opiniâtreté en quelque chose. *J'admirais les cavillations de ses réponses et la pertinacité de son attachement à introduire ces horreurs.* (SAINT-SIMON) *La pertinacité fiévreuse que donnent la haine et la vengeance...* (H. de BALZAC)

poiloux nom masculin
Homme de néant, misérable. *Toute la France, toute la cour, poiloux ou autres, useurs de parquets ou gens affairés, attendent à la porte.* (d'ARGENSON)

A. Relève-jupe. Petite pince pour relever la jupe.

pourvoyance nom féminin
Qualité de ce qui pourvoit. *Grâce à sa pourvoyance je ne manque de rien.* (LEGOARANT)

pourvoyant, ante adjectif
Qui pourvoit, fournit ce qui est nécessaire, supplée à ce qui manque. *Ayant pris toutes leurs mesures, en gens prévoyants et pourvoyants qui songent à tout...* (J.-J. ROUSSEAU)

prône-misère nom masculin
Personne qui se plaint continuellement. *C'était un franc avare, un vrai prône-misère.* (HAUTEROCHE)

quémand, ande nom masculin et féminin
Celui, celle qui mendie, qui gueuse, qui demande avec importunité. *Plus que pauvre et quémande on voit la poésie.* (RÉGNIER)

rafalé, ée nom et adjectif
[de *rafale*]
Qui a subi des revers de fortune. *M. de la Brive se trouve être un rafalé de la Bohême boursicotière.* (GAUTIER) *Un homme rafalé.*

ragot, ote adjectif
[dérivé de *ragot,* sanglier]
Court et gros. *Un cheval ragot. Après ce que je viens de vous dire, vous n'aurez pas de peine à croire qu'elle était très succulente, comme sont toutes les femmes ragotes.* (SCARRON)

ragotin nom masculin
[nom d'un personnage du *Roman comique* de Scarron]
Homme contrefait et ridicule. *Ce n'est qu'un infâme ragotin.*

rapin nom masculin
Se dit, dans les ateliers de peinture, d'un jeune élève que l'on charge des travaux les plus grossiers et des commissions. *Il appartenait à la classe des rapins chevelus, et professait sur l'esthétique des doctrines qui se rapprochaient beaucoup des miennes.* (REYBAUD) Se dit, par extension, d'un peintre dépourvu de talent.

REMUEUSE.
Femme chargée, dans la maison d'un seigneur, de bercer un enfant, de le changer de langes, etc.

rapinade nom féminin
Œuvre de rapin. *Il y a peu de temps encore régnaient sans contestation la peinture proprette, le joli, le niais, l'entortillé, et aussi les prétentieuses rapinades, qui, pour représenter un excès contraire, n'en sont pas moins odieuses pour l'œil d'un vrai amateur.* (BAUDELAIRE)

rebrasser verbe
Retrousser. *Rebrasser ses manches. Il faut rebrasser ce sot haillon qui cache nos mœurs ; ils envoient leur conscience au bordel, et tiennent leur contenance en règle.* (MONTAIGNE) *Des cardinaux vêtus de longues robes traînantes, teintes en pourpre, rebrassées d'hermine.* (VOLTAIRE)

recru, ue adjectif
[de l'ancien français se *recroire,* se rendre à merci]
Excédé de fatigue. *Le voilà chasseur s'il tirait bien : il revient de nuit mouillé et recru sans avoir tué.* (LA BRUYÈRE)

rhabillage nom masculin
Raccommodage. *Un méchant rhabillage.* « Il se dit d'une affaire qu'on a essayé de raccommoder, de changer en mieux, sans y avoir réussi. » (LITTRÉ) *Je ne sais trop s'il est bien mon ouvrage, / Et j'y soupçonne un peu de rhabillage.* (BRET)

rhabilleur, euse nom masculin et féminin
Horloger qui raccommode les montres. Celui qui tâche de pallier, de justifier. *Senneterre, qui était de son naturel grand rhabilleur, ne voulut pas laisser partir la cour sans mettre un peu d'onction (c'était son mot) à ce qui n'était qu'un pur malentendu.* (RETZ)

ROBE À QUEUE.

ribaud, aude nom et adjectif
[probablement du moyen allemand *ribe,* prostituée]
Impudique, luxurieux. Personne qui fréquente habituellement les endroits mal famés. *Le gentil dieu qu'on appelle Mercure, dieu des fripons, des ribleurs et ribauds.* (CHAULIEU)

ribaudaille nom féminin
Ramassis de vauriens. *Tuez toute cette ribaudaille.* (FROISSART)

ribauder verbe
Se conduire en ribaud. *La nuit, il rôde et il ribaude.*

ribauderie nom féminin
Acte de ribaud. *Elle ne supporte plus ses ribauderies.*

rigri nom masculin et adjectif
Sot, vilain. *Petits maîtres, pédants rigris / Parlent de vous sans intervalle.* (VOLTAIRE)

robin nom masculin
[altération de *Robert,* nom qui désignait un paysan prétentieux]
Bouffon, sot, facétieux. *Oh ! les plaisants robins qui pensent me surprendre !* (MOLIÈRE)

robin, ine adjectif
Qui a de l'entregent. *Avec beaucoup d'esprit, elle était insinuante, plaisante, robine, débauchée, point méchante, charmante surtout à table.* (SAINT-SIMON)

robinerie nom féminin
Facétie, plaisanterie. *Rabelais a passé tous les autres satiriques en rencontres et belles robineries.* (Satire Ménippée)

rodomont nom masculin
[de *Rodomont,* personnage créé par le Boiardo et adopté par l'Arioste]
Fanfaron qui vante sa bravoure pour se faire valoir et se faire craindre. *Il faut que je sois bien possédé du démon / Pour souffrir les hauteurs d'un pareil rodomont.* (DESTOUCHES)

SUBUCULE. Chemise à longues manches portée sous la tunique.

rodomontade nom féminin
Parole, langage de rodomont. *J'ai chez moi des valets à mon commandement / Qui n'ayant pas l'esprit de faire des bravades / Répondraient de la main à vos rodomontades.* (CORNEILLE)

roger-bontemps nom masculin
[de *Roger,* aîné de la maison des *Bontemps,* dans le Vivarais, et réputé pour sa belle humeur et sa bonne chère]
Personne qui vit sans aucune espèce de souci. *Je suis encore une jeunesse et d'humeur folichonne, un roger-bontemps.* (MARIVAUX)

rogue adjectif
[sans doute du scandinave, *hrôkr,* fier, arrogant]
Arrogant, avec une nuance de rudesse en plus.
M. d'Elbeuf, qui, selon le caractère de tous les gens faibles, était rogue et fier, parce qu'il se croyait le plus fort... (RETZ)

roguement adverbe
D'une manière rogue.
Répondre roguement.

roguerie nom féminin
Humeur rogue. *Le solide du ministère apprivoisa la roguerie de M. de la Rochefoucauld.* (SAINT-SIMON)

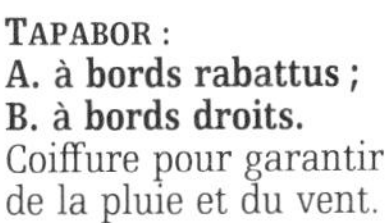
TAPABOR :
A. à bords rabattus ;
B. à bords droits.
Coiffure pour garantir de la pluie et du vent.

roquentin nom masculin
[sans doute de l'ancien français *roquer,* heurter, roter, craquer]
Vieillard ridicule qui veut faire le jeune homme. *Il se promène avec un vieux roquentin qui a la barbe plus longue que ma chevelure.* (DESTOUCHES)

rustaud, aude adjectif
Qui tient du paysan, de la campagne. *Il est ravi de votre portrait : je voudrais que le mien fût un peu moins rustaud : il ne me paraît point propre à être regardé agréablement ni tendrement.* (Mme de SÉVIGNÉ)

rustaud, rustre : « On est rustaud faute d'éducation, faute d'usage, par l'habitude de vivre toujours avec des campagnards ; on est rustre par caractère, par humeur, par goût, par caprice, par mécontentement. » (LITTRÉ)

rustauderie nom féminin
Air, manières de rustaud. *Mon air délicat serait encore la rustauderie d'un autre, tant j'avais un grand fonds de cette belle qualité.* (Mme de SÉVIGNÉ)

sade adjectif
[du latin *sapidus,* qui a du goût]
Agréable et gracieux. *Ces femmes qui, gentes en habits et sades en façons...* (RÉGNIER)

sadinet, ette adjectif
Diminutif de sade. *Autant qu'une plus blanche il aime une brunette / Si l'une a plus d'éclat, l'autre est plus sadinette.* (RÉGNIER)

salisson nom féminin
Femme, fille malpropre. *Quoi ! tu gardes cette vieille salisson-là ?* (CARMONTELLE)

sapajou nom masculin
[nom d'un petit singe ; emprunté au tupi, langue indigène du Brésil]
Petit homme laid et ridicule. *Ces dames avaient à leur suite comme un petit sapajou.* (J.-J. ROUSSEAU) *Ce sapajou de juge de paix était toujours fourré au milieu de nous.* (Ch. de BERNARD)
Enfant malicieux.

Tour d'hospice en 1830.

sapience nom féminin
[du latin *sapere,* être habile]
Sagesse. *Près du Mans donc, pays de sapience...*
(LA FONTAINE)

sécheron nom masculin
Personne très sèche, très maigre. *Sa maladie l'a transformé en sécheron.*

sémillance nom féminin
[du latin *semilleus,* rusé, capricieux]
« Vivacité, promptitude, en parlant de l'esprit, du regard. » (MERCIER) *Il l'aimait pour sa beauté, sa légèreté, sa sémillance.*

sémillant, ante adjectif
D'une vivacité qui veut plaire. *Je ne conçois pas comment Mme du Deffand peut être si gaie et si sémillante, après avoir perdu la vue.* (VOLTAIRE)

sémiller verbe
Manifester une grande vivacité d'esprit et de manières. *Cet étourdi qui court, saute, sémille / Sort, rentre, va, vient, rit, parle et frétille.* (VOLTAIRE)

simplesse nom féminin
Ingénuité accompagnée de douceur ; naturel sans déguisement. *Vous m'annoncez quelqu'un si facile, si bon ! D'une ingénuité, d'une simplesse extrême.* (COLLIN d'HARLEVILLE)

songe-creux nom masculin
Homme qui, affectant de beaucoup songer, entretient continuellement des pensées chimériques. *Un songe-creux de mon voisinage a imprimé sérieusement qu'il jugeait que notre monde devait durer tant qu'on ferait des systèmes, et que, dès qu'ils seraient épuisés, ce monde finirait.* (VOLTAIRE)

TRIVELIN
(désigne un farceur, un baladin, un bouffon).

songe-malice nom masculin
Celui qui fait souvent des malices, des mauvais tours. *Méfiez-vous de lui, c'est un songe-malice.*

superbe nom féminin
[du latin *superbus,* orgueilleux]
Orgueil avec faste et vaine gloire. *Si l'on ne se connaît plein de superbe, d'ambition, de concupiscence, de misère et d'injustice, on est bien aveugle.* (PASCAL) *Abattons sa superbe avec sa liberté.* (CORNEILLE)

tendron nom masculin
[de *tendre*]
Jeune fille. *Il ne recherche que les tendrons. La voyageuse académie / Recommande à l'humanité / Comme à la tendre charité / Un gros tendron de Laponie.* (VOLTAIRE)

tors, torse adjectif
Synonyme de tordu. *Un suisse à barbe torse, et nombre de valets, intendants, cuisiniers rempliront mon palais.* (RÉGNIER)

tors, tordu : « Tors se dit de ce qui a une torsion naturelle : du bois tors ; ou une torsion opérée : de la soie torse ; tordu se dit seulement de la torsion opérée. » (LITTRÉ)

tracassier, ière nom masculin et féminin
[de *tracasser,* se donner du mouvement pour des riens]
Celui, celle qui ne sait ce qu'il veut, qui suscite des difficultés sans raison. *Oui, oui, défaites-vous de cette tracassière.* (DESTOUCHES) *On trouve cent chasseurs, cent tracassiers, cent ivrognes, pour un homme qui lit.* (VOLTAIRE)
Adjectivement. *Une petite femme tracassière qui se mêle de tout et brouille tout, parce qu'elle se croit bonne à tout et que, dans le vrai, elle n'est bonne à rien.* (DIDEROT)

traitable adjectif
Doux, maniable, facile. *Ceux qui nous déconseillent les femmes riches, de peur qu'elles soient moins traitables et reconnaissantes...* (MONTAIGNE) *C'est le privilège de tous les arts de rendre les hommes plus traitables.* (VOLTAIRE)

WATERPROOFS.

tribade nom féminin
[du grec *tribein,* frotter]
Femme homosexuelle. *Elle a des gestes de tribade.*

truchement nom masculin
[de l'arabe *tourdjoumân,* interprète]
Personne qui parle à la place d'une autre, qui exprime les intentions d'une autre. *Nous n'entendons pas bien ce qu'un soupir veut dire ; / Et je vous servirais de meilleur truchement, / Si vous vous expliquiez un peu plus clairement.* (CORNEILLE) *Jugez, lecteur, si l'auteur d'une si noire supposition ne doit pas passer désormais pour le truchement du père des mensonges.* (PASCAL) Ce qui fait comprendre. *Contentez-vous des yeux pour vos seuls truchements.* (MOLIÈRE)

turlupin nom masculin et adjectif
[de *Turlupin,* surnom pris par Legrand, auteur de farces au XVIIe s.]
Homme qui fait des allusions froides et basses, de mauvais jeux de mots. *De sage et posé que j'étais auparavant, je devins vif, étourdi, turlupin.* (LESAGE)

turlupinade nom féminin
Jeu de mots. *Ne craignons jamais de nous permettre les turlupinades qui viennent au bout de nos plumes.* (Mme de SÉVIGNÉ)

ZAMBOUREK.
Artilleur persan.

turlupiner verbe
Faire des plaisanteries de mauvais goût. Faire de quelqu'un la victime de plaisanteries. *Voici le docteur ; il faut le turlupiner.* (REGNARD et DUFRESNY)

valétudinaire adjectif
[du latin *valetudo,* mauvaise santé]
Qui est souvent malade. *Presque tous les moralistes ont été valétudinaires.* (RIGAULT)

valétudinaire, maladif :
« Une personne valétudinaire est une personne dont la santé est chancelante, ou délicate, ou souvent altérée par différentes maladies qui lui arrivent par intervalles. Une personne maladive est sujette à être souvent malade, non par délicatesse de sa constitution, mais par quelque affection particulière, par un principe morbifique dont elle est affectée. » (LITTRÉ)

vanterie nom féminin
Vaine et présomptueuse louange qu'on se donne à soi-même. *Nous ne tirâmes de lui que des vanteries comme, par exemple, qu'il me défendrait mieux que je ne me défendrais moi-même.* (RETZ) *Les vanteries les plus petites sont de grands ridicules.* (Mme de MAINTENON)

vénusté nom féminin
Grâce, élégance. *Bouche parfaite en toute élégance et vénusté de paroles.* (DU BELLAY) *Par son attitude, sa mélancolie, sa vénusté, elle ressemblait à un génie funèbre.* (CHATEAUBRIAND)

vertugadin nom masculin, **vertugade** nom féminin
[de l'espagnol *vertugado,* baguette]
Gros et large bourrelet que les femmes avaient coutume de porter au-dessous de leur corps de robe. Antiquaille, chose tombée en désuétude. *Tes bons mots, hors de mode aujourd'hui chez nos plus froids badins / Sont des collets montés et des vertugadins.* (BOILEAU)

virago nom féminin
[du latin *virago,* femme qui a le courage d'un homme ; de *vir,* homme]
Par dénigrement, fille ou femme de grande taille, qui a les manières d'un homme. *Qu'y a-t-il de commun entre moi et ces viragos dont vous vous moquez si justement ?* (Ch. de BERNARD)

vive-la-joie nom masculin invariable
Bon vivant, homme toujours gai. *C'est un vive-la-joie.*

volage adjectif
[du latin *volaticus,* qui vole, ailé]
Qui est changeant en amour. *Une femme inconstante est celle qui n'aime plus ; une volage, celle qui ne sait si elle aime et ce qu'elle aime.* (LA BRUYÈRE) *Un volage adorateur de mille objets divers.* (RACINE)

zélote nom masculin
[du grec *zelos,* ardeur, zèle]
Homme emporté par un zèle religieux excessif, touchant au fanatisme. *Il vivait entouré de zélotes.*

zélotisme nom masculin
Excès de zèle religieux. *Le zélotisme mène aux pires actions.*

zoïle nom masculin
[nom d'un ancien critique célèbre par son acharnement à censurer Homère]
Mauvais critique ou critique envieux et méchant. *Il ne sait rien dire de bon ; c'est un zoïle amer.*

ZOUAVES :
1. En 1831 ;
2. En 1854 ;
3. Officier, en 1854 ;
4. 5. Actuels.

AFFECTIONS

Les aventures de l'âme et du corps sont-elles immuables ou vagabondes ? Les émotions varient-elles avec les lieux ou les époques ? L'anthropologue californien E.T. Hall a montré, dans son livre *la Dimension cachée,* combien nos sensations dépendaient de notre culture : un Anglo-Saxon n'a pas le même odorat qu'un Méditerranéen. De leur côté, les historiens se plaisent aujourd'hui à nous raconter l'histoire des larmes, de l'amour maternel ou de la pudeur...

On ne sait pas grand-chose du corps de l'autre, si ce n'est d'ordinaire ce qu'il montre et ce qu'il en dit. Seulement des images...

Les corps des siècles passés sont à jamais des énigmes. Il ne reste plus que la mise en scène du *pathos :* des sons, des images, des mots : les *affetti* dans la musique de Monteverdi, des personnages qui s'étreignent furieusement dans un tableau de Greuze, ou cette phrase de Rousseau : *Combien de fois, m'arrêtant pour pleurer à mon aise, je me suis amusé à voir tomber mes larmes dans l'eau.*

Les visages eux-mêmes sont absents. Les pessimistes étant toujours pris au sérieux, les portraits accablants de Goya sont plus vraisemblables que les personnages de Fragonard. Toujours la même illusion ! Nous ressemblons à cette dame, évoquée par Paul Valéry, qui disait, devant un portrait du Christ : « Comme c'est ressemblant ! »

Il est difficile d'accepter qu'une part importante de la réalité, présente ou passée, nous échappe à jamais. Nous préférons saisir le réel selon nos images, et l'absenter aussi à travers les images.

Dès lors, nous ne voulons pas voir n'importe quoi. Certaines gravures du *Grand Larousse* fascinent et terrifient : amputations, fractures, corps mutilés, prothèses étranges... Les planches d'anatomie ne sont supportables que regardées comme des paysages exotiques. Ce corps malade ne peut être le mien, en aucune façon !

Tout le matériel d'intervention sur le corps est *infernal ;* il évoque les pals, les grils, les entonnoirs de cuir et tous les autres outils de torture. L'imagination humaine n'est jamais en reste en ce domaine ! Il faudrait concevoir une histoire de la douleur qui serait, au-delà des larmes et des mots, une histoire du cri.

Mais les bruits s'éteignent pour laisser place aux images. L'insupportable, en fait, c'est la *mise en scène ;* nous avons affaire aux *Diafoirus* de Molière : chapeaux pointus, potions suspectes et ridicules, lancettes et clystères... L'humour n'est pas loin du macabre.

Inacceptable aussi l'aspect trop simple des opérations : ouvrir, couper, scier, fermer. Le corps n'est plus qu'un objet que l'on *bricole.* On préfère les appareils actuels, plus complexes et plus discrets : les rayons lasers laissent le corps *propre.*

Le corps (le nôtre, d'abord) n'est désirable que triomphant ; sa fragilité nous importune ; tout ce qui peut l'altérer nous inquiète. Les corps, il est vrai, n'ont plus la même apparence. Il y a sans doute autant de *caliborgnons* que naguère, mais moins de *podagres !* Les maladies changent, comme les infirmités. Certaines ont disparu (personne n'a le *visage crottu,* comme chez Rousseau), tandis que d'autres naissent ou reviennent. Que deviendront bientôt nos maladies « à la mode » ?

Inséparables, le corps et l'âme vivent des relations troublantes. *Si le ventre connaît la tribulation, le cœur devient humble ; s'il est bien soigné, la pensée s'enorgueillit,* écrit saint Jean Climaque. Mais l'ascète n'est pas le seul à songer au « régime de vie » (à la *diaieta*). Et Nietzsche, qui rappelait que les grandes pensées viennent du corps, expliquait les travers de la philosophie allemande par l'abus de la bière, de la pomme de terre et de la choucroute !

*

* *

Les corps se transforment, et les mots de l'affect se modifient. Quel est vraiment cet individu qui *prend la bisque,* qui *bobillonne, hargne* ou *endêve ?*

Le mot *convoitise* est en train de disparaître, de même que *envie* (excepté dans l'expression *avoir envie*), au profit d'un autre qui les absorbe : *jalousie.* Nous pouvons regretter ce genre d'évolution, car c'est une distinction (donc une façon de penser véritablement ce qui nous arrive) qui s'évanouit. La Rochefoucauld, pourtant, différenciait nettement *l'envie* de *la jalousie : La jalousie est en quelque manière juste et raisonnable, puisqu'elle ne tend qu'à conserver un bien qui nous appartient ou que nous croyons nous appartenir, au lieu que l'envie est une fureur qui ne peut souffrir le bien des autres.*

Réfléchir sur les mots qui conduisent notre vie permet de mieux sentir le monde et notre destin. Quelques mots disparus, considérés avec attention, donnent matière à penser. *Dessouci* dit un peu plus qu'*insouciance* et un peu moins que *laisser-aller ; fâcherie* un peu moins que *chagrin* et un peu plus qu'*agacement. S'aheurter,* qui signifie « échouer » ou encore « s'attacher avec entêtement à quelque chose », donne à comprendre qu'on échoue d'autant plus sûrement qu'on s'entête en quelque préjugé...

Certains mots relus à la lumière de notre présent offrent des richesses introuvables dans le lexique actuel. Bien des mots s'usent à force d'être utilisés. De nos jours, le mot *jouissance* est largement grevé par le discours juridique, psychanalytique ou sexuel. Il devient difficile de l'employer sans précautions. Ici, la langue obsolète nous offre un joli vocable, la *fruition,* qui pointe une appréciation sensuelle, immédiate et gourmande. À l'oreille résonne l'attaque acidulée, la vivacité du plaisir suivi de la douceur...

D'autres notions peuvent revenir et se disposer autrement. Ainsi, le *malêtre* (malaise, vague indisposition) prend à nos yeux une autre dimension, existentielle, proche du *non-être* ou du *désêtre* chez Lacan...

À vrai dire, nous ne savons pas très bien de quelle manière les mots affectent les sentiments. Claude Roy évoque joliment ce problème : *Le Français dit :* « Je vous aime. » *L'Anglais :* « I am in love with you. » *L'Italien :* « Ti voglio bene. » *Le Japonais :* « Aishite iru », *amour il y a. Mais l'Orient escamote élégamment le* je, *le* tu, *le sujet : il y a de l'amour. Peu importe à* qui *il arrive.*

Dans la langue, comme au palais Brongniart, certains mots-valeurs « grimpent », d'autres sont « à la baisse ».

Amour, par exemple, est très demandé : tout le monde en veut. Terme ambigu, déjà, en français, puisqu'il confond le physique et l'affectif. Cela donne une espèce de monstre boursouflé qui sert à n'importe quoi, jusqu'à désigner les mouvements du cœur les plus opposés : le désir égoïste de possession, qui peut conduire à la destruction de l'autre, ou l'oblation parfaite, la pure générosité à l'égard du prochain. Aujourd'hui, triomphe surtout l'amour-passion, c'est-à-dire le premier sens. Il se trouve survalorisé, alors que les cultures, habituellement, le condamnent, l'interprétant comme un excès qui ne mène qu'à la mort...

Le mot *passion* lui-même a perdu son sens de *douleur,* intensément présent dans la religion (la *Passion du Christ*).

Comment imaginer que des mots si galvaudés puissent nous aider ?

Plus gravement encore, quelques sentiments ne semblent même plus pouvoir se dire simplement (sauf à recourir à la périphrase).

Notre langue possédait autrefois *décharmer, désamour, désentêter, désheurer, désennuyer...* Le préfixe *dé* est nécessaire, car il montre que dans nos vies tout est sujet à se défaire et que nous balançons sans cesse au bord du vide. *Je passe le temps à faire des gambades sur le bord de mon tombeau, et c'est en vérité ce que font tous les hommes,* écrivait Voltaire avec une amertume lucide.

*
* *

Nous avons peu de mots, finalement, pour inscrire nos émotions. Et nous éprouvons les plus grandes difficultés à lire des textes religieux anciens qui formalisent avec finesse les dispositions de l'âme, ses « humeurs ».

Pouvons-nous comprendre *exactement* ces termes issus de la patristique orthodoxe : *plerophoria* (« assurance »), *thymos* (« ardeur »), *katanyxis* (« recueillement fait de tendresse et de douleur »), *nepsis* (« sobriété et vigilance »), ou encore *apatheia,* qui n'a pas grand-chose à voir avec ce que l'on entend ordinairement par « apathie » ?

L'*acédie* (*akedia,* en grec) est un terme précieux. Il désigne ce que l'on ressent parfois quand on n'a de goût à rien : sentiment à la fois intense et ténu, puisque ce n'est ni de la tristesse, ni du désespoir, et plus que de l'ennui. Comme la psychanalyse définit l'absence de désir par le terme d'*aphanisis,* l'acédie est la perte de toute envie. *L'acédie nous intéresse,* précisait Roland Barthes dans un cours au Collège de France (en 1977), *car elle est typiquement liée à une ascèse, c'est-à-dire à l'exercice d'un genre de vie ; l'enjeu de l'acédie, ça n'est pas la croyance, l'idée, l'option de foi ; l'acédie n'est pas un doute, mais le désinvestissement d'une manière de vivre.*

Dans ses écrits, Pierre Damascène dresse une très longue liste des péchés et des vertus. Cette énumération est tout à fait troublante. L'accumulation obligée de la liste laisse imaginer un programme, une géographie où se dessineraient différents parcours possibles, comme dans la carte du *Tendre* où l'on découvre la mer *Inimitié,* le lac *Indifférence* ou le village de *Soumission.*

Alors, chacun de nous se pose la question : « Puis-je être le siège de tout cela ? »

Et *a contrario :* y aurait-il des êtres irrémédiablement étrangers à la haine ou à l'ennui ?

Toutes les sagesses du monde proposent la maîtrise des passions, c'est-à-dire de faire taire en nous ces voix maussades : l'envie, la colère, la convoitise, le ressentiment, etc. Cela, pour atteindre un état exempt de langage. La méditation a besoin des mots, la contemplation s'en affranchit.

La question est d'importance : au XVIIe siècle, Bossuet polémiqua très vivement avec Fénelon et les quiétistes à ce sujet. Faut-il nécessairement des mots pour prier ? Nos sentiments doivent-ils toujours se glisser dans la nappe interminable du langage ? Le bonheur et la *sapience* peuvent-ils échapper à la *bavarderie* ?

La réponse est peut-être dans Lao-Tseu : *Celui qui connaît le Tao n'en parle pas ; celui qui en parle ne le connaît pas.*

acédie nom féminin
[du latin *acedia,* dégoût, indifférence]
Apathie, absence de désir, affaissement de la volonté. *Celui qui s'afflige sur lui-même ne connaît pas l'acédie.* (Saint JEAN CLIMAQUE)

accommodement nom masculin
Action de mettre d'accord des hommes, d'arranger une affaire, une querelle. *Je l'ai vu, dans les accommodements, calmer les esprits aigris, par une patience et une douceur qu'on n'aurait jamais attendues d'une humeur si vive ni d'une si haute élévation.* (BOSSUET) Expédients pour arranger, concilier. *Le ciel défend, de vrai, certains contentements : / Mais on trouve avec lui des accommodements.* (MOLIÈRE)
- *C'est un homme d'accommodement :* il est facile de s'entendre avec lui.

accommodement, raccommodement :
« L'accommodement se fait entre des personnes qui sont en procès, en querelle, mais qui auparavant ne se connaissaient pas ou étaient différentes l'une à l'autre. Le raccommodement se fait entre des amis, des parents qui se sont brouillés : le raccommodement d'un père avec son fils. » (LITTRÉ)

acrimonie nom féminin
Maussaderie, aigreur. *Il y a de l'acrimonie dans ses paroles.*

acrimonieux, euse adjectif
Qui a de l'acrimonie. *Des critiques acrimonieuses ; un caractère acrimonieux.*

affliction nom féminin
[du latin *afflictio,* action de frapper]
Peine morale, douleur profonde et durable. *Être plongé dans l'affliction. La véritable affliction est muette.* (BOITARD) *Les enfants ont des joies immodérées et des afflictions sévères sur de très petits sujets ; ils ne veulent point souffrir de mal et ils aiment à en faire : ils sont déjà des hommes.* (LA BRUYÈRE)

AMBULANCE.

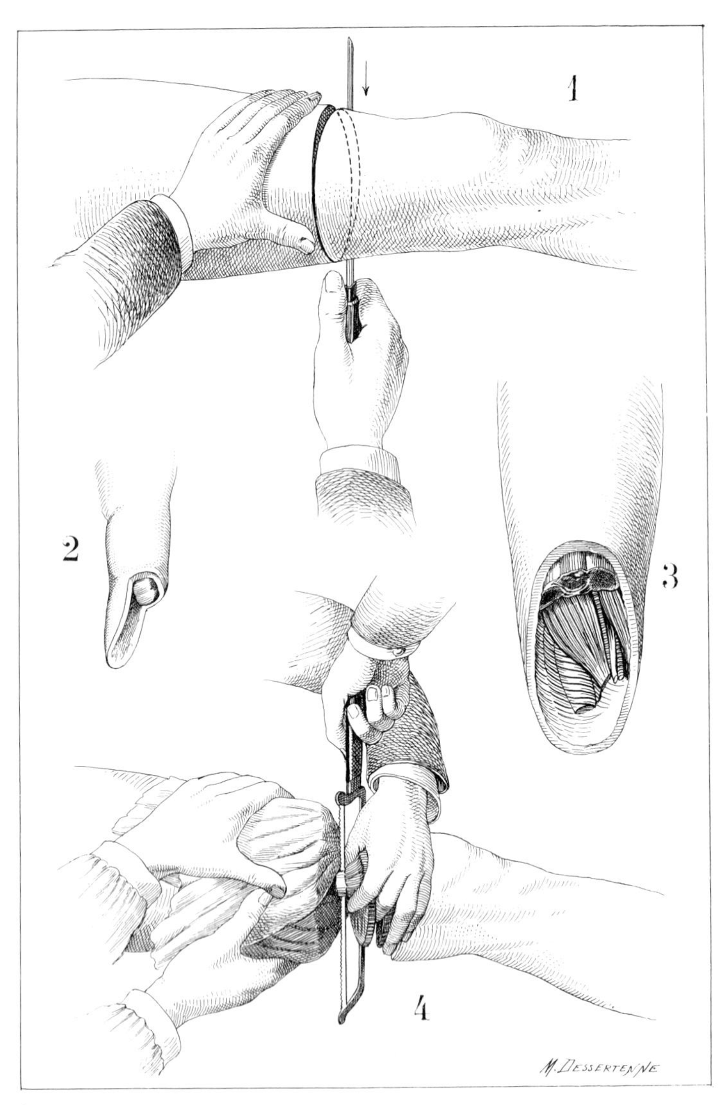

Amputation.
1. Méthode circulaire.
2. Désarticulation partielle d'un doigt ; lambeau unique palmaire ;
3. Incision elliptique très oblique ;
4. Manière de scier un os avec la scie dite à tout faire.

affolir verbe
Devenir fou. *Cet homme affolit tous les jours.* « Ce mot est encore dans la 1ère édition du *Dictionnaire de l'Académie.* Il est vieux, mais n'est pas tout à fait hors d'usage. Il mériterait de ne pas périr tout à fait. » (LITTRÉ)

aheurté, ée adjectif
Qui se heurte à, qui ne veut pas aller outre. *Monsieur jeta le mémoire dans le feu, et il sortit du cabinet tout aussi aheurté.* (RETZ)

aheurtement nom masculin
Obstacle. *De là souvent tant de scandales et aheurtements de notre foi.* (CALVIN) Obstination extrême, attachement à une opinion. *C'est un étrange aheurtement que le sien.*

s'aheurter verbe
S'attacher opiniâtrement à quelque chose. *S'aheurter à un sentiment, à une opinion. C'est un grand malheur que de s'aheurter à ce qu'on ne peut exécuter tout seul.* (BOISTE) Échouer, se briser. *Depuis deux cents ans environ, les diverses philosophies s'aheurtent à la question de la certitude sans la résoudre.* (P. LEROUX)

ahonter ou **ahontir** verbe
Rendre quelqu'un honteux. *Je ne crains pas que l'on m'ahonte en m'opposant à moi-même le peu que je vaux.* (VEUILLOT)

allèchement nom masculin
[du latin *allicere,* attirer]
Ce qui plaît, flatte le goût et attire. Attrait, appât, amorce. *Les allèchements de la volupté. Quel allèchement que de mettre d'accord la beauté morale et la beauté physique.* (H. de BALZAC)

allégeance nom féminin
[de *alléger*]
Adoucissement, consolation, soulagement. *Le temps à mes douleurs promet quelque allégeance.* (MALHERBE).

allégeance, allègement :
« Allégeance indique l'action d'alléger ; allègement, le résultat de cette action. » (LITTRÉ)

alliciant, ante adjectif
[du latin *allicere,* attirer, charmer]
Qui séduit, qui captive. *Son ondoyante taille profilait d'alliciantes ombres sur les draperies.* (BARBEY d'AUREVILLY)

alouvi ou **allouvi, ie** adjectif
[de *loup, louve*]
Qui éprouve une faim insatiable, dévorante, une faim de loup.

aménité nom féminin
Agrément accompagné de douceur. *L'aménité des rivages de la Grèce.* (CHATEAUBRIAND) *Vous pourrez jouir de l'aménité de la France, que vous aimez.* (MONTESQUIEU) Douceur accompagnée de grâce et de politesse. *D'Artaguette offrait en lui la loyauté des anciens jours et l'aménité des mœurs du nouvel âge.* (CHATEAUBRIAND) *L'aménité devrait être la base du commerce des hommes.* (GUYARD) Par analogie : charme, douceur, en parlant du style. *Un modèle d'aménité chez les anciens, ce sont les dialogues de Cicéron sur l'orateur.* (MARMONTEL)

assoter verbe
[de *sot*]
Enticher d'une ridicule passion. *La reine a une lévrière dont elle est beaucoup assotée, et elle la fait coucher en sa chambre.* (LOUIS XI) *Regarde la grosse Thomasse, comme elle est assotée du jeune Robin.* (MOLIÈRE)

s'assoter verbe
S'amouracher. *Il s'est assoté d'une femme qui le ruinera.*

avenant, ante adjectif
Qui plaît par ses bonnes grâces, par ses manières ouvertes et affables. *Les femmes de Namur m'ont paru jolies et avenantes.* (HUGO)

à l'avenant locution adverbiale
Pareillement.
Mme d'Heudicourt plaisante, amusante au possible, méchante à l'avenant. (SAINT-SIMON)

balsamique adjectif
[du latin *balsamum,* baume]
Qui tient de la nature du baume. *Quand la terre, exhalant sa vertu balsamique...* (LAMARTINE) Embaumé, parfumé. *Rouvrant les yeux à la lumière, respirant l'air balsamique du printemps...* (DIDEROT)

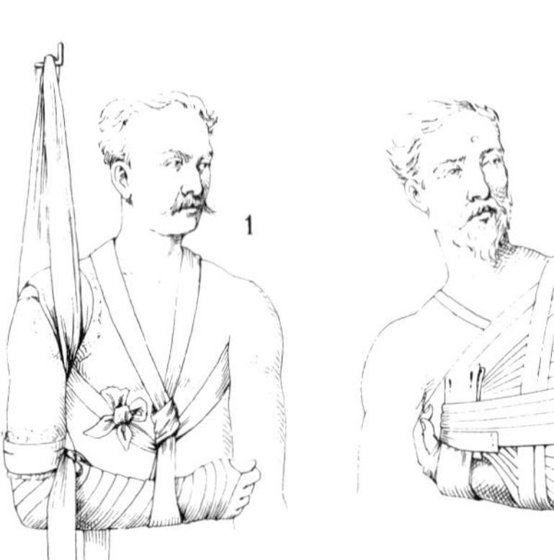

APPAREILS À FRACTURES.
1. Appareils de Desault (fracture de la clavicule).
2. Appareil de Hennequin (fracture de l'humérus).

bisque nom féminin
Dépit, mauvaise humeur. *Allons, ne prends pas la bisque !*

bisquer verbe
Éprouver du dépit, de la colère. *Je crois que ma belle robe va joliment le faire bisquer.*

bissêtre nom masculin
Malheur, malaventure. *Eh bien ne voilà pas mon enragé de maître ? Il va nous faire encor quelque nouveau bissêtre.* (MOLIÈRE)

blandices nom féminin pluriel
[du latin *blandiri,* flatter]
Ce qui attire, séduit, par des caresses. Flatteries, charmes, jouissances. *Je trouvais à la fois dans ma création merveilleuse toutes les blandices des sens et toutes les jouissances de l'âme.* (CHATEAUBRIAND)

bobillonner verbe
Hésiter, tâtonner. *Elle bobillonne et pleure et ne résout rien.* (Mme de SÉVIGNÉ)

brindezingue adjectif
[de *brinde,* toast porté à la santé de quelqu'un]
*Être brindezingue (*ou *en brindezingue) :* être ivre. *À la faveur de c'que j'étais brind'zingue...* (MAC-NAB)

camus, use adjectif
[peut-être de l'espagnol *camusa,* chamois, puis du provençal *camus,* sot]
Confus, interdit, embarrassé. *Oui, Charlotte, je veux que Monsieur vous rende un peu camuse.* (MOLIÈRE)

camuset, ette adjectif
Un peu camus. *Les bergers avec leurs musettes / Gardant leurs brebis camusettes.* (DU BELLAY)

capricer verbe
Inspirer un caprice, une passion capricieuse. *C'était un grand homme blond, fort bien fait, qui capriça le roi au point que rien ne put l'en défendre.* (SAINT-SIMON)

BACCHANTE en fureur.

se capricer verbe
S'engouer, s'obstiner par caprice. *Courtenvaux était, quoique modeste et respectueux, fort colère et peu maître de soi quand il se capriçait.* (SAINT-SIMON)

chagrinement adverbe
D'une façon chagrine. *Je passe la vie à Paris chagrinement quelquefois et quelquefois en espérance et en amusement.* (Mme de SÉVIGNÉ)

chagrineux, euse adjectif
[de *chagriner*, lui-même sans doute de *chat* et *grigner,* pleurnicher]
Qui rend chagrin, qui donne du chagrin. *Les chagrineuses journées de novembre.*

chargeant, ante adjectif
Difficile à digérer. *Il n'y a rien de si chargeant que la croûte du pâté.* Ennuyeux, importun, fatigant. *Par aventure il aurait opinion que celui qui le visite est trop chargeant et trop ennuyeux.* (ORESME) *Ces visites sont si chargeantes.*

chatouillant, ante adjectif
Qui plaît, qui flatte l'amour-propre. *De chatouillantes approbations.* (MOLIÈRE)

chatouilleux, euse adjectif.
Capable d'éveiller des susceptibilités. *Cette affaire chatouilleuse ne me dit rien qui vaille.*

se colérer verbe
Se mettre en colère. *Il est dans le caractère français de s'enthousiasmer, de se colérer.* (G. de BALZAC) *Les Italiens ont plus souvent porté les marques des Français colérés, que les Français n'ont porté les marques des Italiens désespérés.* (des PÉRIERS)

compassion nom féminin
[du latin *compati,* souffrir]
Sentiment par lequel on prend part à la souffrance d'autrui. *La compassion sert d'aiguillon à la clémence.* (MONTAIGNE) *Ouf ! je me sens déjà pris de compassion.* (RACINE)

se compassionner verbe
Se prendre de compassion. *Je me compassionne fort aisément des affaires d'autrui.* (MONTAIGNE)

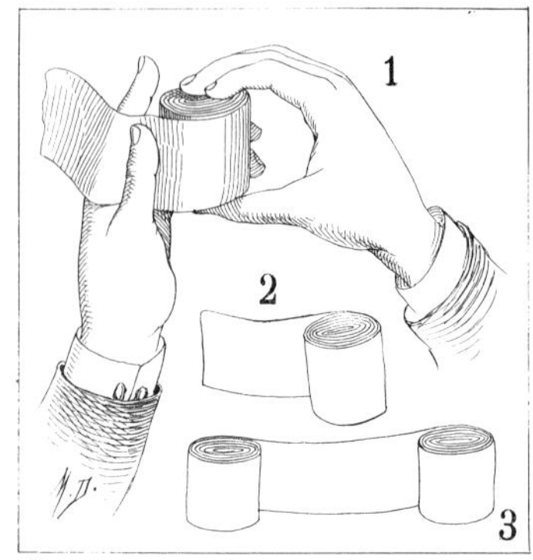

BANDE.
1. Manière de rouler une bande ;
2. Bande roulée à un globe ;
3. Bande roulée à deux globes.

concorde nom féminin
Union des cœurs ou des esprits. *La concorde est un besoin du cœur humain.* (LAMARTINE) Bonne harmonie résultant de l'accord des sentiments, des volontés entre plusieurs personnes. *Par lui seul d'entre nous la concorde est bannie.* (VOLTAIRE)

concupiscence nom féminin
[du latin *concupiscere,* désirer ardemment]
Penchant à jouir des biens de la terre, et particulièrement des plaisirs sensuels. *Cette concupiscence qui lie l'âme au corps par des liens si tendres...* (BOSSUET)

concupiscence, cupidité, avidité, convoitise : « La concupiscence est un état habituel de l'âme qui la porte vers la jouissance de toutes les sortes de biens sensibles. La convoitise est un vif désir de quelque chose que nous désirons posséder. L'avidité est un désir insatiable. La cupidité est, d'une façon restreinte, le désir d'avoir de l'argent, des richesses. » (LITTRÉ)

concupiscent, ente adjectif
Qui est livré à la concupiscence. *Une âme concupiscente.* Inspiré par la concupiscence. *Il se mit à lui faire des œillades concupiscentes.*

concupiscible adjectif
Inspiré par le désir de la possession. *Les anciens philosophes, en analysant l'âme humaine, y admettaient trois facultés ; la concupiscible, l'irascible et la raisonnable.* (BERNARDIN de SAINT-PIERRE)

contrister verbe
Causer une tristesse profonde. *Contristerai-je par des troubles domestiques les vieux jours d'un père que je vois si content, si charmé du bonheur de sa fille et de son ami ?* (J.-J. ROUSSEAU)
- *Contrister le Saint-Esprit :* retomber dans le péché. *Veillons contre les moindres fautes pour ne pas contrister le Saint-Esprit.* (FÉNELON)

BRANCARDS.
1. Brancard ordinaire ;
2. Brancard roulant ;
3. Brancard roulant plié.

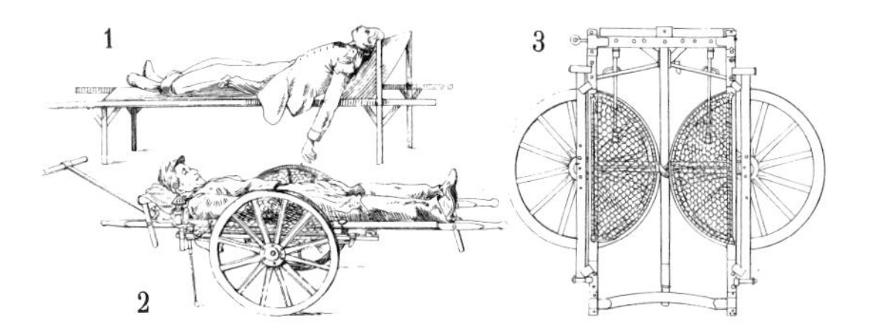

convoiteux, euse nom et adjectif
Qui convoite, qui est sujet à la convoitise. *Que son cœur convoiteux d'avarice ne crève.* (RÉGNIER) *Cette part du récit s'adresse aux convoiteux.* (LA FONTAINE)

déboire nom masculin
Goût désagréable qu'une boisson laisse dans la bouche. *Un vin qui n'avait rien qu'un goût plat et qu'un déboire affreux.* (BOILEAU). Dégoût, regret, mortification. *Il lui laissa sentir toute l'amertume et tout le déboire de mille événements fâcheux.* (BOURDALOUE)

décharmer verbe
Faire cesser un charme. *Quand la pucelle se sentit décharmée de ses amours...* (Perceforest, XVe s.) *Soudain je me décharme, et ma langue veut dire les honneurs d'un tel prince...* (RONSARD)

demi-passion nom féminin
Passion sans force et sans durée. « Se dit surtout de l'amour léger et éphémère qu'on a pour une femme. » (LAROUSSE) *Il voulait mettre fin à ces demi-passions.*

désamour nom masculin
[*desamor* en espagnol et *disamore* en italien]
Cessation de l'amour, refroidissement. *Votre désamour et nonchalence d'aimer...* (Nature d'amour, XVIe s.)

désennui nom masculin
Éloignement de l'ennui. *Chercher le désennui dans le travail. Il chassait pour son passe-temps, et pour donner désennui à son neveu, qui tant y prenait plaisir.* (J. de SAINT-GELAIS)

désennuyer verbe
Délivrer de l'ennui. *Mon fils vous embrasse mille fois, il me désennuie extrêmement et songe fort à me plaire.* (Mme de SÉVIGNÉ)

se désennuyer verbe
Chasser l'ennui qu'on a. *Parmi les champs pour me désennuyer...* (Ch. d'ORLÉANS)

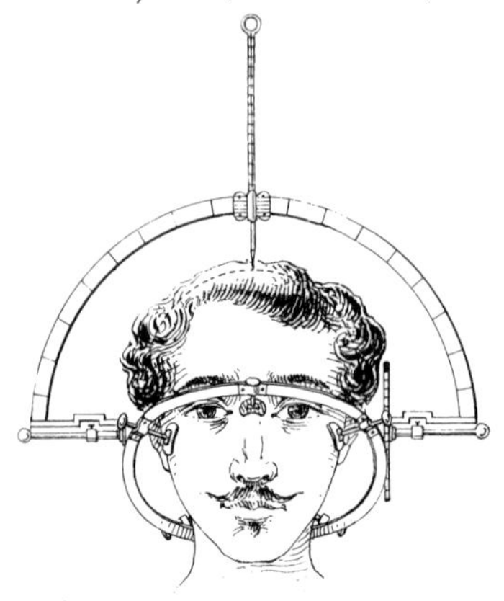

CÉPHALOGRAPHE.
Mesure des dimensions céphaliques.

désentêter verbe
Faire cesser l'entêtement, la prévention. *On ne peut le désentêter de cette opinion.* Faire cesser le mal de tête. *Cette promenade m'a désentêté.*

se désentêter verbe
Perdre ses préjugés, les idées qui nous entêtaient. « Ce mot est assez nouveau, mais il plaît à beaucoup de gens, et je ne doute pas qu'il ne s'établisse un jour : *Se désentêter de quelqu'un.* » (BOUHOURS)

désespérade nom féminin
Air de désespoir, acte de désespoir. *Ceux qui surent cette désespérade de La Feuillade ne doutèrent pas qu'elle ne fût un jeu pour faire pitié à son beau-père et au roi soi-même.* (SAINT-SIMON) On dit aussi *désespérance* ou *désespération*.

désestimer verbe
Cesser d'estimer, retirer de l'estime. *Cicéron même, sur sa vieillesse, commença à désestimer les lettres.* (MONTAIGNE)

désestimer, mésestimer :
« Désestimer c'est retirer son estime ; mésestimer est plus fort et signifie avoir une mauvaise opinion de quelqu'un. » (LITTRÉ)

désireur, euse nom masculin et féminin
Celui, celle qui désire. *Caligula et Néron, ces désireurs de l'impossible...* (A. DUMAS)

dessouci nom masculin
État d'une personne qui se soucie peu, qui n'a pas de souci. *Panard, Collé et compagnie ont poussé au plus haut degré le dessouci de la vie.* (LAROUSSE)

domesticisme nom masculin
État de celui qui a perdu tout sentiment d'indépendance et se plie à toute domination. *Le domesticisme des partis rétrogrades.*

ébaubi, ie adjectif
[de *ébaubir*]
Qui exprime une grande surprise. *Je suis tout ébaubie et je tombe des nues.* (MOLIÈRE)

DÉSINFECTION.
Dispositif pour désinfection d'une pièce par des vapeurs de formol.

Duel judiciaire.
Combat entre les parties
d'un procès criminel,
pour faire décider
par la victoire
d'un des champions
de la justice
de sa cause.

s'ébaubir verbe
[de l'ancien français *abaubir,* étonner, du latin *balbus,* bègue]
S'étonner grandement, être stupéfait, hors d'état de parler intelligemment. *Il n'y a pas de quoi s'ébaubir.*

ébaudi, ie adjectif
[de *ébaudir*]
Mis en allégresse. *On bat des mains, et l'auteur tout ébaudi / Se remercie et pense être applaudi.* (VOLTAIRE)

ébaudir verbe
[de l'ancien français *bald, baud,* joyeux]
Mettre en allégresse. *J'ébaudirai votre Excellence / Par des airs de mon flageolet.* (VOLTAIRE) Amuser, égayer, récréer. *Je voulais tant soit peu m'ébaudir les esprits.* (SCARRON)

s'ébaudir verbe
S'amuser. *Allons nous ébaudir et dîner tous ensemble.* (BOURSAULT) *Pour n'avoir pas l'air d'un parent malheureux, je m'ébaudissais à la noce.* (CHATEAUBRIAND)

ébaudissement nom masculin
Action d'ébaudir. *Les légèretés et ébaudissements des jeunes nobles hommes.* (A. CHARTIER)

ébouriffé, ée adjectif
Agité, troublé. *J'ai fait sur cette pièce un commentaire qui est extrêmement profond et merveilleux : M. Joli de Henri pourrait en être tout ébouriffé.* (VOLTAIRE)

ébouriffer verbe
[de *ébouriffé,* dont les cheveux sont dressés en désordre sur la tête, comme de la *bourre*]
Surprendre vivement. *Cette nouvelle l'a ébouriffé.*

émerillonné, ée adjectif
Vif, éveillé. *Oui, tu m'as friponné / Mon cœur infriponnable, œil émerillonné.* (SCARRON). Substantivement. *Vous nous ferez plaisir de nous donner cette petite émerillonnée, cette petite infante qui est à la portière auprès de sa mère.* (Mme de SÉVIGNÉ)

émerillonner verbe
[de *émerillon,* faucon]
Rendre vif, alerte. *Le vin émerillonne l'esprit.*

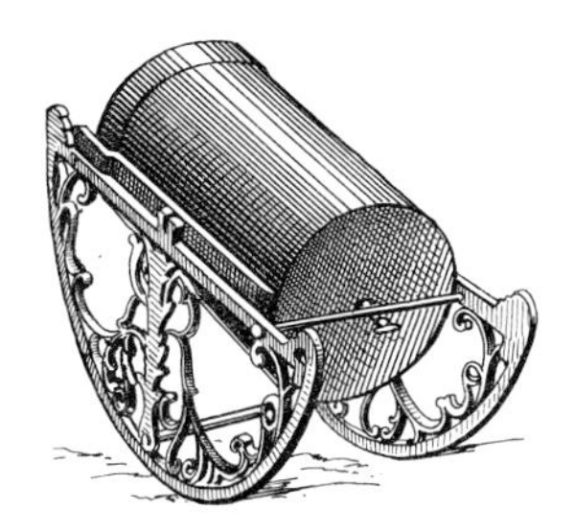

GLACIÈRE DE MÉNAGE.
.Munie d'une sorte de puisard par où s'écoule l'eau provenant de la fusion de la glace emmagasinée.

s'encoiffer verbe
S'enticher. *Si on y songe trop, on s'entête et on s'encoiffe.* (PASCAL). *S'encoiffer d'une idée.*

endémené, ée adjectif.
Qui se démène, excité. *Cette fleur d'âge-là ordinairement s'épargne bien peu, et est fort chatouilleuse et endémenée à prendre tous les plaisirs.* (AMYOT)

endêver verbe
[ancien français *desver,* être fou]
Enrager, avoir grand dépit de quelque chose. *Pour maître Enéas, il rêvait, ou pour mieux parler, endêvait.* (SCARRON)
- *Faire endêver quelqu'un :* le faire enrager, le dépiter. *On s'ennuyait quand vous n'aviez plus personne à faire endêver.* (J.-J. ROUSSEAU)

endiabler verbe
Enrager, être furieux. *Il endiablait d'avoir perdu son argent. Faire endiabler quelqu'un.*

endosse nom féminin
Toute la peine, toute la responsabilité de quelque chose. *Ce n'est pas sur moi qu'il faut jeter l'endosse.* (MARIVAUX) *Faut-il qu'il ait l'endosse de vos extravagances ?* (GHERARDI)

GUÉRITE.
Siège où s'abrite contre le soleil, le vent, etc. une personne assise dans un jardin ou dans un appartement mal clos.

enquinauder verbe
[de *quinaud*]
Tromper, enjôler. *Elle avait été si honnête et si polie que je fus enquinaudé.* (VOLTAIRE)

éplapourdi, ie adjectif
Étonné, stupéfait. *Je jetai un coup d'œil sur la jeunesse, qui me parut tout éplapourdie de ce que je m'en étais tiré si bien.* (SAINT-SIMON)

évagation nom féminin
[du latin *vagari,* vaguer]
Distraction, légèreté de l'esprit qui le détourne des objets auxquels il devrait s'attacher. *Mon indifférence ne se fait que trop connaître dans toute ma conduite à l'égard du sacrement de ce Dieu d'amour, dans les évagations de mon esprit, dans mes tiédeurs, mes lâchetés, mes ennuis en la présence de ce sacrement.* (BOURDALOUE)

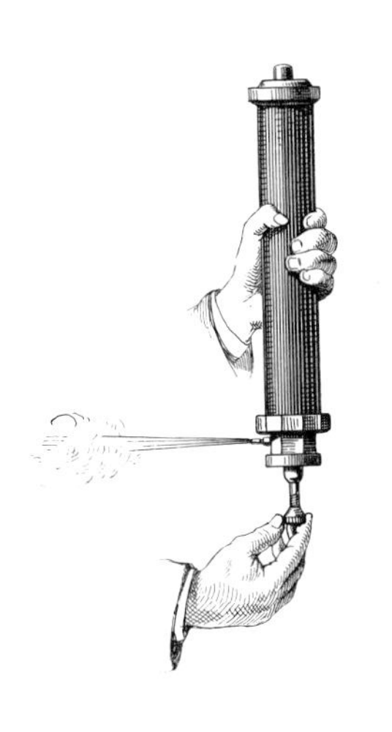

évagation, divagation : « La divagation est la disposition qui empêche l'esprit de se fixer à un objet quelconque ; l'évagation, celle qui l'empêche de se fixer à l'objet qui devrait l'arrêter. » (LITTRÉ)

fâcherie nom féminin
[de *fâcher,* causer de la douleur]
Dépit, chagrin. *Les grands et les petits ont mêmes accidents, mêmes fâcheries et mêmes passions.* (PASCAL)

fâcheux, euse nom et adjectif
Qui est d'humeur difficile, qui gêne. *Un fâcheux est celui qui, sans faire à quelqu'un un fort grand tort, ne laisse pas de l'embarrasser beaucoup.* (LA BRUYÈRE)

fleurer verbe
[altération de *flairer,* avec influence de *fleur* et peut-être aussi de l'ancien français *flaor,* odeur]
Répandre, exhaler une odeur. *Cela fleure bon. Il fleurait bien plus fort, mais non pas mieux que roses.* (RÉGNIER) Jusqu'au XVIIe siècle, ce mot signifiait aussi flairer. *J'y consens, qu'elle coure, aime l'oisiveté. / Et soit des damoiseaux fleurée en liberté.* (MOLIÈRE)

INSENSIBILISATEUR. Le liquide volatile projeté sur la peau rend les extrémités nerveuses insensibles.

forcené, ée adjectif
[de l'ancien français *forsener,* être hors de sens]
Qui est hors de sens. *La perte de toute espérance rend forcené.* (FÉNELON) Passionné par. *Me voilà forcené des échecs.* (J.-J. ROUSSEAU) Furieux. *Il prit une envie forcenée à Bessus de tuer le roi.* (VAUGELAS)

INTERNE des hôpitaux.

forcènement nom masculin
Le fait d'être hors de sens. *Et fuyez un tyran dont le forcènement joindrait votre supplice à mon banissement.* (CORNEILLE)

forcener verbe
Perdre la raison. *Je forcène de voir que sur votre retour / Un traître assure ainsi ma perte et son amour.* (CORNEILLE) Se déchaîner. *Je regarde à l'entour forcener la tempête.* (BERTAUT)

forcènerie nom féminin
Acte de forcené. *Comme donc je me plains de ma forcènerie.* (RÉGNIER) « Mot tombé en désuétude mais à reprendre. » (LITTRÉ)

foucade nom féminin
[de *fougue*]
Élan capricieux et passager. *Travailler par foucades. Quand le grand Thimothée, de sa main fusillarde, / Pinçottait un assaut sur sa harpe nasarde, / Il mettait en foucade Alexandre le Grand.* (AUFFRAY) On dit aussi *fougade.*

fragrance nom féminin
[du latin *fragrare,* répandre une bonne odeur]
Odeur agréable. *La fragrance de l'angélique.* (CHATEAUBRIAND)

fragrant, ante adjectif
Odorant, parfumé. *Il est des jours / Tout bleus, tout nuancés d'éclatantes couleurs / Tout trempés de rosée et tout fragrants d'odeurs.* (LAMARTINE)

fruitif, ive adjectif
Union fruitive : union qui donne la jouissance. *Et, sans s'immoler chaque jour. On ne conserve point l'union fruitive, Que donne le parfait amour.* (CORNEILLE)

fruition nom féminin
[du latin *fructus,* production, profit]
Action de jouir de. *La fruition de la vie.* (MONTAIGNE)
Voudrais-tu bien m'ôter la fruition de ces beautés ? (CHAULIEU)

gaudir verbe
[du latin *gaudere,* se réjouir]
Manifester sa joie. *Il se remettait à sauter, à badiner, à gaudir.* (SAINTE-BEUVE)

se gaudir verbe
Se réjouir, prendre du plaisir. Se moquer. *Se gaudir de quelqu'un.*

gaudisserie nom féminin
Mots plaisants. *Ils lui faisaient passer le temps à ivrogner et à dire des gaudisseries.* (AMYOT)
Les gaudisseries retournent quelquefois sur les gaudisseurs. (des PÉRIERS)

gaudisseur, euse nom masculin et féminin
Celui, celle qui aime à se gaudir. *Bon compagnon en sa jeunesse, grand diseur, grand gaudisseur.* (MONTAIGNE)

hargner verbe
[de l'ancien français *hargne*, dispute].
Être de mauvaise humeur. *Dès le matin, il ne fait que hargner et disputer de tout.*

hargnerie nom féminin
Attaque hargneuse. *Le véritable respect qu'on doit au public est de lui épargner, non de tristes vérités qui peuvent lui être utiles, mais bien les petites hargneries d'auteurs dont sont remplis les écrits polémiques.* (J.-J. ROUSSEAU)

hargneux, euse adjectif
Qui est inquiet, chagrin, tourmentant. *Qu'une femme hargneuse est un mauvais voisin.* (CORNEILLE)

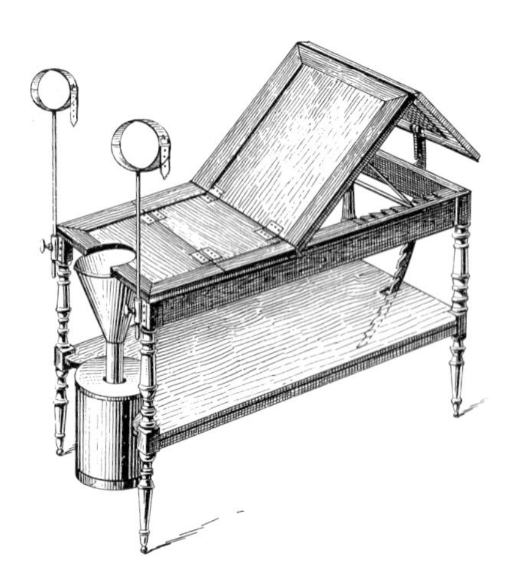

Table d'OPÉRATION.

hargneux, querelleur : « Le hargneux est celui qui harcèle par de petites tracasseries ; le querelleur est celui qui fait des querelles ; la querelle est plus grave que la tracasserie. Hargneux implique la mauvaise humeur, mais n'implique pas, comme querelleur, la dispute avec colère. » (LITTRÉ)

honnir verbe
Couvrir publiquement de honte. *Ce qui fait admirer l'homme fait honnir la femme.* (GAUTIER)

honnir, bafouer, vilipender : « Honnir, c'est faire honte. Dans bafouer, l'idée de quelque chose de honteux n'existe pas ; c'est celle de moquerie outrageante qui y domine. Vilipender, c'est traiter comme quelqu'un ou quelque chose de vil. » (LITTRÉ)

infatuation nom féminin
[du latin *fatuus,* fou].
Prévention sotte en faveur de quelqu'un ou de quelque chose. *Moi, immobile, je considérais le changement subit qu'opère un excès de colère et un comble d'infatuation.* (SAINT-SIMON)

infatuer verbe
Inspirer un engouement ridicule. *Un seul homme infatue tout un pays en peu de temps.* (BAYLE). *Nous sommes infatués du monde.* (FÉNELON). *Être infatué de soi, et s'être fortement persuadé qu'on a beaucoup d'esprit, est un accident qui n'arrive guère qu'à celui qui n'en a point, ou qui en a peu.* (LA BRUYÈRE)

infatuer, entêter :
« D'après l'étymologie (latin *infatuare,* rendre fou) s'infatuer de quelque chose, c'est s'y attacher d'une manière folle ; s'y entêter, c'est le fixer dans sa tête d'une manière opiniâtre. Il y a donc dans infatuer une idée de folie qui n'est pas dans entêter. On peut s'entêter d'une idée vaine contre l'opinion commune ; on ne peut pas s'en infatuer. » (LITTRÉ)

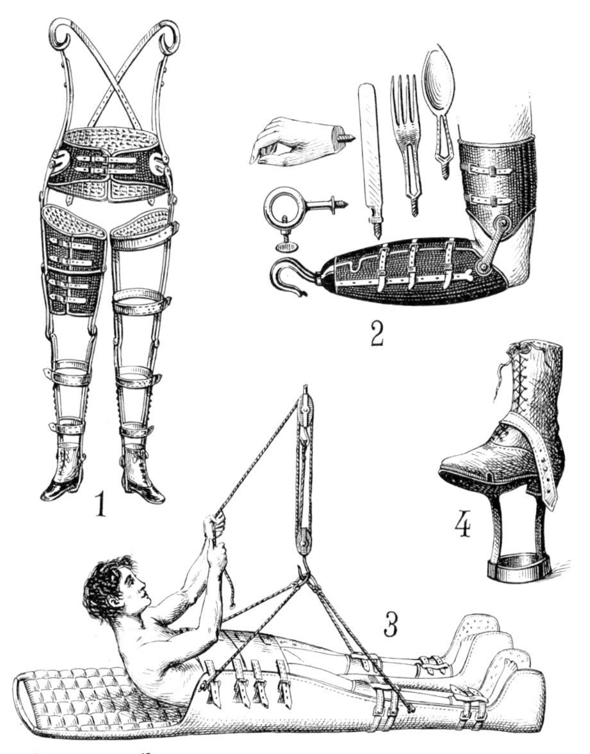

ORTHOPÉDIE. Appareils :
1. Pour coxalgie ;
2. Bras artificiel et ses accessoires ;
3. Gouttière de Bonnet ;
4. Pied de fer pour raccourcissement.

languide adjectif
Languissant, faible. *Ne laisse pas mon âme impuissante et languide.* (CORNEILLE)

languir verbe
Être dans un état de maladie lente. *Je languissais, mes ans s'éteignaient dans l'ennui.* (CHÉNIER) Souffrir de la continuité de quelque mal autre que la maladie. *Je languis de tout ce que je vois, mais je ne meurs pas encore ; Dieu me laisse en ce monde pour souffrir.* (Mme de MAINTENON) Être en proie à de continuelles et énervantes peines de l'esprit, de l'âme. *Mon âme, loin de vous, languira solitaire.* (RACINE) Souffrir du mal d'amour. *Je suis de ces gens-là qui languissent pour vous.* (RÉGNIER) Manquer de force, de vivacité. *Il s'en faut beaucoup que la conversation ne languisse ; Corbinelli y tient bien sa place.* (Mme de SÉVIGNÉ)

languissamment adverbe
D'une manière languissante. *Sa tête sur un bras languissamment penchée.* (CORNEILLE)

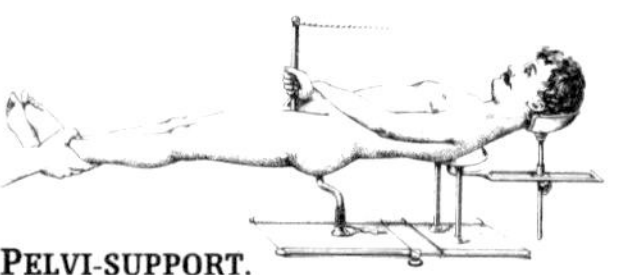

PELVI-SUPPORT.
Facilite les pansements de l'abdomen, du thorax.

malaisance nom féminin
Défaut d'aisance, gêne. *À cause de la malaisance du lieu, on ne pouvait ni fouir ni chasser guère loin, tant la place était contrainte.* (AMYOT) Privation. *Notre désir s'accroît par la malaisance.* (MONTAIGNE)

malepeur nom féminin
Peur extrême et pressante. *Le parlement disputa toutes choses, jusqu'au rang personnel, qu'il força le régent, de malepeur, de lui abandonner.* (SAINT-SIMON)

mal-être ou **malêtre** nom masculin
Malaise, vague indisposition. *Éprouver du mal-être.* Gêne, état de celui qui n'est pas heureux. *Après avoir passé toute ma vie dans le mal-être...* (J.-J. ROUSSEAU)

marri, ie adjectif
Fâché, attristé et repentant. *Vous êtes mari ? – Depuis plus de six mois. – Et n'êtes point marri ?* (HAUTEROCHE)

se marrir verbe
S'ennuyer. *Elle ne veut pas se marrir à la campagne.*

marrisson nom féminin
Tristesse, chagrin. *Ô crève-cœur ! ô marrisson...* (SAINT-AMANT) *Pétrarque.../En eût de marrisson pleuré comme une vache.* (RÉGNIER)

martel nom masculin.
[du latin *martellus,* marteau].
Inquiétude, ombrage, souci. *Qu'il fasse mieux, ce jeune jouvencel, / À qui le Ciel donne tant de martel.* (CORNEILLE)

mômerie nom féminin
[du verbe *mômer*, se déguiser].
Affectation ridicule d'un sentiment que l'on n'a pas. *On ne pouvait être trop en garde contre les artifices de la cour de Vienne, dont toute la conduite était un tissu de mômeries.* (SAINT-SIMON)

navrance nom féminin
Chose navrante. État d'une personne navrée. *Les faces impassibles des Parisiens cachent des angoisses, des joies, des navrances.* (P. ADAM)
À l'article *navrant,* Littré remarque : « On a proposé de former le substantif navrance ; il serait utile ; mais jusqu'à présent il n'a pas été adopté. »

odorer verbe
Flairer, sentir par l'odorat. *Du plus loin que le chien sauvage odore le tigre ou le lion...* (MICHELET) Exhaler une odeur. *Fleur qui odore la vanille.* Avoir le sens de l'odorat. *Tous les animaux n'odorent pas.* (BERNARDIN de SAINT-PIERRE)

partroublé, ée adjectif
Excessivement troublé. *On est si partroublé qu'on ne sait ce qu'on fait.* (REGNARD)

passible adjectif
[du latin *passibilis,* de *pati,* souffrir].
Capable d'éprouver la douleur ou le plaisir. *Le corps humain, dans son état naturel est passible. Le Christ s'est revêtu d'une chair passible et sujette à la mort.* (BOURDALOUE)

POUPONNIÈRE.
Appareil pour faciliter les pas des tout jeunes enfants.

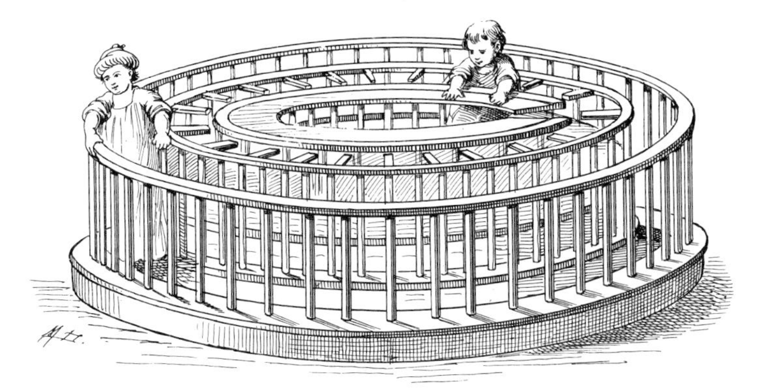

postéromanie nom féminin [mot forgé par Diderot]. L'envie d'avoir des descendants, des héritiers. *Un enfant supposé par des parents entêtés de la postéromanie.* (DIDEROT)

punais, aise adjectif [du latin populaire *putinasius*]. Qui sent mauvais. Qui rend par le nez une odeur infecte. *Il avait toujours été nigaud, brigand, maniaque et souffreteux, brèche-dent, caliborgnon, punais.* (DECOURCHAMP)

quiet, ète adjectif Tranquille, paisible. *Une mort recueillie en soi, quiète et solitaire.* (MONTAIGNE)

quiètement adverbe Tranquillement. *Il souhaite achever quiètement son travail.*

quiétude nom féminin Tranquillité mêlée de douceur. *Vos bontés ajoutent infiniment à la quiétude de ma douce retraite.* (VOLTAIRE)

quinaud, aude adjectif [du vieux français *quine,* grimace ; de *quine-mine,* grimace moqueuse qu'on fait en appuyant le pouce contre la joue et en agitant les quatre doigts ouverts]. Confus, honteux d'avoir eu le dessous. *Elle ferait quinauds tous les docteurs.* (GAUTIER)

PRAXINOSCOPE. Appareil qui donne, grâce à la persistance des impressions lumineuses sur la rétine, l'apparence du mouvement.

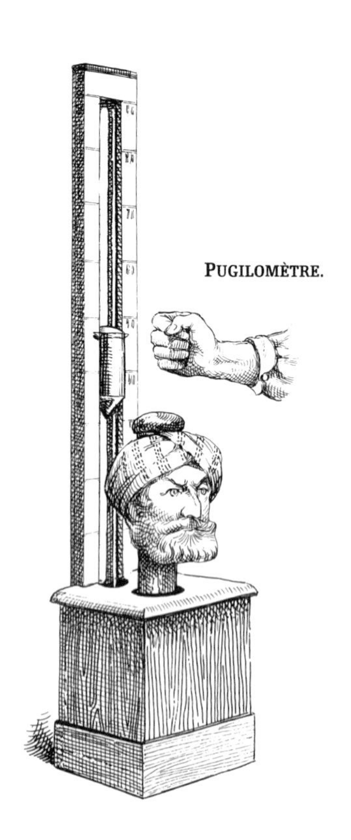

PUGILOMÈTRE.

quinte nom féminin
Caprice, mauvaise humeur qui prend tout à coup. *Vaudrait autant prêcher une mule qu'une fille quand elle a sa quinte.* (CAYLUS)

quinteux, euse adjectif
Fantasque, sujet à des sautes d'humeur, à des caprices. *Un esprit quinteux.* Substantivement. *Les quinteux font souffrir ceux qui les entourent.*

ragoûter verbe
Remettre en appétit. Réveiller le désir. *Il est difficile de ragoûter des gens blasés.* *Rien ne coûte, quand il s'agit de satisfaire une passion : les difficultés mêmes ragoûtent, piquent, réveillent.* (MASSILLON) *Le métier d'argousin ne me ragoûte pas.* (GAUTIER)

se ragoûter verbe
Se remettre en appétit. *Ils essayent de nouveaux remèdes pour se guérir, de nouveaux mets pour se ragoûter.* (FÉNELON)

rassérénant, ante adjectif
Qui rassérène. *La familiarité prolongée de Goethe est saine pour l'esprit et rassérénante.* (SAINTE-BEUVE)

rasséréné, ée participe passé
Rendu serein.
Le calme rayon du jour ne se mêle point à la tempête ; il attend que les cieux soient rassérénés. (CHATEAUBRIAND)

rasséréner verbe
[de *serein*].
Rendre la sérénité. *Comme l'été rassérénait le ciel...* (DU BELLAY)

se rasséréner verbe
Devenir serein. *Le duc de Beauvillier se rasséréna, et se mit à me parler de la conduite que le duc de Bourgogne devait se proposer à l'armée.* (SAINT-SIMON)

remembrance nom féminin
[de *remembrer,* rappeler].
Souvenir. *Plus je vous vois, plus je crois voir aussi/L'air et le port, les yeux, la remembrance de mon époux ; que Dieu lui fasse paix.* (LA FONTAINE) *Vrai est que le monde se forge toujours de fausses remembrances de Dieu.* (CALVIN)

remembrer verbe
Remettre en mémoire. *Il tenait à lui remembrer sa dette.*

se remembrer verbe
Se souvenir. *Il est parfois difficile de se remembrer certains moments de son enfance.*

tintinnabuler verbe
[du latin *tintinabulum,* clochette].
Produire un son de clochettes. *Ornés de clochettes qui tintinnabulaient sans cesse...* (GAUTIER)

tintouin nom masculin
[de *tinter*].
Sensation trompeuse d'un bruit analogue à celui d'une cloche qui tinte, et due à un état morbide du cerveau ou à une lésion du nerf auditif. *François II mourut d'un tintouin d'oreilles.* (SULLY) Inquiétude, embarras que cause une affaire. *Dame, il est juge, et ça donne du tintouin.* (Mme de GENLIS) *De tintouins mon esprit est rongé.* (LA FONTAINE)

tintouiner verbe
Produire un tintouin. *Le son même des noms qui nous tintouine aux oreilles...* (MONTAIGNE)

torpide adjectif
[du latin *torpidus,* torpeur].
Engourdi, engourdissant. *Il y a des journées calmes, molles, torpides.* (TOPFFER)

tribulation nom féminin
Affliction, adversité. *Tout le monde a ses tribulations.* (Mme de SÉVIGNÉ) En un sens particulier, l'adversité considérée dans un sentiment religieux. *Pensez en quel danger est leur salut dans cette maudite terre de tribulation et d'angoisse.* (PATRU) « Tribulation ne se dit dans le style sérieux que des afflictions morales. Dans le style moqueur ou goguenard, il peut s'appliquer aux souffrances physiques. » (LITTRÉ) *Qui est-ce qui peut s'assujettir à un rôle pareil, si ce n'est le misérable qui trouve là, deux ou trois fois la semaine, de quoi calmer les tribulations de ses intestins.* (DIDEROT)

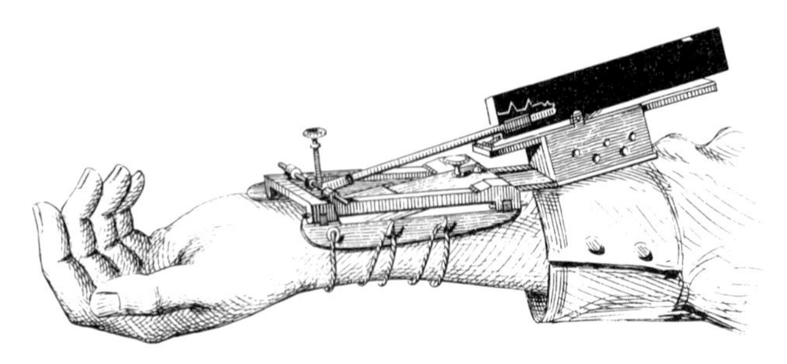

SPHYGMOGRAPHE.
Pour enregistrer
les battements du pouls.

véhémence nom féminin
Mouvement fort et rapide dans l'âme, dans les passions. *Solitaire, je vais conserver toute la véhémence des sentiments et des douleurs.* (Mme de STAËL) Par un passage du sens moral au sens physique, il se dit en parlant du vent. Au XVIIe siècle, ce mot avait été attaqué et Bouhours écrit :
« Véhémence et véhément, ce sont de bons mots ; ceux qui font scrupule de s'en servir ont la conscience trop délicate en matière de langage. »

véhément, ente adjectif
Qui se porte avec ardeur et force à tout ce qu'il fait. *Nous sommes véhéments dans tous nos désirs.* (BOSSUET)
- *Orateur, écrivain véhément :* celui qui a une éloquence entraînante. *Le véhément Bridaine a déchiré plus de cœurs et fait couler plus de larmes que le savant et profond Bourdaloue, et, si j'ose le dire, que le sublime Bossuet.* (MARMONTEL)

véhémentement adverbe
Très fortement. *Helvétius est véhémentement soupçonné d'avoir fait cet ouvrage.* (VOLTAIRE)

JEU DU TOURNIQUET.

MANIÈRES

Le *Brevarium Politicorum secundum Rubricas Mazarinicas* est un opuscule étonnant et précieux. Publié pour la première fois à Cologne en 1684, il connut un succès prodigieux et compta plus de dix éditions pendant le règne de Louis XIV.

Que décrit ce livre aussi recherché que passionnant ? Rien de moins que les attitudes et les manières qui permettent de progresser dans les allées du pouvoir : un vade-mecum pour réussir en politique.

La langue révèle que les relations sociales sont rugueuses et conflictuelles ; la guerre est là. Pensons par exemple au mot *algarade ;* aujourd'hui, « avoir une algarade avec quelqu'un », c'est avoir avec lui une petite dispute, mais à l'origine, en arabe, *al-ghâra,* c'est « l'attaque à main armée ». L'étymologie est l'inconscient du mot : la trace qui laisse entrevoir la violence de nos gestes.

Notre bréviaire donne fondement à tout cela. *Quand tu fais un cadeau ou quand tu donnes une fête,* conseille-t-il, *médite ta stratégie comme si tu partais en guerre.* Les moyens préconisés pour arriver à ses fins sont avant tout le *biaisement* et la *doublerie.* Il s'agit d'*acoquiner* l'autre, de l'*apiéger,* de *bonneter* ou de *dindonner.* Ce qui ne peut s'accomplir qu'en se cachant soi-même. *Aie toujours ces cinq préceptes sous les yeux : simule, dissimule, ne fais confiance à personne, dis du bien de tout le monde, prévois avant d'agir.*

La ruse tire profit de tous les artifices de la séduction. Aussi l'affectation dans la mise est-elle de rigueur : on s'*attife,* on s'*atourne,* on se *panade.* L'esbroufe est complice de la brigue. La vantardise et la tromperie dominent.

Ces mots plutôt négatifs risquent de choquer ; surtout quand on mesure à quel point ils prolifèrent. Cette abondance s'est perdue. Notre langue serait-elle moins *intelligente ?*

Certes, l'ambition existe toujours, comme la ruse ou le conflit ; mais le langage courant ne les intègre plus aussi fortement ; il tenterait même de les effacer. Une telle forclusion ne saurait aller sans dommages... Ainsi le mot *commerce* n'a plus d'autre sens qu'économique. On ne dit plus guère de quelqu'un, comme le faisait La Bruyère : *il est homme d'un bon commerce.* Pourtant, appliqué à l'humain, le mot avait le mérite de signaler que nos relations se fondent sur l'échange : on donne, on reçoit, on paie aussi, d'une manière ou d'une autre, même si l'on ne sait pas toujours comment...

Haut lieu de savoir, cristallisation d'une certaine *sapience,* la langue donne souvent un éclairage brutal (mais tonique) sur la réalité, qu'il ne faut pas refuser, sous peine de voir nos échanges sombrer dans l'insignifiance.

Actuellement, bien des conversations télévisées endorment tout le monde ; on ne s'en plaint d'ailleurs que mollement : l'hypnose est lénifiante. Le mot d'ordre, c'est de ne pas agresser. Rien ne doit *saillir.*

Le pamphlet agonise, et les textes polémiques n'ont plus grand-chose à voir avec les réquisitoires incendiaires de Léon Bloy. La violence est partout dans le monde ; mais elle doit rester lointaine, réservée aux autres, à l'extérieur de nos paroles. Le langage sert de paravent pudique.

Nous assistons à une « pastellisation » des discours : affadissement progressif, édulcoration retorse ; c'est le règne de l'asepsie ; tout est en demi-teintes : pas de couleurs vives dans les mots, pas de pulsion dans la phrase... Un langage *propre,* sans étrangetés, nous envahit tristement...

On a, sans doute indûment, attribué le *Bréviaire des politiciens* à Mazarin, que notre tradition présente comme un prélat doucereux, zozotant et corrompu... Mais qu'importe ? Ce texte est tout à fait moderne, en particulier dans l'attention qu'il porte à l'arsenal de l'information : espionnage et contre-espionnage, écoutes, « intoxication », dissimulation, désinformation...

Intelligence toujours en éveil dans les rets de la communication : *La maladie, l'ivresse, les banquets, les plaisanteries, les jeux d'argent et les voyages, toutes situations où les âmes se détendent et s'ouvrent, où les fauves se laissent attirer hors de leurs repaires, sont l'occasion de récolter de nombreuses informations. Le chagrin aussi, surtout quand une injustice en est la cause. Il faut profiter de la situation et fréquenter alors ceux sur lesquels tu cherches à t'informer.*

C'est l'antichambre de la psychanalyse : écoute *flottante,* jeux de miroirs, faux-semblants, glaces sans tain... « Je gagne si je sais qu'il sait que je sais, et que lui-même ne sait pas... »

Vous voulez connaître les défauts de quelqu'un ? Voici du Freud avant la lettre : *Amène la conversation sur les vices les plus courants, et en particulier sur ceux dont pourrait être atteint ton ami. Il n'aura pas de mots assez durs pour dénoncer et flétrir un vice s'il en souffre lui-même. C'est ainsi que souvent les prédicateurs dénoncent avec la plus grande violence les vices dont ils sont affligés personnellement.*

*

* *

Les auteurs classiques sont d'abord des observateurs, loin des slogans qui gouvernent la modernité : « transformer le monde » et « changer la vie ». Leur immense mérite (et leur actualité), c'est, paradoxalement, d'accepter les choses telles qu'elles sont. Ils pratiquent le monde, sans cesse à l'affût, et s'emploient à montrer l'envers du décor, les à-côtés, les coins d'ombre et la machinerie.

La société est un théâtre ? Eh bien soit. Accusons un peu plus le trait pour faire apparaître les gestes essentiels.

Le monde est un fatras ? Oui, mais pourquoi s'en plaindre ? Le désordre permet l'aventure avec laquelle tout devient possible. À chacun de trouver sa place dans la variété des intrigues.

Examinant les mœurs, tous ces écrivains proposent des règles de conduite : pragmatisme indifférent aux « grandes idées » si chères à la philosophie occidentale...

Comment imaginer par exemple une bonne marche de la société sans un minimum d'hypocrisie. La dissimulation est nécessaire à *l'acteur* (l'*hypocritès,* en grec) ; il faut bien camoufler ses *passions !* L'hypocrisie n'est pas malveillance ou méchanceté. Les manières justes réclament le goût de la mesure, la science habile de l'équilibre et de la topographie utile : il ne faut pas quitter le milieu de la *cour,* endroit panoptique depuis lequel on voit tout, en restant protégé. *Mieux vaut le centre que les extrêmes. Le bonheur, c'est de rester à égale distance de tous les partis.*

Cette prudence méfiante déploie en fait quelques valeurs précieuses.

D'abord, la *tolérance.* Se défier des autres, c'est ne pas les haïr *a priori.* Pas de persécutions ou d'autodafés pour la beauté du geste !

Ensuite, la *politesse,* qui n'a de sens que portée par une appréciation « feuilletée » (subtile) des relations humaines. Notre époque survalorise la franchise, corollaire de la sincérité. Comme s'il s'agissait là d'attitudes spécialement désirables ! « Pour vous parler franchement... » n'annonce jamais rien de bon...

Dans *les Tricheurs,* de Marcel Carné, on se brûle au jeu de la vérité. À vouloir « tout dire » de soi-même, on finit par s'anéantir. Et les individus qui désirent « tout savoir » de l'autre sont pour le moins redoutables ; ils annoncent les pires utopies rêvées par quelques « bienfaiteurs » de l'humanité...

Quand l'hypocrisie est socialement combattue, ce qui tombe à coup sûr, c'est la politesse. En ménageant des intervalles entre les sujets, la politesse protège ; elle est un garde-fou contre le contact direct, la violence toujours possible...

*

* *

Pourtant, dans ce théâtre, tout le monde n'est pas du côté de la *brigue* et de l'agitation. Certains préfèrent la *baguenaude,* la contemplation, la convivialité gratuite. C'est le temps des actions légères et de l'inutile : on *badaude,* on *bibelote,* on *brelaude,* on *chambole,* on *musarde...*

Peut-on imaginer (désir aristocratique) de faire sérieusement des choses frivoles ? Singulier renversement : aujourd'hui, l'homme riche est industrieux, quand le pauvre n'a rien à faire. Le négoce *ou* l'oisiveté, le travail *ou* la paresse... Il serait souhaitable de brouiller ces oppositions. On peut vouloir être acteur *et* spectateur. Le mouvement n'est désirable que si l'on peut, parfois, s'arrêter au bord du chemin...

abaloudir verbe
Rendre lourd, stupide, par exemple en maltraitant. *Abalourdir un enfant.*

s'abalourdir verbe
Devenir stupide.

abalourdissant, ante adjectif
Qui abalourdit, qui imprime une crainte stupide. *D'abalourdissantes menaces.*

abandonnement nom masculin
Action d'abandonner ou de se laisser aller avec trop de facilité. État d'une personne abandonnée. *On me fait les offres les plus engageantes, et, si je les rejette, me voilà dans le dernier abandonnement et dans la dernière misère.* (BOURDALOUE) Dérèglement excessif de la conduite dans les mœurs. *Votre cœur que vous avez prostitué avec tant d'abandonnement aux créatures...* (MASSILLON)

abandonnement, abandon : « La nuance est que abandonnement a de soi l'idée d'un fait, d'un acte, et que abandon ne l'a pas ; les deux mots peuvent, il est vrai, s'employer l'un pour l'autre, l'usage le permet. Mais la pensée quand elle sera précise, et le langage quand il sera délicat, tâcheront de tenir compte de la nuance. » (LITTRÉ)

abandonnément adverbe
D'une manière abandonnée, sans réserve ; hardiment, résolument. *Les assaillants entrèrent abandonnément dans les fossés.* (FROISSART)
Le premier président était trop indignement et trop abandonnément vendu pour être plaint de personne. (SAINT-SIMON) « Mot usité encore, et bon à employer. » (LITTRÉ)

ANTHROPOMÉTRIE.
Mensuration du pied gauche.

aberrer verbe
Être loin de la vérité, se tromper. *Vous aberrez complètement.*

abonnir verbe
Rendre bon. *Les caves fraîches abonnissent le vin.* Devenir meilleur. *Cet homme n'abonnit pas en vieillissant.* On dit aussi *bonifier, se bonifier.*

accagner verbe
[du lat. *ad,* contre, et *canis,* chien]
Poursuivre quelqu'un en l'injuriant ; aboyer après lui comme font les chiens. *Comme cet homme nous accagnait de sottises...* (G. SAND)

accoisement nom masculin
[de *coi*].
Apaisement. *L'accoisement des flots.*

accoiser verbe
Rendre coi, calme, tranquille. *Adoucissons, lénifions et accoisons l'aigreur de ses esprits.* (MOLIÈRE) *Accoisez tous les mouvements de votre intérieur pour écouter cette parole.* (BOSSUET) « On voit que ce verbe était en bon usage au XVIIe siècle ; il est aujourd'hui tombé en désuétude, à tort, et un emploi intelligent, s'autorisant de Bossuet, pourrait être essayé. » (LITTRÉ)

accouardir verbe
[de *couard,* qui porte la queue basse].
Rendre couard. *La mollesse accouardit.* « Bon mot, anciennement français, et qui se comprend sans aucune explication. » (LITTRÉ)

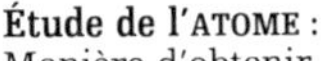
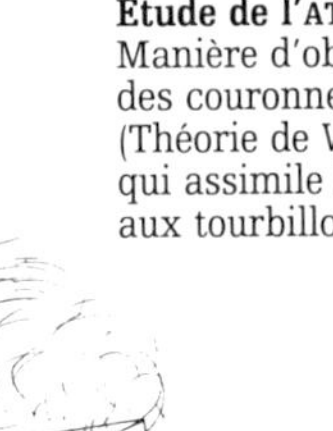
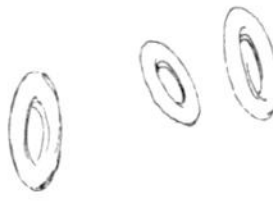

Étude de l'ATOME :
Manière d'obtenir des couronnes de fumée. (Théorie de W. Thomson qui assimile les atomes aux tourbillons d'un fluide.)

accourcir verbe
Rendre plus court. *Le beau fil de tes jours ne peut être accourci.* (TRISTAN L'HERMITE)
- *Accourcir son chemin :* prendre un chemin de traverse qui diminue la distance. *Prenez ce bois, vous accourcirez.*

accourcir, raccourcir :
« Proprement, raccourcir devrait signifier accourcir de nouveau ce qu'on a déjà accourci. L'usage ne lui a pas laissé ce sens précis, et il l'a confondu avec accourcir. Il est fâcheux que la nuance que donnait la composition du mot ait disparu. » (LITTRÉ)

s'accourcir verbe
Devenir plus court. *Je souhaiterais que ma vie pût s'accourcir.* (FÉNELON) *Lorsque les jours s'accourcissaient, le roi travaillait le soir chez Mme de Maintenon.* (SAINT-SIMON)

accourcissement nom masculin
Diminution d'étendue ou de durée. *En août, l'accourcissement des jours est sensible.*

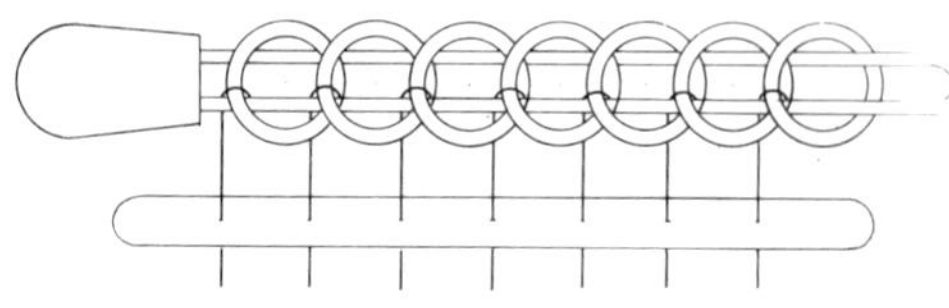

BAGUENAUDIER (Jeu).
Il s'agit d'enfiler, puis de désenfiler les anneaux dans un ordre voulu.

acoquinant, ante adjectif
Qui attache, retient par l'habitude. *Le coin du feu est acoquinant.*

acoquiner verbe
Attirer par une habitude à laquelle on prend plaisir. *La chasse au marais a des charmes qui vous acoquinent.* (TOUSSENEL)

adoniser verbe
Embellir. *Quand d'un bonnet, sa tête elle adonise...* (RONSARD) *Cette mère se plaît à adoniser son fils.*

s'adoniser verbe
Se parer avec une grande recherche. *Je ne sais rien de moins intéressant qu'un homme qui se mire et s'adonise.* (SAINTE-BEUVE)

adultérer verbe
Fausser, vicier. *Il adultère tous les ouvrages de Dieu.* (BOSSUET) Régnier dit *adultériser : Voilà comme à présent chacun s'adultérise.*

adultérisme nom masculin
Fait de falsifier l'orthographe d'un nom propre. *D'Aguesseau pour Daguesseau est un adultérisme.*

s'affainéantir verbe
Devenir paresseux. *Les nations s'affainéantissent dans une longue paix.*

affriandé, ée participe passé
Je ne restai même pas affriandé de jolies femmes. (J.-J. ROUSSEAU)

affriander verbe
[de l'ancien français *frire,* au sens de brûler d'envie].
Rendre friand. Attirer par quelque chose d'agréable, d'avantageux. *N'affriandez pas les enfants.*

affrioler verbe
[de l'ancien français *frioler,* frire, puis être friand].
Attirer par quelque chose de séduisant, d'agréable. *Les cadeaux affriolent les enfants et les femmes.*

agacerie nom féminin
Mines, manières, paroles par lesquelles on cherche à attirer l'attention. *Elle lui fait des agaceries dont il n'est que plus dépité.* (J.-J. ROUSSEAU)

agacerie, agacement :
« On distinguera soigneusement agacement et agacerie. L'agacement est une sensation désagréable des dents, des nerfs. L'agacerie est une provocation agréable et piquante qui, se disant surtout des femmes, a cependant aussi d'autres emplois. » (LITTRÉ) *Il y a un air d'agacerie au travers de tout cela.* (Mme de SÉVIGNÉ)

alambiquage nom masculin
Raffinement, subtilité excessive. *L'alambiquage est fréquent chez Marivaux.*

alambiquer verbe
Fatiguer à des choses subtiles. *N'allons pas là-dessus nous alambiquer la cervelle.*

s'alambiquer verbe
Se fatiguer par des subtilités. *Car sans honneur la muse consommée/De long travail, s'alambique en fumée.*
(RONSARD)

alambiqueur nom masculin
Celui dont le style est raffiné, compassé. *Un alambiqueur de phrases.*

amabiliser verbe
Rendre aimable. *La société des femmes amabilise un homme.*
(MERCIER)

amatiner verbe
Faire lever quelqu'un de bon matin. *Les paresseux n'aiment pas qu'on les amatine.*

BALADEUSE.

apiéger verbe
Apprivoiser, au sens propre et au figuré. *Il oubliait que le premier agriculteur du canton en était aussi le plus sauvage, et que difficilement il se laisserait apiéger.* (E. NOËL)

arêteux, euse adjectif
Qui est rempli d'arêtes. Embarrassant, difficultueux. *Cette question est arêteuse.*

arraisonner verbe
Chercher à persuader par des raisons. *Tandis que j'arraisonnais M. le duc d'Orléans, le roi consultait et sa famille et son conseil.* (SAINT-SIMON)

BAROTROPE.
Véhicule mû par l'action des jambes sur les pédales accouplées.

arriérer verbe
Retarder. *Arriérer un paiement. Il faut encore interrompre ici cette matière qui arriérerait trop les autres.* (SAINT-SIMON)

s'arriérer verbe
Rester en arrière. *Une partie de l'infanterie s'arriéra.* Être en retard, en parlant d'un travail. *Malgré mes efforts, ma besogne s'arrière.*

s'assommeiller verbe
Commencer à sommeiller. *Quand les autres s'assommeillent, courir seuls dans le silence de la nuit.* (Mme de GASPARIN)

s'atêter verbe
S'attaquer à. *Il s'atêta au président de Mesme.* (RETZ) *Je n'ai pas l'intention de m'atêter à qui que ce soit.*

atournement nom masculin
Manière de s'ajuster, de s'atourner. *Les femmes prennent le plus grand soin à leur atournement.*

atourner verbe
[du latin *adornare,* orner].
Parer, avec un sens ironique. *Vous voilà bien atournée.*

s'atourner verbe
Se parer. *Et la vilaine s'atourna comme une vieille un jour de fête.* (SCARRON)

attifer verbe
[de l'ancien norois, *tippa,* attifer].
Parer avec recherche, avec affectation. *Elle aime à attifer sa petite fille.* Agencer, orner dans un goût fade et faux. *Ils attifent leurs mots, enjolivent leurs phrases.* (RÉGNIER)

s'attifer verbe
Se parer et surtout se coiffer avec affectation. *Les coquettes passent des heures à s'attifer.*

attifeur, euse nom masculin et féminin
Celui, celle qui attife, qui fait profession d'attifer. *Les coiffeurs et les modistes sont des attifeurs.*

badaudaille nom féminin
Assemblée de badauds. *La maréchaussée dut écarter la badaudaille.*

badauder verbe
[du provençal *badar,* regarder bouche bée].
Faire le badaud, perdre son temps à considérer niaisement tout ce qui paraît extraordinaire ou nouveau. *Le Parisien doit sa réputation de badaud aux nombreux étrangers qui viennent badauder à Paris.* (BOITARD)

badauderie nom féminin
Caractère du badaud. Puérilité, niaiserie. *La badauderie contemporaine.* Actions du badaud. *Nous allâmes au Palais-Royal où la badauderie des courtisans m'étonna plus que celle des bourgeois.* (RETZ)

badaudisme nom masculin
Manie du badaud. *Les lieux de plaisir exploitent le badaudisme des étrangers.*

BASCULE AUTOMATIQUE pour se peser assis.

baguenaudage nom masculin
Action de baguenauder. *Le baguenaudage, voilà à quoi se passe la vie.* (Mme D'ÉPINAY)

baguenaude nom féminin
Ineptie, niaiserie. *Il ne pouvait s'empêcher de raconter des baguenaudes.* Littérairement, ancienne pièce de poésie française en vers blancs, faite en dépit des règles et qui était une espèce d'amphigouri.

baguenauder verbe
S'amuser à des choses vaines et frivoles. *Les temporiseurs s'amusent à baguenauder ; il faut agir.* (DANTON) *Je m'en vais musant et baguenaudant jusqu'à Naples.* (P.-L. COURIER) *Ton goût est de baguenauder en amour.* (HAMILTON)

baguenauderie nom féminin
Action de baguenauder. Paroles sottes et ridicules. *Me suis trouvé avec des demoiselles qui se lavaient la gorge des baguenauderies que leur avaient ramagé les courtisans.* (CHOLIÈRES)

baisailler verbe
Faire des visites ennuyeuses, inévitablement accompagnées de baisers. *Tantôt, M. de Marseille me mènera baisailler.* (Mme de SÉVIGNÉ)

barguignage nom masculin
Hésitation, lenteur à se décider. *Allons ! pas tant de barguignage !*

barguigner verbe
[du bas latin *barcaniare,* marchander].
Rester longtemps à se déterminer. Hésiter. *À quoi bon tant barguigner et tant tourner autour du pot.* (MOLIÈRE)

barguigneur nom masculin
Personne lente à se déterminer. *Les barguigneurs sont insupportables.*

batifolage nom masculin
Amusement folâtre. *Adieu batifolage.* (LA FONTAINE)

batifolant, ante adjectif
Qui batifole. *Je suis d'humeur batifolante.* (LA FONTAINE)

batifoler verbe
[peut-être de l'italien *Battifolle,* rempart, boulevard où les jeunes gens allaient s'amuser ; ou de l'ancien provençal *batifol,* moulin à battre les draps].
Jouer, s'amuser avec quelqu'un, surtout à des jeux de mains. *Faner, c'est retourner du foin en batifolant.* (Mme de SÉVIGNÉ) - *Batifoler avec une fille :* prendre des libertés en jouant avec elle.

biaisement nom masculin
Détour pour tromper. *Ces sortes de biaisements en matière d'affaires d'État sont toujours dangereux.* (BOUHOURS)

bibeloter verbe
S'occuper à de petits travaux sans importance. *Elle aura passé sa vie à bibeloter.*

bonneter verbe
[de *bonnet*].
Se montrer empressé, obséquieux, surtout dans un but intéressé. Opiner du bonnet, ne pas avoir d'avis personnel, être de l'avis des autres. *Chaque fois qu'on l'interrogeait, il se mettait à bonneter.*

bourrasquer verbe
Se livrer à des comportements brusques. *Quand il retrouve ses enfants, il ne peut s'empêcher de bourrasquer.*

boursiller verbe
Se cotiser, fournir chacun une petite somme pour une dépense commune. Vider sa bourse. *Au Parlement, il faut soutenir son droit par beaucoup d'argent ; je m'en souviens et j'ai boursillé moi-même.* (VOLTAIRE) Tirer continuellement de petites sommes de sa bourse. Payer son tribut à la galanterie. *La laide boursille dans son domestique.* (GHERARDI)

brandiller verbe
[de *brandir*].
Mouvoir, agiter alternativement en sens opposés. *Brandiller la tête.*

brandiller, branler : « Ce qui distingue ces deux verbes, c'est que l'un est un diminutif et l'autre non. Aussi brandiller a-t-il toujours un sens de plaisanterie, d'ironie ou de dénigrement, sens qui est tout à fait absent de la signification de branler. » (LITTRÉ)

se brandiller verbe
Se balancer. *Se brandiller sur sa chaise, sur une escarpolette.*

brelauder verbe
Perdre son temps à des choses futiles. *Quand vient le beau temps, je passe mes jours à brelauder.*
(Mme de BONNETEAU)

BAUDET.
Tréteau sur lequel les scieurs de long établissent les pièces à débiter.

brifer verbe
[origine onomatopéique, ou alors de l'ancien français *brif,* force].
Manger gloutonnement, bâfrer. Froisser du linge, une étoffe. *Cette femme brife toutes ses robes.*

brigue nom féminin
[de l'italien *briga,* lutte, querelle].
Manœuvre par laquelle, poursuivant quelque objet, on engage des personnes dans ses intérêts. *On fait sa brigue pour arriver à un grand poste.* (LA BRUYÈRE) *Fermons l'œil aux présents et l'oreille à la brigue.* (RACINE)

brillanter verbe
Donner de l'éclat (souvent un éclat trompeur). *On a reproché à Fontenelle le soin d'aiguiser ses pensées et de brillanter ses discours.* (MARMONTEL)

se bronzer verbe
S'endurcir. *En vivant et en voyant les hommes, il faut que le cœur se brise ou se bronze.* (CHAMFORT)

brouillamini nom masculin
[déformation populaire, sous l'influence de *brouiller,* des mots *bol d'Arménie,* désignant une argile jadis employée médicalement].
Désordre, confusion, état de ce qui est brouillé, confondu. *Il y a là-dedans trop de tintamarre, trop de brouillamini.* (MOLIÈRE)

cacade, cagade nom féminin
Décharge de ventre. *J'ai failli à faire une grande cagade.* (d'AUBIGNÉ) Échec ridicule, reculade honteuse causée par la couardise ou le manque d'habileté. *Quand je vois la cacade devant Dantzig, l'incertitude dans mille démarches...* (VOLTAIRE) - *Faire une vilaine cacade :* manquer une entreprise par sottise ou par lâcheté.

cacherie nom féminin
Soin que l'on prend à se cacher de quelqu'un, de quelque chose. *Quoique cela fût devenu le secret de la comédie, la même enfermerie, la même cacherie furent toujours de même.* (SAINT-SIMON)

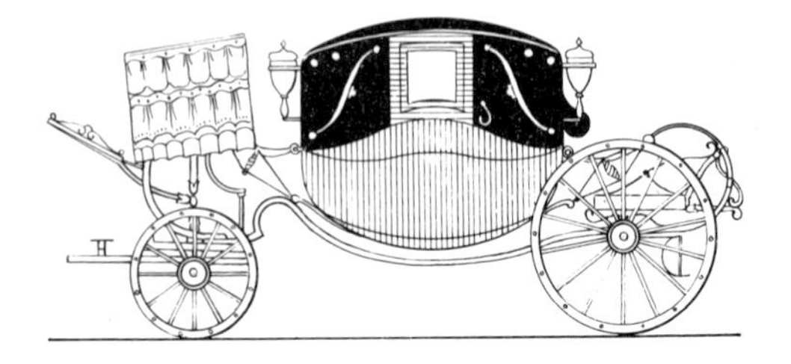

BERLINE.

cachotter verbe
Diminutif de cacher. *Je lui contai tout naïvement, mes prospérités, ne voulant pas les cachotter.* (Mme de SÉVIGNÉ)

se cachotter verbe
Se cacher avec affectation. *Et en se cachottant il avait donné les ordres pour le soir.* (Mme de SÉVIGNÉ)

capablement adverbe
Avec capacité. *Elle mena la parole si capablement qu'il en fut ravi.* (Mme de SÉVIGNÉ)

cascader verbe
Plaisanter follement, faire de grosses farces. Mener une existence dissolue. Chanceler, tomber. *Dis-moi, Vénus, quel plaisir trouves-tu/À faire ainsi cascader ma vertu ?* (la Belle Hélène)

cascadeur, euse nom et adjectif
Acteur, actrice qui ajoute à son rôle des plaisanteries de son cru. Viveur, femme légère. *Il aime à fréquenter les cascadeuses.*

castelliser verbe
Mener la vie de château. *Il avait toujours rêvé de castelliser.*

chamade nom féminin
[de l'italien *chiamata,* même sens, de *chiamare,* appeler].
Signal militaire, qui se donne avec le tambour ou la trompette, pour avertir qu'on veut traiter avec l'ennemi. *Battre la chamade :* se rendre, céder. *Je me mis sur nouveaux frais à presser la place, jusqu'à ce qu'enfin la señora Mencia battit la chamade.* (LESAGE)

chamboler verbe
Flâner. *Le dimanche, il aime chamboler dans la campagne.*

chat-en-jambes nom masculin
Embarras que l'on cause à quelqu'un. *C'est ce que l'on appelle jeter à son adversaire un chat-en-jambes.* (SAINTE-BEUVE)

chattement adverbe
À la manière des chats, d'une façon caressante, mais trompeuse et hypocrite. *Il lui avait chattement suggéré de revenir sur sa décision.*

BÉROT.

1
2
3
4
5

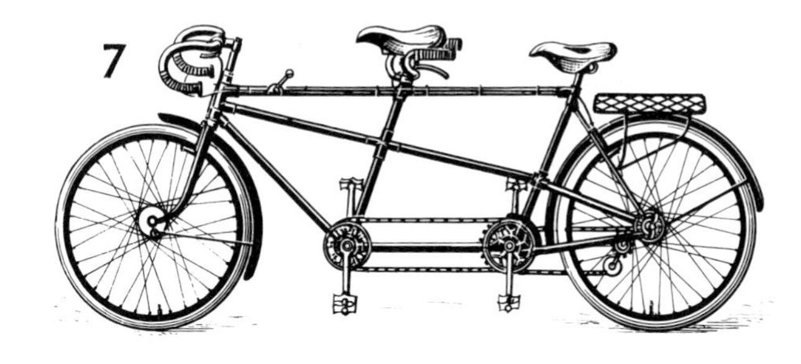

Bicyclettes.
1. 1er bicycle Michaux (1842) ;
2. Bicycle Michaux (1865) ;
3. Grand bicycle dit « araignée » ;
4. 1re bicyclette ;
5. Bicyclette d'homme ;
6. Bicyclette de dame ;
7. Tandem ;
8. Bicyclette militaire du capitaine Gérard ;
9. La même pliée.

chère nom féminin
[du latin *cara,* visage].
Bon accueil, réception caressante. *S'il y avait auprès de vous une personne bien faite, qui vous fît bonne chère...* (VOITURE) Par extension, *faire bonne chère* a passé du sens de faire bon accueil à faire un bon repas, parce qu'un bon repas est une partie d'un bon accueil. Dans ce sens, chère comprend tout ce qui regarde la quantité, la qualité et la préparation des mets. *Repose-toi, fais grande chère.* (BOSSUET) *C'était un homme de bonne chère, et il devient sobre et tempérant.* (BOURDALOUE)

chevaler verbe
Faire des allées et venues, des démarches pour une affaire. *Il m'a bien fait chevaler.* Presser pour obtenir quelque chose. *Ainsi font les grands voleurs et les fameux corsaires : les uns découvrent le pays, les autres chevalent les voyageurs.* (LA BOÉTIE)

civilité nom féminin
Bonnes manières à l'égard d'autrui ; usage du monde. Au pluriel, démonstrations de politesse. *Elle pensa hier rompre en visière à un neveu de Mme de Challeux, qui lui faisait entendre, par manière de civilité, qu'il la trouvait bien faite.* (RACINE) *La politesse flatte les vices des autres, la civilité nous empêche de mettre les nôtres au jour.* (MONTESQUIEU) *Souffrez que je réponde à vos civilités.* (CORNEILLE)

BIDONS.
1. À essence.
2. De soldat.

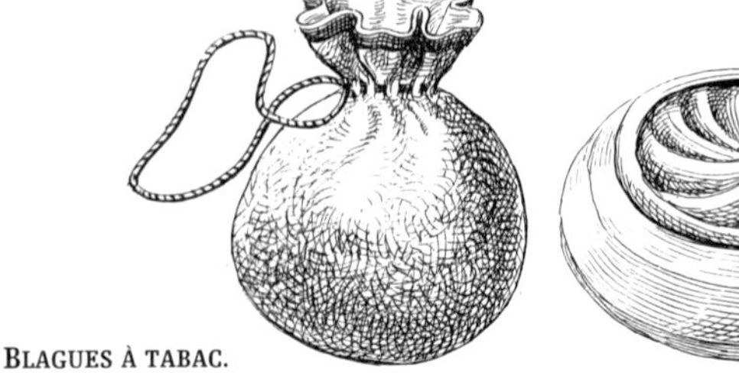

BLAGUES À TABAC.

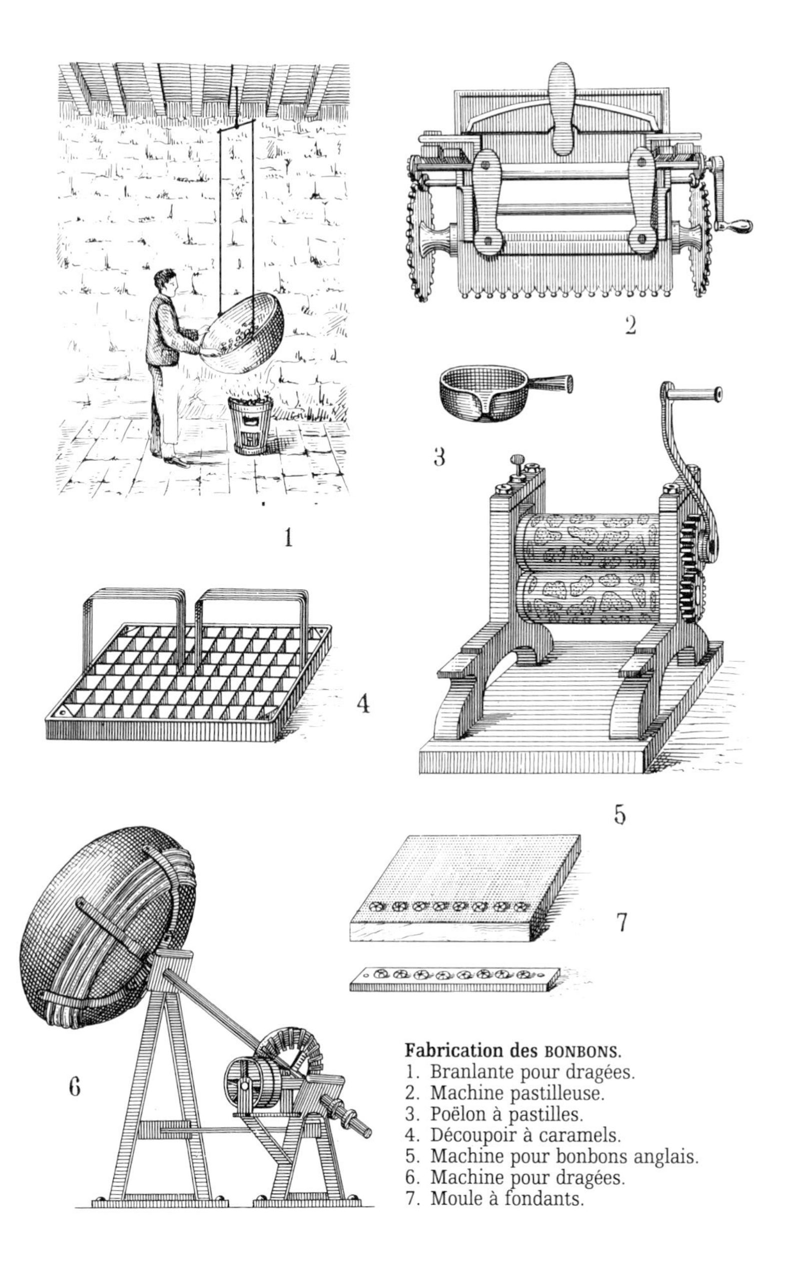

Fabrication des BONBONS.
1. Branlante pour dragées.
2. Machine pastilleuse.
3. Poëlon à pastilles.
4. Découpoir à caramels.
5. Machine pour bonbons anglais.
6. Machine pour dragées.
7. Moule à fondants.

civilité, politesse, courtoisie :
« Étymologiquement, la civilité est ce qui préside aux relations civiles, c'est-à-dire entre concitoyens ; la politesse est la qualité de celui qui a été poli ; la courtoisie, celle qui émane de la fréquentation de la cour, ou plutôt des cours féodales. La civilité est le premier degré ; elle a son cérémonial, ses règles, qui sont de convention. La politesse est quelque chose de plus ; elle ajoute, à l'idée de civilité, des manières et une façon de s'exprimer qui ont quelque chose de noble, de fin, de délicat. Pour pratiquer la civilité, il faut connaître les usages ; pour avoir la politesse, la connaissance de ces usages n'est pas absolument nécessaire ; et l'homme distingué d'esprit et d'éducation a une politesse naturelle. La courtoisie implique, en plus, des sentiments chevaleresques, c'est-à-dire le culte envers les femmes, la générosité envers les adversaires et les ennemis, sentiments que ne renferment ni la civilité ni la politesse. » (LITTRÉ)

civil, ile adjectif
Qui observe les convenances, les égards en usage. *Votre propos, Monsieur, n'est ni beau ni civil.* (REGNARD)

colloquer verbe
[du latin *collocare,* placer].
Mettre quelqu'un à une place assez mauvaise. *On nous colloque dans une mansarde.* Placer une personne, une chose dont on veut se défaire. *Il ne sait où colloquer sa fille. Ces titres l'embarrassaient ; il a tâché de me les colloquer.*

se colloquer verbe
Se placer. *Réussir à se colloquer dans une sinécure.*

compasser verbe
[du latin populaire *compassare,* mesurer].
Régler avec minutie ses manières, ses actions, ses paroles. *Compasser ses actions, ses démarches. Et quant à moi je trouve, ayant tout compassé,/Qu'il vaut mieux être encore trompé que trépassé.* (MOLIÈRE) *On voit des gens sincères qui sont toujours à s'étudier, à compasser toutes leurs paroles et toutes leurs pensées.* (FÉNELON)

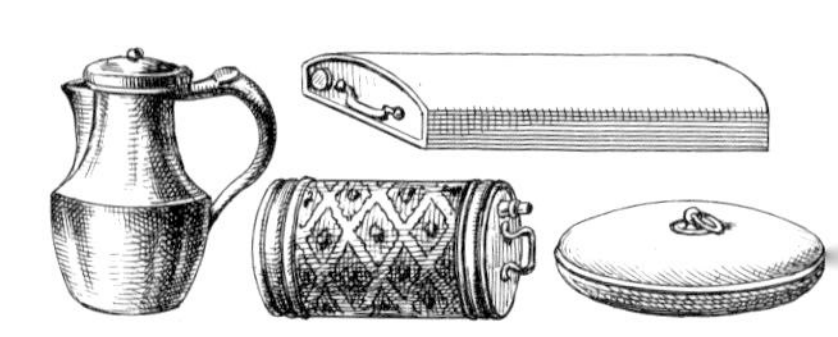

BOUILLOTTES.

compérage nom masculin
Entente entre deux compères, entre deux personnes qui s'entendent pour en tromper d'autres. *Le compérage qui était entre eux...* (BEAUMARCHAIS) *Le compérage est la règle dans tous les métiers.*

complaire verbe
Acquiescer pour faire plaisir. *Commencez par vous faire aimer, afin que chacun cherche à vous complaire.* (J.-J. ROUSSEAU)

complaire, plaire : « Plaire marque un fait tout simple, celui d'être agréable, qui se produit sans effort ; complaire, c'est plaire à force d'attention et en s'accommodant constamment à l'humeur et celui dont on veut gagner les bonnes grâces. » (LITTRÉ)

conchier verbe
Souiller, salir. *Les critiques ne peuvent faire autre chose que conchier et gâter les ouvrages des autres.* (GAUTIER)

BOULANGERIE de campagne.
Four métallique octogonal.

se condouloir verbe
S'associer à la douleur de quelqu'un. *Les avares se visitent pour se condouloir ou se congratuler.* (Mme de CRÉQUI)

confire verbe
Garder très longtemps, sans faire usage. *Les bibliomanes achètent des livres pour les confire.* - *Confit en quelque chose :* tout pénétré de cette chose. *Une personne confite en dévotion.* *Cet hymen de tous biens comblera vos désirs, / Il sera tout confit en douceurs et plaisirs.* (MOLIÈRE)

congénial, ale adjectif
Propre, conforme au génie, à la nature de quelqu'un. *Bonaparte se tourna vers l'Orient, doublement congénial à sa nature par le despotisme et l'éclat.* (CHATEAUBRIAND)

conjouir verbe
Jouir, se réjouir avec quelqu'un de ce qui lui est arrivé d'heureux. *L'homme est mû par un attrait intérieur pour son semblable, par une secrète sympathie qui le fait aimer, conjouir et condouloir.* (PROUDHON)

se conjouir verbe
Se réjouir avec quelqu'un. *Venez ce soir ; ensemble, nous pourrons nous conjouir.*

conniver verbe
[du latin *connivere,* cligner des yeux].
Aider, favoriser une mauvaise action, au moins par son silence. *Je ne pouvais trahir ma dignité en connivant à un abus si préjudiciable.* (SAINT-SIMON) *Nous craignons qu'on nous soupçonne de conniver à ses blasphèmes.* (d'ALEMBERT)

contempteur, trice nom et adjectif
Personne qui méprise ou qui dénigre. *Les contempteurs de la gloire se piquent de bien danser.* (VAUVENARGUES)
Méprisant, dédaigneux. *Un esprit contempteur. Des yeux, des regards contempteurs.*

contemptible adjectif
Vil, méprisable. *Les biens contemptibles de la terre.*

contre-à-contre adverbe
Côte à côte, très près l'un de l'autre sans se toucher. *Les navires amarrés balancent contre-à-contre. En les voyant installés contre-à-contre sur le divan, il se mit en colère.*

BREAK.

contre-aimer verbe
Aimer en retour. *Siècle vraiment heureux, siècle d'or estimé/Où toujours l'amoureux se voyait contre-aimé.* (RONSARD) *Aime celui qui t'aime ; un amour en naissant/Meurt s'il n'a point de frère autant que lui croissant ; / L'Amour tire l'amour d'une force aimantine / Car sa vive vertu languit en la poitrine / Du malheureux amant qui n'est point contre-aimé.* (A. JAMYN)

à contre-biais locution adverbiale
À rebours de ce qu'il faudrait faire. *Prendre une affaire à contre-biais. J'en sais qui, pour ne pas tomber dans cet amour-propre, ont été les plus injustes du monde à contre-biais.* (PASCAL)

contrecarre nom féminin
Action de contrecarrer, résistance, opposition. *Pour faire une contrecarre à M. d'Aubigny...* (XVIe s.) *Il a le goût de la contrecarre.*

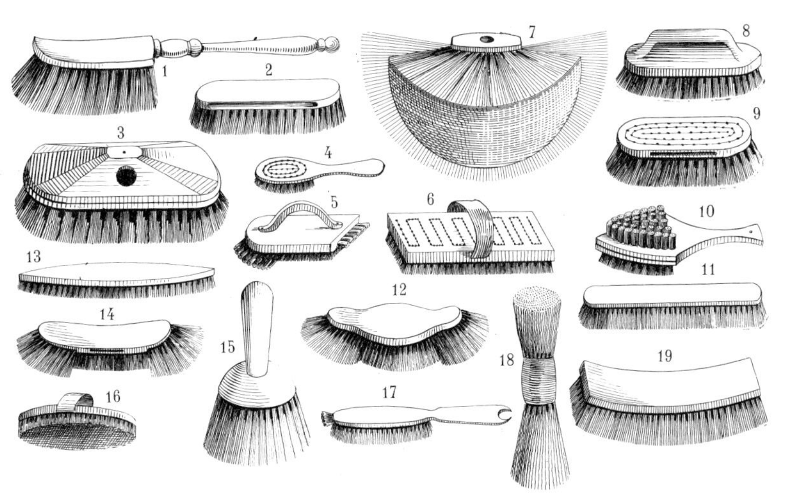

BROSSES.
1. Dite « boulangère » ;
2. À souliers ;
3. À laver, dite « navire » ;
4. À graisse ;
5. À poêle ;
6. À parquets ;
7. À croisées, dite « demi-lune » ;
8. À sculpteurs ;
9. En chiendent, dite « fermière » ;
10. Double à cirer ;
11. À chapeaux ;
12. À billards ;
13. À boutons ;
14. À tonneaux ;
15. Rochelaise ;
16. De pansage ;
17. À ongles ;
18. À chapeaux de femme ;
19. À habits, dite « tailleur ».

à contre-fin locution adverbiale
Contre la fin, le but qu'on se propose. *Agir à contre-fin. En agissant de la sorte, tu vas directement à contre-fin.* (HUMBERT)

contre-peser verbe
Faire contrepoids, compenser, corriger. *L'orgueil contrepèse toutes nos misères car ou il les cache, ou, s'il les découvre, il se glorifie de les connaître.* (PASCAL)

controuver verbe
[de l'italien *contropare,* comparer, puis *controvare,* imaginer].
Inventer à plaisir pour tromper. *Voyez le peuple, il controuve, il augmente.* (LA BRUYÈRE) *L'imagination invente les faits, la fourberie les controuve.* (BOISTE)

controuveur nom masculin
Personne qui se plaît à forger des faussetés, des mensonges. *Ce journaliste est un controuveur.*

conviviat nom masculin
[mot de Brillat-Savarin].
Qualité de convive, présence à un repas. *Souvent, au milieu des festins les plus somptueux, le plaisir d'observer m'a sauvé des ennuis du conviviat.* (BRILLAT-SAVARIN)

coqueter verbe
[de *coq*].
Courtiser. *Si Jason n'eût coqueté Médée/Il n'eût jamais en Grèce rapporté/Cette toison si fièrement gardée.* (SARAZIN)
User de coquetterie. *Bien moins pour son plaisir que pour t'inquiéter/Au fond peu vicieuse, elle aime à coqueter.* (BOILEAU)

coulamment adverbe
D'une manière coulante, aisée, facile. *Parler, s'exprimer, écrire coulamment. Tout lui fournissait de quoi dire et instruire naturellement, aisément, coulamment.* (SAINT-SIMON)

coule nom féminin
Menus gaspillages causés dans une maison, dans une administration, par des domestiques, des employés peu vigilants ou peu délicats. *Il y a beaucoup de coule dans ce magasin.*

CABARET.

courailler verbe
Ne faire que courir, aller sans cesse par-ci par-là. Faire le coureur, donner dans la galanterie facile. Changer très fréquemment dans ses amours. *D'un bout de l'année à l'autre, elle ne fait que courailler.* Mener une vie de débauche. *Il menait une vie retirée, après avoir longtemps couraillé.*

cousiner verbe
Traiter en cousin. *Un homme de fortune évite un parent mince / Qui vient le cousiner du fond de la province.* (DESMAHIS) Vivre dans l'intimité, agir familièrement. *La grande Mademoiselle cousinait, et distinguait, et s'intéressait fort en ceux qui avaient l'honneur de lui appartenir.* (SAINT-SIMON) Vivre en parasite. *Cousiner chez les uns et chez les autres. - Ne pas cousiner :* être antipathique l'un à l'autre.

dam nom masculin
[du latin *damnum,* punition qui entraîne perte ou amende].
Dommage, préjudice. Ne s'emploie guère que dans cette locution : *à son dam, à votre dam,* etc. *Ha ! pourquoi m'êtes-vous, à mon dam, si fidèles ?* (RÉGNIER)

débourrer verbe
[de *bourrer,* maltraiter].
Déniaiser. *Débourrer un jeune homme :* lui donner les manières, les habitudes du monde. *Se débourrer le cœur :* exprimer les sentiments qui vous oppressaient. *On a impérieusement besoin de sforgarsi, comme disent les Italiens ; on veut se débourrer le cœur, disons-nous avec moins d'élégance, sans doute, mais avec autant d'énergie.* (DELÉCLUZE)

débredouiller verbe
Changer en bien une chance longtemps contraire. *Ces trois jours ont débredouillé le chevalier : c'est le premier bien qu'il ait reçu.* (Mme de SÉVIGNÉ)

décheveler verbe
Mettre en désordre la chevelure. *Le vent mugit et secoue avec rage / Des noirs sapins les fronts déchevelés.* (GAUTIER) Substantivement. *Faire la déchevelée :* affecter une profonde douleur.

CALANDRE.

décheveler, écheveler :
« Décheveler annonce un désordre plus grand qu'écheveler et suppose une cause plus violente. »
(LAROUSSE)

déconcert nom masculin
[de l'italien *concerto,* accord].
Défaut d'entente, mésintelligence. *Ce malheur a donné lieu à un grand déconcert entre toutes les personnes.* (COLBERT) *Dans beaucoup de ménages, le déconcert succède vite à l'entente.*

déconfort nom masculin
Ce qui ôte la force, le courage. *Quand je le sus, je dis par déconfort / Je hais ma vie, et désire ma mort.*
(Ch. d'ORLÉANS)

déconforter verbe
Ôter le confort, le courage, abattre, affliger. *La veuve dit, toute déconfortée...* (LA FONTAINE) *Jamais je ne vis auteur plus déconforté.*
(FURETIÈRE)

se déconforter verbe
Se désoler, perdre courage. *Les autres, assis autour de lui, pleuraient, se déconfortaient.*
(P.-L. COURIER)

CANON DE MONTAGNE à dos de mulet.

défaveur nom féminin
Perte de la faveur. *Une société qui n'était pas de celles que la faveur attire et que la défaveur éloigne.* (MARMONTEL)
Discrédit. *Les actions tombées en défaveur à la Bourse.*

défaveur, disgrâce :
« Disgrâce dit plus que défaveur. La défaveur, c'est simplement la perte de la faveur ; mais la disgrâce est quelque chose de plus ; elle implique non seulement la perte de la faveur, mais aussi la perte des grâces, des choses gracieuses qui étaient possédées, telles que fortune, emplois, position sociale. La défaveur où était Fénelon ne l'empêchait pas d'être archevêque de Cambrai ; la disgrâce où tomba Fouquet amena sa ruine et son emprisonnement. » (LITTRÉ)

défléchir verbe
Changer de direction, détourner, dévier. *Ils se laissent défléchir par mille obstacles qui les détournent du vrai but.* (J.-J. ROUSSEAU)

dégognade nom féminin
Action de se dégogner. *C'est ici où les bohémiennes poussent leurs agréments ; elles font des dégognades où les curés trouvent un peu à redire.* (Mme de SÉVIGNÉ)

se dégogner verbe
Se livrer à des mouvements dégingandés, désordonnés, particulièrement en dansant. *Il y a beaucoup de mouvement, et l'on se dégogne extrêmement.* (Mme de SÉVIGNÉ)

déjoindre verbe
Séparer, isoler. *La vie contemplative ne doit pas être déjointe, ni pour toujours, ni pour longtemps, de l'active.* (LANOUE)

déjoindre, disjoindre :
« Déjoindre marque une séparation plus complète ; disjoindre ne marque qu'un commencement de séparation. » (LAROUSSE)

délicater verbe
Traiter avec trop de délicatesse, accoutumer à la mollesse. *On gâte les enfants à force de les délicater.*

CAQUETEUSE (XVIe s.). **CAQUETOIRE à pivot.**

se délicater verbe
Se choyer trop, prendre un soin excessif de sa personne. *Elles sont si molles et tant soucieuses de se délicater et se plaire seules en elles-mêmes.* (BRANTÔME)

délustrer verbe
[de l'italien *lustrare,* éclairer]. Ôter le lustre, l'éclat, le mérite. *Ceux qui ne sentent pas en eux la force de s'illustrer veulent tout délustrer.* (VEUILLOT)

dépendamment adverbe
D'une manière dépendante. *L'âme agit souvent dépendamment des organes. Saint-Paul ne laissait pas de souhaiter d'aller prêcher l'Évangile à Rome, quoiqu'il ne le souhaitât que dépendamment de la volonté de Dieu.* (NICOLE)

CHASSE à l'autruche.

dépris nom masculin
Sentiment par lequel on déprise, et qui est moins fort que le mépris. *L'expérience nous mène lentement du dépris au mépris.*

dépriser verbe
Diminuer le prix, le mérite d'une chose, d'une personne. *Apprenez à aimer les hommes et même ceux qui les déprisent.* (J.-J. ROUSSEAU)

dépriser, mépriser :
« Dépriser c'est diminuer le prix ; mépriser c'est ôter le prix. » (LITTRÉ)

se dépriser verbe
Rabaisser son propre mérite. *Attentif à guetter l'opinion qu'on avait de lui, il lui arrivait souvent de parler de lui-même avec une humilité feinte, pour éprouver si l'on se plaisait à l'entendre se dépriser.* (MARMONTEL)

désagréer verbe
Être désagréable à. *L'éloge nous désagrée rarement.* Ne pas agréer, ne pas accepter quelque chose. *La reine, qui d'abord avait voulu par prudence maintenir les tabourets, parut aussitôt ne point désagréer ce qui se faisait.* (Mme de MOTTEVILLE)

désheurer verbe
Troubler dans la régularité de ses occupations, déranger dans ses habitudes réglées. *Les révolutions désheurent tout le monde.* (DELAVIGNE) On dit aussi *qu'une pendule désheure* quand elle sonne une heure autre que celle indiquée par les aiguilles.

desserre nom féminin
[de l'ancien français *desserrer,* lancer, laisser partir].
Usité seulement dans l'expression familière *être dur à la desserre :* se dessaisir avec peine de son argent pour donner ou payer. *Je sais qu'à la desserre / vous êtes dur ; j'en suis fâché pour vous.* (LA FONTAINE)

détraper verbe
Tirer du piège, de la trappe. *La fortune me détrapera de bien des gens que je n'aime point.* (BUSSY-RABUTIN)

dindonner verbe
Duper, mener comme un dindon, comme un sot. *Je ne veux pas me laisser dindonner.*

discord nom masculin
État de ceux qui ne s'accordent pas. *Et l'amitié passant sur de petits discords...* (MOLIÈRE)

discord, désaccord : « Le désaccord est la perte, la cessation de l'accord ; le discord n'implique pas que l'accord ait régné antécédemment. » (LITTRÉ)

discord, orde adjectif
Qui manque d'harmonie, de convenance, d'accord entre les parties. *Appartements dans lesquels tout est discord.* Incohérent, inconséquent, qui n'est pas d'accord avec lui-même. *Un caractère discord.*

disparate nom féminin
[de l'espagnol *disparate,* même sens].
Incartade, action capricieuse et déraisonnable. *Ce sont ces disparates-là qui font que je vous crains près de moi.* (Mme de MAINTENON) On dit aussi *disparade.*

disquisition nom féminin
[du latin *disquirire,* rechercher].
Investigation, recherche curieuse. *De froides disquisitions sur les faits sont les charges et les servitudes de l'histoire.* (CHATEAUBRIAND)

DISTRIBUTEURS AUTOMATIQUES.
De parfum ; De billets ;
À musique.

dodiner verbe
[de l'onomatopée, *dod,* indiquant le balancement].
Bercer, balancer. *Dodiner un enfant.*

se dodiner verbe
Se bercer. Avoir beaucoup de soin de sa personne. *Un homme qui se dodine comme une femme.*

doublerie nom féminin
Action d'un homme double, trompeur, perfide. *On ne peut se fier à lui ; sa doublerie est constante.*

en échappade locution adverbiale
[de *échapper*].
À la dérobée. *Croyez qu'une calèche a bien ses petits avantages... D'abord les regards partent en échappade ; le haut du visage est dans l'ombre, le bas paraît plus blanc...* (DIDEROT)

à écorche-cul locution adverbiale
En glissant, en se traînant sur le derrière. *Achille, après l'avoir vaincu, le traînait à écorche-cul.* (SCARRON) À contre-cœur. *Il n'a rendu ce service qu'à écorche-cul.*

écornifler verbe
[de *écorner* et de l'ancien français *nifler,* renifler].
Prendre, se faire donner çà et là de l'argent, un dîner, etc. *Je m'en vais écorniflant, par-ci par-là, des livres les sentences qui me plaisent.* (MONTAIGNE)

écorniflerie nom féminin
Action d'écornifler. *Ma philosophie se nomme l'écorniflerie.* (BAÏF)

écornifleur, euse nom masculin et féminin
Celui, celle qui écornifle. *Nous sommes dans ces lieux à l'abri des visites / Des sots écornifleurs et des froids parasites.* (REGNARD) Par extension, plagiaire. *Tous les petits écornifleurs du Parnasse.* (VOLTAIRE)

écornifleur, parasite :
« L'écornifleur use d'effronterie, de ruse ; on n'a qu'un désir, celui de l'empêcher de revenir. Un parasite, au contraire, est un commensal qu'on souffre, qui plaît même quelquefois quand il sait payer, d'une façon quelconque, la faveur qu'on lui fait. » (LAROUSSE)

embâter verbe
[de *bât*].
Embarrasser, ennuyer. *Embâter quelqu'un dans une affaire désagréable. Le chancelier déclara à M. de Chevreuse qu'il pouvait faire son fils duc et pair s'il voulait, et embâter le roi de ses beaux raisonnements.* (SAINT-SIMON)

s'embâter verbe
Se charger d'une personne ou d'une chose importune. *Il ne veut pas s'embâter de sa vieille cousine.*

DISTRIBUTEUR AUTOMATIQUE
à 12 compartiments.

emmitonner verbe
[de *miton*].
Envelopper dans une étoffe chaude et moelleuse. *Tel qui se tient emmitonné dans les martes jusqu'aux oreilles.* (MONTAIGNE) - *Emmitonner quelqu'un :* le circonvenir, l'endormir sur ses intérêts.

emparadiser verbe
Mettre en paradis, dans un état de délices. *L'Art d'emparadiser les âmes* (titre d'un livre ascétique du XVIIe siècle).

enganter verbe
Enjôler, séduire, gagner complètement. *Ce jeune homme était méprisé de la demoiselle de comptoir, qui pendant longtemps avait espéré l'enganter.* (H. de BALZAC)

s'enganter verbe
Contracter une liaison étroite avec quelqu'un. *Il s'est enganté de cette fille.*

engeancer verbe
Embarrasser de quelqu'un comme d'une mauvaise engeance. *Qui nous a engeancés de ces gens-là ?*

s'engeancer verbe
Être engeancé. *Je ne veux pas qu'il soit dit dans le monde qu'une fille de la connaissance de Lisette se soit engeancée d'un robin...* (DANCOURT)

s'entre-baiser verbe
Se baiser mutuellement. *Je descends, nous pourrons nous entre-baiser tous.* (LA FONTAINE)

s'entre-battre verbe
Se battre l'un l'autre. *Ce n'est pas à Paris ni en France seulement qu'on s'entre-bat pour les biens et honneurs de ce monde.* (COMMYNES)

entregent nom masculin
Adresse à se conduire dans le monde, à se lier, à obtenir ce qu'on désire. *Il y a plus de crève-cœur que de consolation à prendre congé de ses amis ; j'oublie volontiers ce devoir de notre entregent.* (MONTAIGNE) *Ayant vécu dans deux des plus brillantes maisons de Paris, je n'avais pas laissé, malgré mon peu d'entregent, d'y faire quelques connaissances.* (J.-J. ROUSSEAU)

à l'envi locution adverbiale
[de l'ancien français *envi*, défi au jeu, surenchère, lui-même de *envier,* inviter].
À qui mieux mieux, en rivalité. *Ils servent à l'envi la passion d'un homme.* (CORNEILLE) *L'imagination et la peur s'excitent à l'envi.* (Mme MONMARSON) - *À l'envi de :* en rivalisant avec. *Toutefois mon cœur/À l'envi de Chimène adore ce vainqueur.* (CORNEILLE)

esbroufant, ante adjectif
Qui esbroufe. *Des succès esbroufants.*

esbroufe nom féminin
Étalage de grands airs, embarras. *Faire de l'esbroufe, des esbroufes.*

esbroufer verbe
[du provençal, *esbroufa,* s'ébrouer, de l'italien *sbruffare,* asperger].
Étonner par ses manières exagérées et tapageuses, par les grands airs qu'on se donne. Interdire, intimider. *Rien qu'en le regardant, je l'ai esbroufé.*

esbroufeur, euse nom masculin et féminin
Celui, celle qui fait de l'esbroufe. *Il a l'air de quelque chose, mais ce n'est qu'un esbroufeur.*

DYNAMOMÈTRE
à déclenchement automatique.

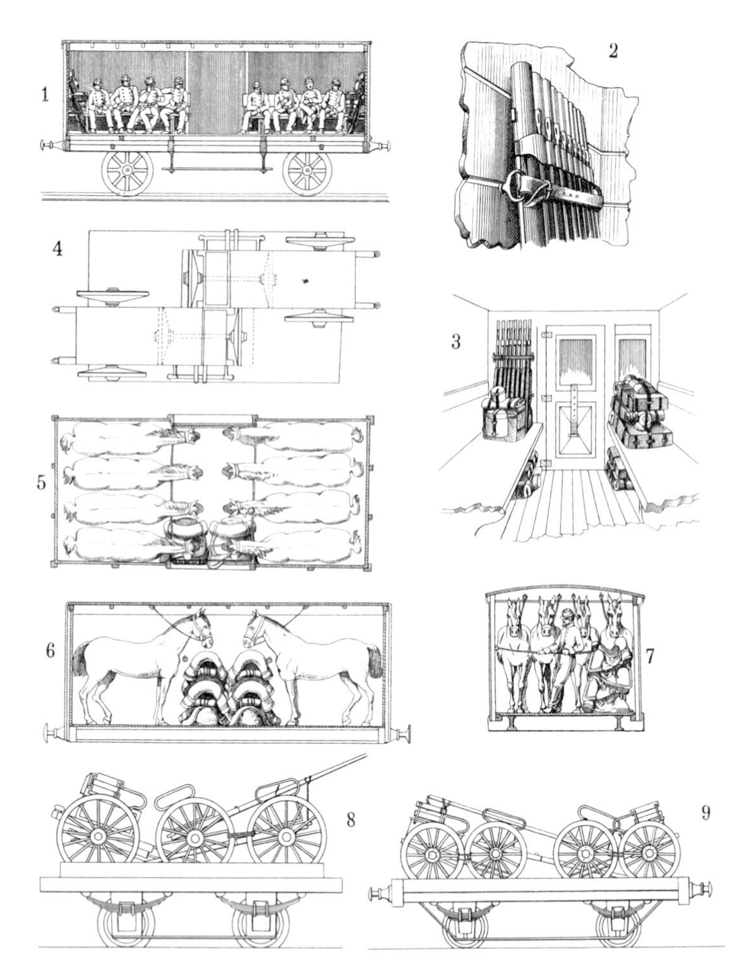

Embarquement des troupes.
1. Wagon à marchandises, aménagé pour le transport des hommes ;
2. Manière d'attacher les fusils dans le wagon ;
3. Place des armes et des sacs dans un compartiment ;
4. Chargement de deux fourgons sur un wagon ;
5. Disposition des chevaux dans un wagon ;
6. Chevaux dans le wagon (coupe longitudinale) ;
7. Chevaux dans le wagon (coupe transversale) ;
8. Chargement d'un arrière-train et de deux avant-trains sur un wagon ;
9. Chargement de deux caissons sur un truc.

escarmoucher verbe
[de l'ancien français *escremie,* combat, et de *mûchier,* cacher, avec l'influence de *mouche,* personne qui espionne].
Combattre par escarmouches. Disputer légèrement. *On n'a point approfondi la question ; on n'a fait qu'escarmoucher.* (Mme de SÉVIGNÉ)

s'escarmoucher verbe
Se battrre par escarmouches. *L'écriture est un champ de bataille où l'on s'attaque, où l'on s'escarmouche de bien des manières.* (MONTESQUIEU)

étranger verbe
Écarter, éloigner d'un lieu. *Ils se séparèrent, Monsieur outré, mais n'osant éclater, et le roi très piqué, mais ne voulant pas étranger Monsieur.* (SAINT-SIMON)

s'étranger verbe
S'écarter. *Le gibier s'est étrangé de cette plaine.* « J'ai regretté que ce verbe, sauf pour l'usage technique dans la chasse, ait vieilli ; je constate que, même de notre temps, il n'est pas tout à fait hors d'emploi ; vous connaissez le mot des couturiers : « Madame, cette robe vous étrange. » *Dès qu'un vêtement m'étrange, il n'est pas fait pour moi.* (Mme de GASPARIN) Ce mot signifie ici donner un caractère étranger. Il faut encourager les efforts contre la désuétude des mots dignes d'être conservés. Comment, en effet, remplacerait-on *étranger* dans cette phrase de Malherbe : « *Une petite somme étrange celui qui l'emprunte ; une grande le rend ennemi* » ? (LITTRÉ)

s'évaltonner verbe
[de l'ancien français *valeton,* jeune garçon ; diminutif de valet].
Prendre un ton dégagé, s'émanciper. *Un jeune homme évaltonné.* *M. de Breteuil a commencé à s'évaltonner.* (d'ARGENSON) S'évertuer. *Vous vous évaltonnez trop pour un convalescent.* (TRÉVOUX)

ÉMOUCHETTE.

fagotage nom masculin
Action d'arranger les choses grossièrement. *Il eût fallu faire un fagotage de réconciliation.* (Mme de SÉVIGNÉ)

fagoter verbe
Faire sans soin, maladroitement, sans art. *Fagotons à tort et à travers de méchants vers !* (MOLIÈRE)

fagoteur, euse nom masculin féminin
Diseur de fagots, de sornettes. *Un fagoteur de romans.*

fantasier verbe
Mettre dans sa fantaisie, imaginer. *Comme il leur plut* [*au parlement*] *de se fantasier toutes choses sur mon sujet, j'étais exposé à la défiance des uns, à la frayeur des autres.* (RETZ)

fantastiquer verbe
Imaginer selon sa fantaisie. *Si philosopher, c'est douter, à plus forte raison niaiser et fantastiquer comme je fais, doit être douter.* (MONTAIGNE)

fatrasser verbe
[de *fatras ; se fatrasser,* s'accoutrer, s'affubler].
S'occuper à des niaiseries. *À force de fatrasser, on finit par s'ennuyer.*

fatrasserie nom féminin
Amas, recueil de niaiseries. *De quoi, diable ! servent tant de fatrasseries de papiers.* (RABELAIS)

faufilé, ée participe passé
[de *faufiler*].
Ces deux dames sont toujours faufilées ensemble. (de CAILLÈRES) *Je cessai de voir les académiciens et autres gens de lettres avec lesquels j'étais déjà faufilé.* (J.-J. ROUSSEAU)

faufiler verbe
[de *faufil,* faux fil, employé pour aider à faire une couture ou pour empêcher une doublure de se déranger, et qui ne doit pas rester].
Introduire. *C'est un espion qu'on a faufilé dans notre société.* Faire société. *Et si vous l'ignorez, sachez que je faufile avec ducs, archiducs, princes, seigneurs, marquis.* (REGNARD)

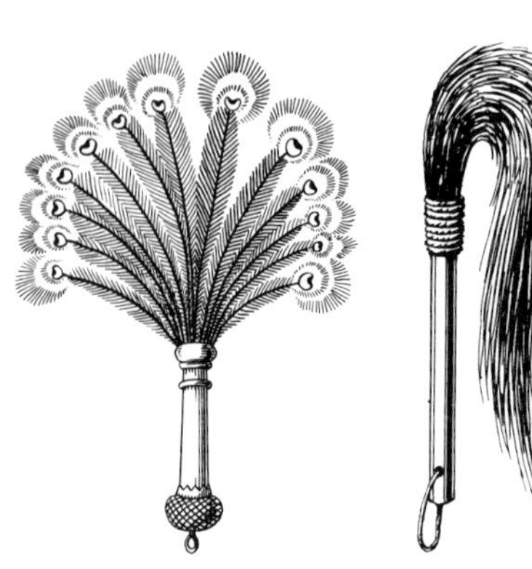

ÉMOUCHOIRS.

férociser verbe
Rendre féroce. *Férociser les instincts du cœur.* (LAMARTINE)

fesser verbe
[de l'ancien français *faisce,* hart, du latin *fascia,* lien].
Châtier. *Messieurs les sots, je dois, en bon chrétien. / Vous fesser tous, car c'est pour votre bien.* (VOLTAIRE) - *Se faire fesser :* s'exposer aux choses les plus humiliantes. *Il se ferait fesser pour moins d'un quart d'écu.* (MOLIÈRE) Faire vite, c'est-à-dire traiter la chose qu'on fait comme on fesse rapidement un enfant. - *Fesser son vin :* boire beaucoup. *Elle fesse son vin de Champagne à merveille, et sur la fin du repas elle devient fort tendre.* (REGNARD)

finoterie nom féminin
Petite finesse, petite ruse. *Azolin avait remarqué, dans ses Mémoires, certaines finoteries qui n'avaient pas de rapport à la candeur dont il faisait profession.* (RETZ)

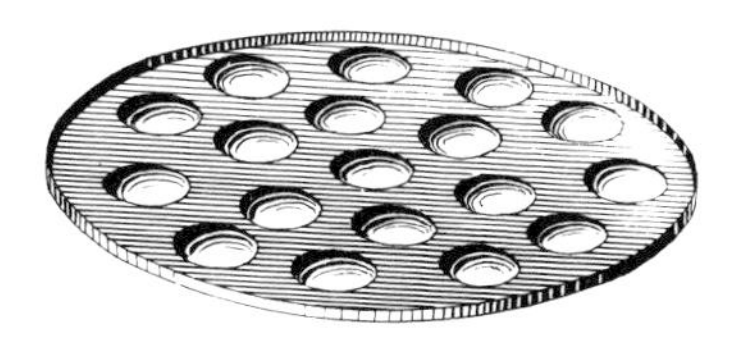

ESCARGOTIÈRE.

florès nom
[origine incertaine : peut-être du provençal *faire flori,* être dans un état de prospérité, du latin *floridus,* fleuri, ou de *Florès de Grèce,* héros d'un roman du XVIe s.].
Usité seulement dans l'expression *faire florès :* se livrer à une démonstration brillante. Réussir d'une manière éclatante, se faire remarquer par sa dépense, être à la mode. *Nous avons fait florès pour la naissance de M. le Dauphin.* (RICHELIEU)

forfaire verbe
Faire quelque chose contre le devoir, contre l'honneur. *Je lui passerais mon épée au travers du corps, à elle et au galant, si elle avait forfait à son honneur.* (MOLIÈRE)

ESCARPOLETTE
d'après Fragonard.

forfait nom masculin
Crime énorme commis avec audace. *La liberté ne doit point être accusée des forfaits que l'on commet sous son nom.* (CHATEAUBRIAND)

forligner verbe
[de *fors,* hors, et *ligne :* aller hors de la ligne].
Dégénérer de la vertu de ses ancêtres. *Souviens-toi de qui tu es le fils, et ne forligne pas.* (CHATEAUBRIAND)

forlonger verbe
[de *fors,* hors, et *longer*].
Distancer, laisser en arrière. *Le cerf forlonge les chiens.*

se forlonger verbe
Tirer en longueur. *Voilà une affaire qui se forlonge.* (TRÉVOUX)

fronder verbe
[de *fronde*].
Faire le mécontent, le critique à l'égard des choses ou des personnes. *Il ne se soucie pas qu'on fronde ses pièces, pourvu qu'il y vienne du monde.* (MOLIÈRE) *La grandeur d'âme ne consiste point à fronder ceux qui ont l'autorité en main.* (Mme de MAINTENON)

ESSANGEUSE.
1. Arrivée de la lessive ;
2. Arrivée de la vapeur ;
3. Arrivée de l'eau.

fronderie nom féminin
Mécontentement, clameurs. *Il y a ici de grandes fronderies, mais cela s'apaise en vingt-quatre heures.* (Mme de SÉVIGNÉ)

gabatine nom féminin
[de l'ancien scandinave *gabb,* raillerie].
Action de faire accroire en se moquant. - *Donner de la gabatine à quelqu'un :* le tromper par une promesse ambiguë. *Il est vrai notre nation / Donne souvent la gabatine / Mais je donnerai caution / De ne point tromper Socratine.* (SCARRON) - *Payer la gabatine d'une chose :* en être dupe.

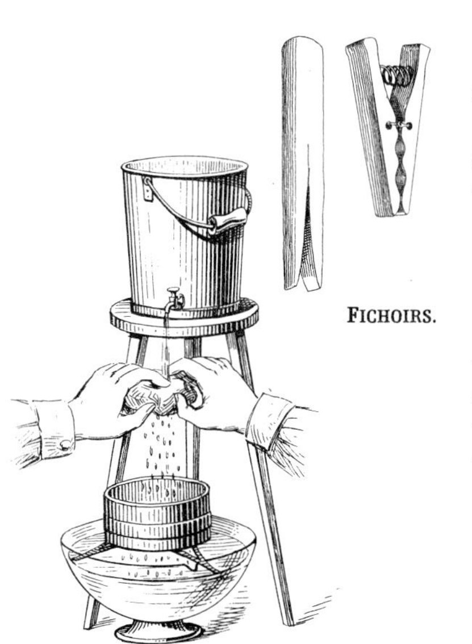

FICHOIRS.

Méthode pour apprécier la valeur d'une FARINE.

gaber verbe
Plaisanter, se moquer. *Il aimait à gaber tous ses petits travers.*

gaberie nom féminin
Plaisanterie, moquerie. *Les enfants aiment les farces et les gaberies.*

gabeur nom masculin et adjectif
C'est un clerc joyeux, gabeur. (H. de BALZAC) « Vieux mot qu'il n'est pas mauvais de remettre en usage. » (LITTRÉ)

galantiser verbe
[de *galant,* lui-même de l'ancien français *galer,* s'amuser, mener joyeuse vie].
Flatter d'une manière galante, dire des galanteries. *Vous mériteriez d'être servie et galantisée dans les formes.* (SCARRON) *M. de Mantoue galantisa et loua fort la beauté de la duchesse d'Aumont.* (SAINT-SIMON)

se galantiser verbe
Se faire la cour à soi-même. *Il s'adore, il se galantise, / Et prend ses divertissements / Devant un cristal de Venise / À se faire des compliments.* (MAYNARD)

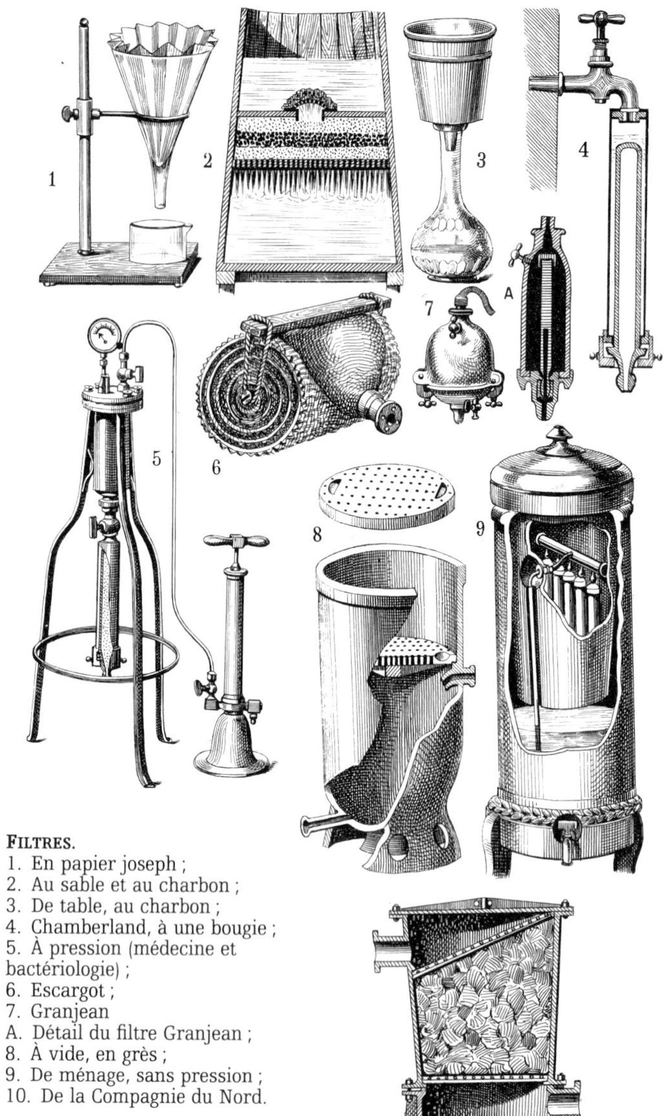

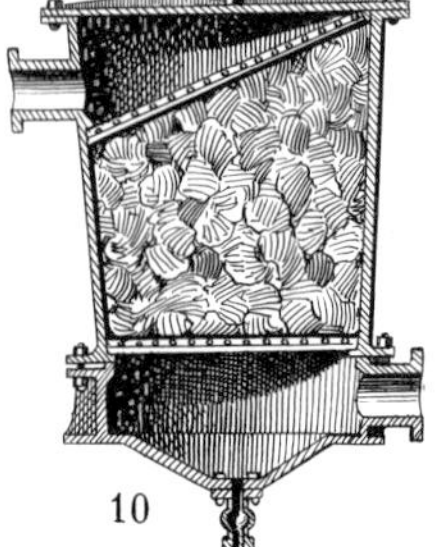

Filtres.
1. En papier joseph ;
2. Au sable et au charbon ;
3. De table, au charbon ;
4. Chamberland, à une bougie ;
5. À pression (médecine et bactériologie) ;
6. Escargot ;
7. Granjean
A. Détail du filtre Granjean ;
8. À vide, en grès ;
9. De ménage, sans pression ;
10. De la Compagnie du Nord.

gambade nom féminin
[de l'italien *gamba,* jambe].
Saut sans art et sans cadence. Au sens figuré également. *Je passe le temps à faire des gambades sur le bord de mon tombeau, et c'est en vérité ce que font tous les hommes.* (VOLTAIRE) Marques de joie. Action qui manque de règle et de suite. Boutade. *J'ai écrit mon livre à bâtons rompus, à sauts et à gambades.* (MONTAIGNE)

gambader verbe
Faire des gambades. *Nous avions de la peine, Thiriot et moi, à ne pas éclater de rire, de voir Voltaire en chemise, gambadant de colère, et apostrophant le roi de Prusse.* (MARMONTEL)

gambadeur, euse nom et adjectif
Celui, celle qui gambade. *À n'en pas douter, la gambadeuse était ivre.*

gamber verbe
Traverser d'une enjambée. *Un de ces forts qui chassent le chamois et gambent les crevasses.* (Mme de GASPARIN)

gambiller verbe
Remuer les jambes de côté et d'autre quand elles sont pendantes. *J'ai vu quelquefois gambiller de petits présidents qui avaient peine à se tenir sur leurs sièges élevés.* (SAINT-SIMON) Sauter, danser. *Il va gambiller ce soir.*

gambilleur nom masculin
Danseur. Sauteur. Homme politique sans valeur. *Il méprise les gambilleurs du parlement.*

gaminer verbe
Faire le gamin. *On ne peut pas gaminer toute sa vie.*

garçonner verbe
Se conduire en garçon, jouer avec les garçons, en parlant d'une jeune fille. *Il n'est pas séant qu'une femme se garçonne pour se faire montrer plus belle.* (BRANTÔME)

garçonnier, ière adjectif
Qui appartient, qui convient aux garçons. *Des habitudes garçonnières.* Qui aime à fréquenter les garçons. *Cette petite fille est trop garçonnière.*

garouage nom masculin
[de *garou,* loup-garou].
Aller en garouage, être en garouage, ou encore *courir le garou :* aller en quête d'aventures nocturnes. *Que Jupiter était en garouage/De quoi Junon était en grande rage.* (LA FONTAINE) *Ce coureur de garouage./Ce trotteur de guilledou.* (PERRIN)

gauchir verbe
[de l'ancien français *guenchir,* faire des détours].
S'écarter de la ligne droite, se contourner. *Je m'avisai de gauchir et de passer par Salins.* (J.-J. ROUSSEAU) Dévier de la voie de l'honneur, de la délicatesse. *Il est rare que la fausseté de l'esprit ne fasse gauchir la droiture du cœur.* (CHATEAUBRIAND) Ne pas parler avec franchise, chercher des subterfuges. *Quelle misère de gauchir toujours et de n'oser jamais parler franchement.* (BOSSUET) Éviter en se détournant. *Gauchir un obstacle.* Rendre faux, priver de sa rectitude naturelle. *L'étude immodérée gauchit tous les sentiments.* (SAINT-ÉVREMONT)

gausser verbe
Plaisanter, railler quelqu'un devant lui. Dire des plaisanteries. *Henri IV ne laissait pas de rester indulgent et bon et de gausser comme de coutume.* (SAINTE-BEUVE)

se gausser verbe
Se moquer. *Et nous voyons que d'un homme on se gausse / Quand sa femme chez lui porte le haut-de-chausse.* (MOLIÈRE)

gausserie nom féminin
Moquerie, raillerie. *Elle ne supporte plus ses perpétuelles gausseries.*

gausseur, euse nom masculin et féminin
Qui se gausse.
Ce gros Brissac était un gausseur et un homme d'esprit, de manège et de bonne chère. (SAINT-SIMON)

généralisme nom masculin
Dictature militaire, envahissant tous les pouvoirs civils par la force armée. *Le généralisme est le premier pas vers la dictature et l'oppression.*

girouetter verbe
Tourner comme une girouette. *La fragilité de certaines convictions politiques, girouettant au moindre souffle.* (DAUDET)

FLÂNEUSE.

girouetterie nom féminin
Disposition à changer d'opinion, de parti. *Mon aversion pour tout ce qui avait la moindre apparence de girouetterie m'eût conduit dans le précipice.* (RETZ)

gobelotter verbe
[de *gobelet*].
Boire à plusieurs petits coups. Faire une partie de table. *Vous ne me disiez pas que vous aviez gobelotté au cabaret avec M. Damilaville ; il me paraît digne de boire et de penser avec vous.* (VOLTAIRE)

se goberger verbe
[de *gobert,* facétieux, dérivé de *se gober,* se vanter].
Prendre ses aises. *Il se gobergeait dans un bon fauteuil.* Se divertir. *Comment il se gobergera/Quand ensuite il égorgera/Femme, mari, père, grand-père.* (SCARRON) Se moquer. *Gobergeons-nous ensemble de ce cousin de meunier.* (DANCOURT)

à gogo locution adverbiale
[du picard *à gaugau,* à cœur joie, dérivé de *gogue*].
Dans l'abondance, à son aise. *N'ayez pas de religion, moquez-vous à gogo des prêtres et des sacrements de l'Église, et de tout droit divin et humain.* (Satire Ménippée)

gogue nom féminin
[sans doute d'origine onomatopéique].
Plaisanterie, divertissement. *Être dans les gogues.*

goguenard, arde adjectif
Qui plaisante en se moquant. *Cette destinée qui m'a fait tantôt goguenard, tantôt sérieux.* (VOLTAIRE)

goguenarder verbe
Faire le goguenard. *Nous ne faisions que goguenarder pendant le voyage.* (HAMILTON)

goguenarderie nom féminin
Plaisanterie de goguenard. *Le roi, étant fort accoutumé à lui et à ses goguenarderies.* (SAINT-SIMON)

FOURCHETTES à décrocher les marchandises.

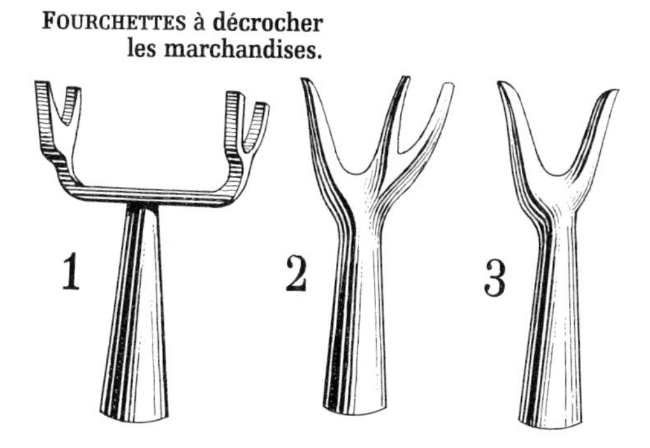

DEMENAGEMENTS
POUR
TOUS PAYS
1

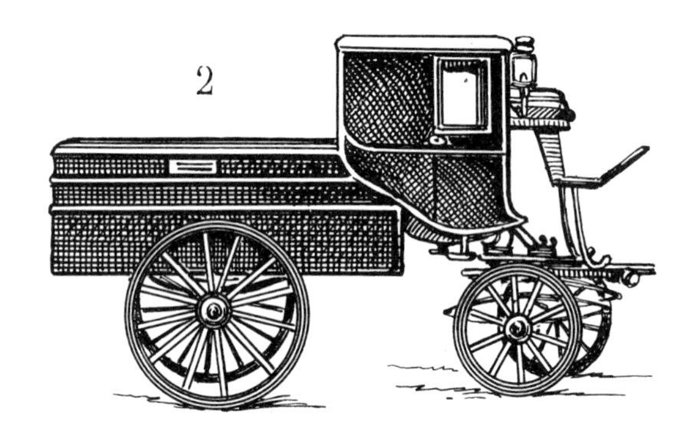
2

3

FOURGONS.
1. de déménagement ;
2. des pompes funèbres ;
3. d'ambulance ;
4. régimentaire ;
5. des postes ;
6. de chemin de fer.

goguette nom féminin
[diminutif de *gogue*].
Propos joyeux. *Ne me brouillez pas avec le duc de Choiseul dans vos goguettes.* (VOLTAIRE) Festin joyeux où règne la liberté. - *Être en goguette :* être de belle humeur, être gai pour avoir bu. - *Chanter goguette(s) à quelqu'un :* lui dire des injures, lui faire des reproches. - *Faire goguette d'une chose :* en faire son profit.

gouailler verbe
[de *engouer*].
Railler, plaisanter. *Tu veux toujours gouailler les autres.* (VADÉ)

se gouailler verbe
Se moquer les uns des autres. *Ils peuvent passer des heures à se gouailler.*

gouaillerie nom féminin
Plaisanterie, persiflage. *Il ne sait faire que gouailleries et roueries.*

gouailleur, euse nom masculin et féminin
Celui, celle qui gouaille. *Elles ne veulent plus sortir, de crainte d'entendre les gouailleuses.*

gourmade nom féminin
[de *gourmet,* frapper à coups de poings].
Coup de poing. *Il avait reçu une gourmade sur la tête.*

gourmandé, ée participe passé
[de *gourmander*].
Assaisonné. *Un carré de mouton gourmandé de persil.* (MOLIÈRE)

gourmander verbe
[de *gourmand,* avec influence de *gourmer*].
User de quelque chose avec avidité. - *Gourmander les livres :* les lire avidement.
- *Gourmander son bien :* le dépenser avec excès.
Réprimander avec dureté ou vivacité. *Moi, la plume à la main, je gourmande les vices.* (BOILEAU) Dominer, régenter. *Je prétends gourmander mes propres sentiments/Et me soumettre en tout à vos commandements.* (MOLIÈRE)

Caisse à FUMIGATIONS.

gourmander, gronder, quereller, réprimander, tancer : « Gourmander, c'est reprendre avec dureté, sans ménagement. Gronder, c'est faire des reproches à des personnes intimes dont on a le droit d'attendre de la déférence. Quereller annonce de l'aigreur et une sorte de dispute. Réprimander, c'est reprendre avec autorité, rappeler à son devoir celui qui s'en écarte. Tancer est familier ou ironique. » (LAROUSSE)

gourmandiller verbe
Faire de légers reproches. *Je lui ai fait écrire une lettre par mon commis, pour la gourmandiller.*

gourmé, ée participe passé [de *gourmer*].
Qui a l'air raide et composé. *Elle trouvait le capitaine un peu gourmé.*

gourmer verbe
[de *gourme ;* c'est-à-dire qui fait souffrir comme la gourme].
Battre à coups de poings. *Buckingham disait qu'il avait aimé trois reines, et qu'il avait été obligé de les gourmer toutes trois.* (RETZ) Réprimander, reprendre rudement. *J'ai eu de la peine souvent à gourmer et brider mes passions.* (MONTAIGNE)

se gourmer verbe
Se battre. Faire l'important, se donner des airs raides et composés. *Viens, et, sans te gourmer avec moi de la sorte,/Laisse en entrant chez nous ta grandeur à la porte.* (DESTOUCHES)

gracieuser verbe
Faire de grandes démonstrations de bienveillance à quelqu'un. Féliciter. *Le duc d'Orléans vit les magistrats, les entretint, les gracieusa.* (SAINT-SIMON)

gracieuseté nom féminin
Civilité toute affectueuse. *Sa vanité lui fit prendre sur son compte des gracieusetés qui n'étaient que pour ses bouffonneries.* (HAMILTON) Gratification, ce que l'on donne à quelqu'un en plus de ce qu'on lui doit. *Il lui fit une gracieuseté.*

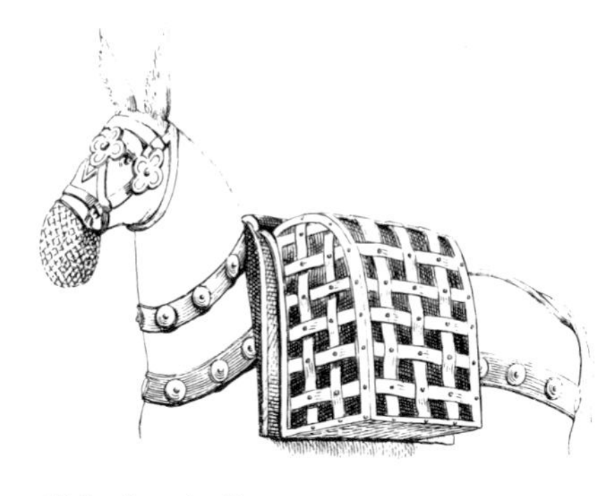

Mule chargée d'un GARDE-MANGER (XVIe s.).

guingois nom masculin
[de l'ancien français *giguer,* sauter].
Défaut de rectitude, de régularité. *Il y a du guingois dans cette construction. Il y a du guingois dans cet esprit-là.*

de guingois locution adverbiale
De travers. *Cela est tout de guingois. Avoir l'esprit de guingois.*

halenée nom féminin
Bouffée d'air qu'on souffle par la bouche, parfois accompagnée d'odeur. *Une halenée de vin.*

halener verbe
Pousser son haleine, exhaler. *Or moi, qui suis tout flamme et de nuit et de jour / Qui n'halène que feu, ni respire qu'amour...* (RÉGNIER)
Découvrir comme en flairant. *Te garder des flatteurs qui ne t'abandonneront point depuis qu'ils auront halené ton trésor.* (d'ABLANCOURT) Découvrir ce qu'une personne a dans l'âme, reconnaître son faible. *Le conseil de France n'eut pas plus tôt halené ce prince, qu'il lui ôta tous ses désirs pacifiques.* (d'AUBIGNÉ)

haricoter verbe
[de l'ancien français *harigoter,* mettre en lambeaux].
Spéculer sur de petites affaires. Agir d'une manière mesquine. Hésiter, tâtonner. *Quand il faut prendre une décision, il haricote toujours.*

haricoteur, euse ou **haricotier, ière** nom masculin et féminin
Celui, celle qui haricote. *Il faut être plus qu'un haricoteur pour réussir.*

se harpailler verbe
[de *harper,* empoigner].
Se quereller avec aigreur. Se dire des gros mots. *Que reste-t-il à faire après qu'on s'est bien harpaillé ? À mener une vie douce, tranquille, et à rire.* (VOLTAIRE)

harper verbe
[de l'ancien scandinave, *harpa,* action de tordre].
Saisir et serrer avec les mains. *Il le vit harper la corde qu'on lui tendait.*

se harper verbe
Se saisir violemment l'un l'autre. *L'Olive passa une partie de la nuit à recoudre son habit qui s'était décousu quand il s'était harpé avec Ragotin.* (SCARRON)

GARDE-NAPPE.

GYMNASTIQUE SUÉDOISE.

hébétation nom féminin
Défaut de sensibilité organique. *La grossièreté des appétits du cochon dépend de l'hébétation des sens du goût et du toucher.* (BUFFON)

hébété, ée participe passé
Obtus en parlant de l'esprit. *Socrate était fort laid, et, outre sa laideur, il avait dans sa physionomie quelque chose d'hébété et de stupide.* (ROLLIN)

hébéter verbe
[du latin *hebetare,* de *hebes,* émoussé].
Rendre obtus, émoussé, en parlant de l'esprit, des sens, par comparaison à un tranchant qu'on émousse. *La fade galanterie n'a point hébété ta raison.* (J.-J. ROUSSEAU)

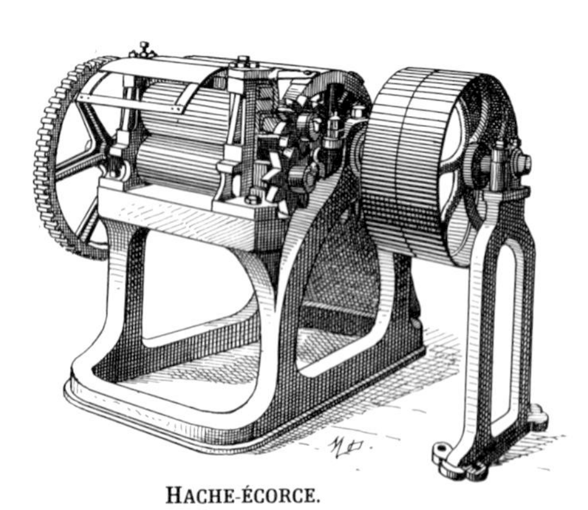

HACHE-ÉCORCE.

s'hébéter verbe
Se rendre volontairement stupide, sot, insensible. *Le remède est de s'hébéter, de ne point penser.* (Mme de SÉVIGNÉ)

hébétude nom féminin
État de celui qui est hébété. *Son hébétude est confondante.*

houspiller verbe
[de *housser,* frapper avec une verge de houx, soit avec le suffixe péjoratif en *-iller,* soit avec le verbe *piller*].
Tirailler et secouer quelqu'un pour le maltraiter, le tourmenter. *Ils se mirent à me houspiller et à me souffleter.* (LESAGE)

se houspiller verbe
Se quereller brutalement. *Il vaut mieux boire ensemble que de se houspiller.* (VOLTAIRE)

HACHE-MAÏS.

imboire verbe
Humecter de. *Imboire un corps d'un liquide.* Se pénétrer de. *On l'a imbu de ce principe. Ce peuple a imbu les mœurs de ses conquérants.*

s'imboire verbe
Devenir imbu. *Celui qui vous parle est un solitaire qui, vivant peu avec les hommes, a moins d'occasions de s'imboire de leurs préjugés.* (J.-J. ROUSSEAU)

s'impatroniser verbe
[de *patron,* protecteur, de l'italien *padrone,* maître de maison].
S'établir comme chez soi. *Un inconnu céans s'impatronise.* (MOLIÈRE)

impéritie nom féminin
[du latin *peritus,* habile].
Manque d'habileté. *La médecine, qui, dans tous les temps, a respecté la vie des hommes, est en proie à la témérité, à la présomption et à l'impéritie.* (LESAGE)

impugner verbe
[du latin *pugnare,* combattre].
Attaquer, combattre une proposition, un droit. *Ceux qui ne travaillent pas tant à bien concevoir une chose qu'à l'impugner et contredire.* (DESCARTES)

incurie nom féminin
[du latin *cura,* soin].
Défaut de soin, négligence. *Il y en a qui ne trouvent leur repos que dans une incurie de toutes choses.* (BOSSUET)

ineffectif, ive adjectif
Qui n'est point suivi d'effet. *Dieu veut des œuvres, et il ne se paye ni de simples désirs, ni de volontés ineffectives.* (RANCÉ)

ineffectif, inefficace :
« Une volonté est ineffective quand elle ne passe pas à l'acte ; elle est inefficace quand l'acte qu'elle produit n'atteint pas le but proposé. » (LITTRÉ)

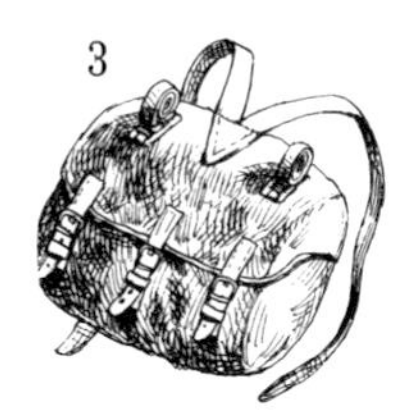

HAVRESACS.
1. en 1776 ; 2. en 1801 ; 3. en 1860.

infâmer verbe
[du latin *fama,* réputation].
Rendre infâme, déshonorer. *La peine du fouet infâme.* (LOYSEL)

infus, use adjectif
Répandu dans, en parlant de choses intellectuelles et morales, de qualités, de sentiments. *Toutes les langues et les sciences lui sont infuses ; enfin c'est un prodige, d'autant plus qu'elle est entrée à six ans en religion.* (Mme de SÉVIGNÉ) Pénétré de. *Toutes vos pensées sont comme infuses de l'un et de l'autre [l'utile et l'agréable].* (P.-L. COURIER)

infuser verbe
Communiquer, faire pénétrer. *Infuser dans les masses des espérances irréalisables.*

in poculis locution adverbiale
[mots latins signifiant « parmi les coupes »].
Le verre à la main. *Traiter une affaire in poculis.*

insidieux, euse adjectif
[du latin *insidia,* embûche].
Qui dresse des embûches, qui tend des pièges. *Insidieux valet ! Vous entendez fort bien que ce n'est pas le danger qui m'inquiète, mais le motif.* (BEAUMARCHAIS) Qui constitue un piège, une embûche. *C'est une insidieuse façon de nuire que de nuire en sorte qu'on en soit remercié.* (MALHERBE)

insidieux, captieux : « La distinction est donnée par l'étymologie. Ce qui est captieux tend à capter ; ce qui est insidieux a le caractère de l'embûche. Ce que les raisonnements les plus captieux n'ont pas produit, souvent une caresse insidieuse l'opère, dit Girard. » (LITTRÉ)

instance nom féminin
[du latin *instancia,* application].
Soin extrême, pressant. *Et notre plus grand soin, notre première instance doit être à le nourrir [l'esprit] du suc de la science.* (MOLIÈRE) Sollicitation pressante. *On ne sait pas faire instance pour obtenir la délivrance des passions.* (MASSILLON) Argument nouveau qui a pour objet de détruire la réponse faite au premier. *Que répondez-vous à cette instance ?*

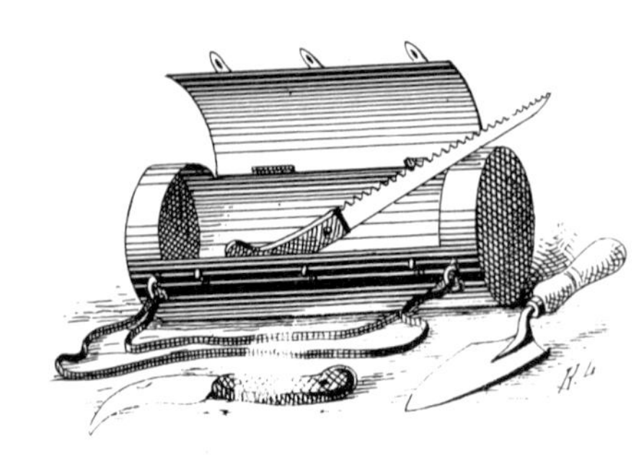

HERBORISATION (matériel d').

instant, ante adjectif
Qui poursuit, qui presse. *Une instante supplication.* (MONTAIGNE) Qui nous est prochain, qui est sur nous. *Le régent avait accoutumé de me faire part des choses secrètes les plus importantes qui demandaient des partis instants à prendre.* (SAINT-SIMON)

instant, imminent : « Ce qui est instant se tient sur nous et nous presse ; ce qui est imminent nous menace, tel est le sens étymologique qui indique la nuance. Un péril instant nous presse d'agir ; un péril imminent nous avertit seulement par sa menace. » (LITTRÉ)

interlope adjectif
[de l'anglais *to interlope,* faire un métier furtif].
Qui opère ou se fait en fraude. *Un commerce interlope.* Suspect, équivoque, qui n'a que de fausses apparences. *Les clients installés dans ce café interlope avaient des visages patibulaires.*

intermission nom féminin
Action de mettre un intervalle, une discontinuation. *La tristesse est le relâchement de la douleur, sorte d'intermission de la fièvre de l'âme qui conduit à la guérison ou à la mort.* (CHATEAUBRIAND)

LANTERNE MAGIQUE.

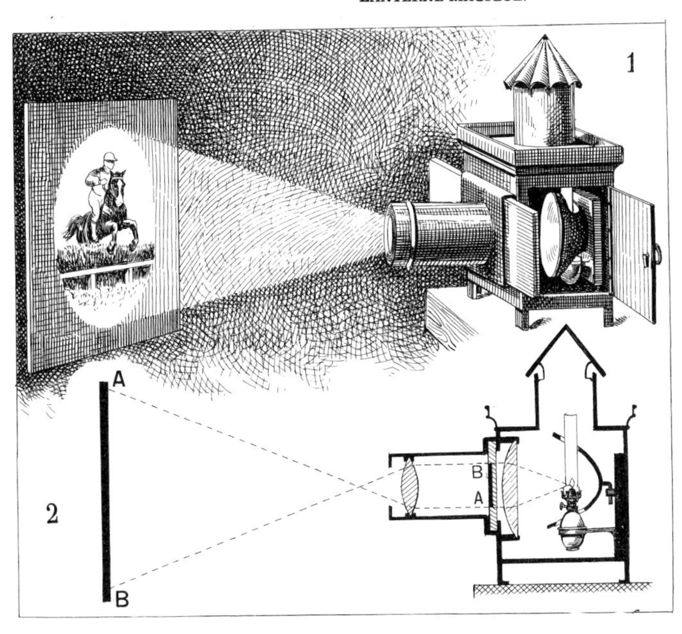

s'invétérer verbe
S'affermir par une longue durée. *Je ne voyais pas que le mal s'invétérait par ma négligence.* (J.-J. ROUSSEAU)

labile adjectif
[du latin *labilis,* de *labi,* tomber, glisser].
Sujet à tomber, à faillir. *Au moins, ô ma chère Sybile !/N'aie la mémoire labile.* (SAINT-AMANT)

lanterner verbe
Flâner, hésiter, perdre son temps. *Je n'ai jamais pu m'imaginer la raison pour laquelle le cardinal lanterna tant les cinq ou six derniers jours.* (RETZ) Ennuyer, fatiguer. *Dieu fait tout pour le mieux, reprit le maréchal : la plus belle femme du monde commençait à me lanterner, lorsqu'elle mourut.* (SAINT-SIMON)

lanternes ou **lanterneries** nom féminin pluriel
Irrésolution, perte de temps. Propos futiles, fadaises. *J'ai un grand dégoût pour les conversations inutiles qui ne tombent sur rien du tout, des oui, des voire, des lanternes où l'on ne prend aucune sorte d'intérêt.* (Mme de SÉVIGNÉ)

à lèche-doigts locution adverbiale
En très petites quantités, en parlant d'un mets. *Il nous a fait servir d'assez bonnes choses, mais il n'y en avait qu'à lèche-doigts.*

se limaçonner verbe
Se ramasser en forme de limaçon. *Fagon, à bout de son art et de ses espérances, s'était limaçonné en grommelant sur son bâton.* (SAINT-SIMON)

LAVABOS.
1. Pour plusieurs personnes ;
2. D'école ;
3. Avec garniture de toilette.

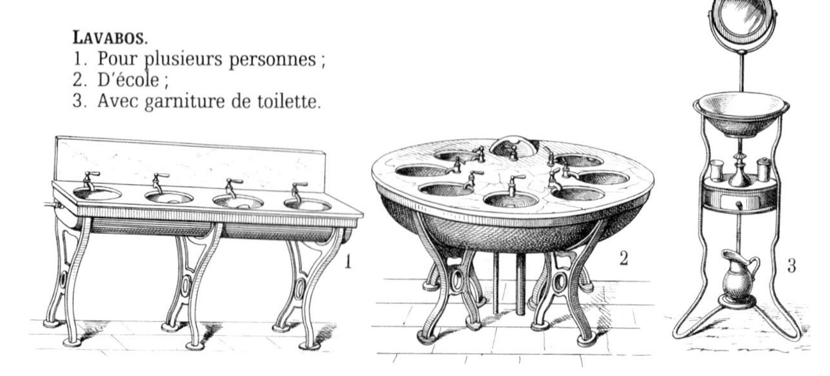

longuerie nom féminin
Lenteur, longueur d'action. *Pardon, monsieur, de mes longueries.* (J.-J. ROUSSEAU)

lourderie nom féminin
Qualité de ce qui est lourd, grossier, malséant. *La lourderie de sa conduite en cette affaire est inexprimable.*
Action d'une personne lourde d'esprit. *Commettre des lourderies.*

lourdise nom féminin
Faute lourde contre le bon sens, la bienséance. *Les Walpole manifestèrent la duperie et l'enchaînement de lourdises où ils avaient fait tomber notre premier ministre.* (SAINT-SIMON)

machiniser verbe
Réduire à l'état de machine, priver d'intelligence ou de volonté. *Il ne faut pas machiniser les écoliers.*

LAVE-PIEDS.

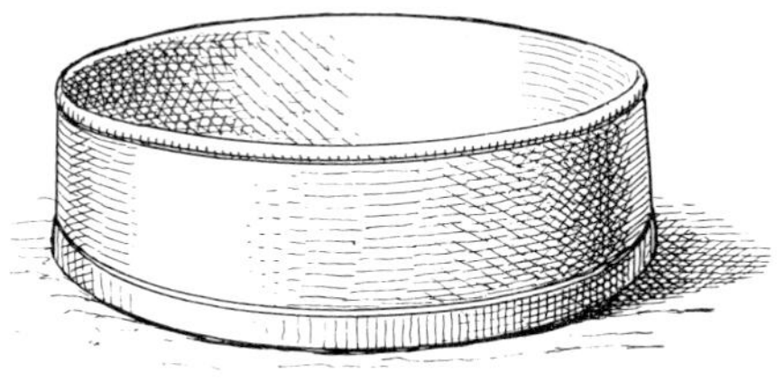

malitorne adjectif
[altération de *maritorne,* de l'espagnol *Maritornes* nom d'une fille d'auberge très laide, dans *Don Quichotte*].
Qui a mauvaises façons et mauvaises manières. *Un personnage malitorne.*
Substantivement. *Nous avons le fils du gentilhomme de notre village, qui est le plus grand malitorne et le plus sot dadais que j'aie jamais vu.* (MOLIÈRE)

maltalent nom masculin
Animosité, mauvaise volonté contre quelqu'un. *J'ai quelque maltalent contre M. de Malesherbes, qui protège les feuilles de Fréron.* (VOLTAIRE)

médeciner verbe
Donner des remèdes. *Cette femme est toujours à médeciner ses enfants. Nous en voyons ordinairement se faire soigner, purger et médeciner pour guérir des maux qu'ils ne sentent qu'en leur discours.* (MONTAIGNE)
Être continuellement dans les remèdes, prendre sans cesse des médicaments. *Cet homme s'est usé le corps à force de se médeciner.*

mésallier verbe
Faire une mésalliance.
Abaisser, dégrader. *J'aime mieux être seul et dans l'inaction/Que de mésallier ma conversation.* (BOURSAULT)

messéance nom féminin
Qualité de ce qui ne convient pas. *Vous me représentez la messéance qu'il y a d'être vieux et amoureux.* (VOITURE)

messéant, ante adjectif
Qui ne convient pas. *Un vêtement messéant, des paroles messéantes.*

messeoir verbe
N'être pas séant, convenable. *Un peu de jalousie même injuste ne messied pas à un amant.* (MARIVAUX)

Laveuses.
1. À main ; 2. Mécanique ; 3. De chapeaux.

mignoter verbe
[de *mignot,* mignon].
Traiter d'une façon mignonne, délicate. *Elle mignote trop ses enfants.*

se mignoter verbe
Avoir un soin exagéré de sa personne, de sa santé. *Il passe tout son temps à se mignoter.*

misérer verbe
Vivre pauvrement, misérablement. *Il misérait donc et attendait.* (CLEMENCEAU)

mitiger verbe
[du latin *mitis,* doux].
Rendre quelqu'un moins entier, moins vif, moins rigoureux. *L'expérience mitigea ce caractère absolu.* Rendre quelque chose moins intense, moins vif, moins dur. *Mitiger la douleur, les passions, une proposition. Dès qu'il la voit, il mitige et pallie son parler aigre.* (MAROT) *Ils ont une petite fille qui, sans avoir la beauté de sa mère, a si bien mitigé et radouci l'air des Grignan, qu'elle est en vérité fort jolie.* (Mme de SÉVIGNÉ)

se mitiger verbe
Devenir moins absolu, moins rigoureux. *Il me semblait que mon homme se mitigeait, qu'il était plus flatteur que zélé, plus généreux que charitable.* (MARIVAUX)

musard, arde adjectif
Se dit d'une personne qui perd son temps à des bagatelles. *Le cadet paraissait presque stupide, musard, têtu.* (J.-J. ROUSSEAU) *Tous les enfants sont plus ou moins musards.*

musarder verbe
Faire le musard. *Telles étaient les réflexions que je faisais l'autre jour, en musardant avec un de mes amis.* (Comte de SÉGUR)

musarderie ou **musardise** nom féminin
Action de musarder. *La musarderie est une des plaies des grandes villes.*

muser verbe
[littéralement, rester le museau en l'air].
S'amuser, perdre son temps à des riens. *Je m'en vais musant et baguenaudant jusqu'à Naples.* (P.-L. COURIER)
Proverbe : *Qui refuse, muse :* en refusant une offre, on perd une occasion qu'on ne retrouvera plus.

musiquer verbe
Faire de la musique. *Après dîner, on fit apporter de la musique ; nous musiquâmes tout le jour au clavecin du prince.* (J.-J. ROUSSEAU) Mettre en musique. *Il n'y a pas six vers de suite qu'on puisse musiquer.* (DIDEROT)

musser verbe
[de l'ancien français *muchier,* même sens].
Cacher. *Il faut musser ma faiblesse.* (MONTAIGNE)

naqueter verbe
[de *naquet,* garçon de jeu de paume, et par extension laquais, homme de peu, méprisable].
Attendre longtemps à la porte de quelqu'un comme ferait un naquet. *Il a naqueté longtemps. - Faire naqueter quelqu'un :* le faire attendre longtemps. Flatter bassement. *Ils naquettent le tyran pour faire leurs besognes de sa tyrannie et de la servitude du peuple.* (LA BOÉTIE)

nesciemment adverbe
Sans le savoir, imprudemment. *Il a agi très nesciemment.*

LAWN-TENNIS.

noctambuler verbe
Aller, se promener la nuit. *Le ciel blêmit, les étoiles pâlissent ; les deux amis continuent à noctambuler, Crispin toujours bavard, Gille à moitié endormi.* (DAUDET)

noise nom féminin
[du latin *nausea,* mal de mer].
Discorde accompagnée de bruit. *Parmi certains coqs incivils, peu galants/Toujours en noise et turbulents/Une perdrix s'était nourrie.* (LA FONTAINE)

noise, querelle : « Noise est plus voisin de discorde que n'en est querelle et il y a sous noise une idée de bruit qui n'est pas dans querelle ; ainsi on ne dit pas une noise littéraire mais une querelle littéraire. » (LITTRÉ)

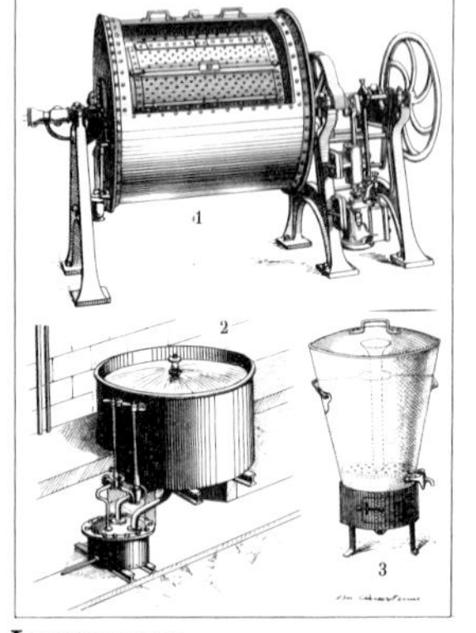

LESSIVEUSES.
1. À double enveloppe et à moteur ; 2. À vapeur ; 3. À réchaud.

nonchaloir verbe
[de l'ancien français *chaloir,* être d'intérêt pour].
Négliger, ne pas mettre de soin ou d'intérêt à. *Nonchaloir l'avenir de ses enfants.* Se livrer à la nonchalance, manquer de zèle, d'activité. *Il lui reprochait de nonchaloir du matin au soir.*

obvier verbe
Prévenir un mal, un inconvénient. *Il y a douze jours que je suis enrhumée d'une manière à faire peur. Je voulus, pour obvier, passer un peu par les mains de notre beau Passerat.* (Mme de SÉVIGNÉ)

œillader verbe
Lancer des œillades à quelqu'un. *Œillader une femme. Mais as-tu vu jamais beauté plus surprenante ? - Ma foi, je n'en sais rien, j'œillade la suivante ; comme elle est plus mon fait, elle est plus à mon gré.* (Th. CORNEILLE)

s'opiniâtrer verbe
S'attacher à une opinion avec ténacité. *J'apprends qu'elle s'opiniâtre à ne voir aucun médecin.* (Mme de SÉVIGNÉ)

orager verbe
Troubler. *Les jésuites oragent et tempêtent le calme où nous vivions avec eux.* (ARNAULD)

outrecuidance nom féminin
Action de croire en soi à l'excès. *M. de Malherbe se sert d'outrecuidance.* (VAUGELAS)

outrecuider verbe
[de l'ancien français *cuidier,* penser].
Montrer à quelqu'un du mépris par l'idée de sa propre supériorité. *On me réassigne dans l'honneur, mon frère, on m'outrecuide, on me fait une insulte nouvelle.* (DANCOURT)

se panader verbe
[de l'ancien français *panade,* voltige].
Marcher avec ostentation, comme un paon. *C'est assurément, comme vous avez dit, des ennemis du petit Dubois, qui, le voyant se vanter de notre commerce et se panader dans les occupations qu'il lui connaît, ont pris plaisir à lui donner le déplaisir de lui dérober nos lettres.* (Mme de SÉVIGNÉ)

panteler verbe
[de l'ancien français *pantoiser,* haleter].
Avoir la respiration haletante, respirer par secousses. *Je vous le disais bien, mon pauvre cœur pantelle.* (Th. CORNEILLE)

paraguante nom féminin
[de l'espagnol *para,* pour, et *guante,* gant : ce qui se donne pour avoir des gants].
Présent fait pour quelque service. *Pourvu qu'il tire des paraguantes d'une affaire, il se soucie fort peu des épilogueurs.* (LESAGE) *Pour quelque paraguante on vous tuera votre homme* (HUGO)

parangonner verbe
[de *parangon*].
Comparer. *Vient-il à parangonner ses exploits avec ceux d'Agésilaus ?* (MONTAIGNE).

se parangonner verbe
Se comparer, se mettre en parallèle. *Se parangonner à un grand homme. Les rois du Nord, qui ne faisaient pas difficulté de donner la main à nos rois, ont non seulement abrogé cet usage, mais en sont venus à se parangonner à eux.* (SAINT-SIMON)

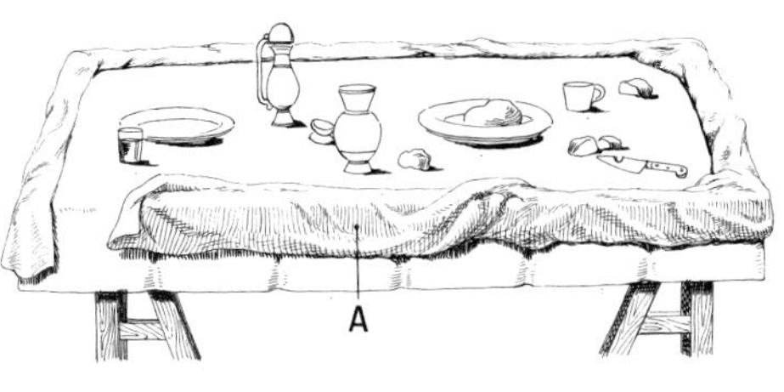

A. **Longière** (XVe s.).

parfiler verbe
Défaire fil à fil le tissu d'un morceau d'étoffe. Diviser par brins, par petites parties. *Newton a parfilé la lumière du soleil.* (VOLTAIRE) Analyser, détailler. *On n'a jamais parfilé des vers avec plus de soin et de prétention.* (LAHARPE)

patemment adverbe
D'une manière patente. *L'armée demanda, d'abord en termes couverts, et ensuite patemment, le jugement du roi.* (CHATEAUBRIAND)

patiner verbe
[de *patte*].
Manier indiscrètement et avec volupté. *S'approchant des comédiennes, il leur prit les mains sans leur consentement, et voulut un peu patiner ; galanterie provinciale, qui tient plus du satyre que de l'honnête homme.* (SCARRON) *Les provinciaux patinent volontiers ; ils se jettent grossièrement sur le lit d'une femme.* (Mme de MAINTENON)

patineur nom masculin
Celui qui patine. *Les patineurs sont gens insupportables / Même aux beautés qui sont très patinables.* (SCARRON)

patricotage nom masculin
[provient, selon Littré, d'une déformation de *pratique*].
Intrigues, petites menées. *Les deux partis se sont également bandés contre tous les patricotages du cardinal de Fleury.* (d'ARGENSON)

patricoter verbe
Intriguer. *Longepierre patricota, avec Mme d'Armagnac, de coiffer son maître de sa fille.* (SAINT-SIMON)

paumer verbe
Paumer la gueule de quelqu'un : lui donner un coup de poing sur le visage. *Si j'osais pour douceur te bien paumer la gueule...* (Th. CORNEILLE)

perlustration nom féminin
Action de parcourir vite. *Au bout d'une heure de perlustration dans les rues de Naples...* (A. DUMAS)

piaffe nom féminin
[du radical onomatopéique *piaf*].
Faste, ostentation, vaine somptuosité en habits, en meubles, en équipage, pour attirer l'attention sur soi. *Je sais de qui procède cette piaffe.* (LA FONTAINE)

pignocher verbe
[altération de *épinocher,* vétiller]. Manger négligemment et par petits morceaux. *Elle m'a fait rester à table aujourd'hui tête à tête avec elle trois gros quarts d'heure, à la voir pignocher, éplucher et manger tout ce qu'elle a commencé par mettre au rebut.* (Mme du DEFFAND)

polissement nom masculin
Action de donner de la culture, de la civilisation. *Je sais à présent que l'Espagne doit rester barbare ; ce que nous voyons dans le moment n'est qu'une fausse lueur de polissement.* (GALIANI)

polisson nom masculin
Enfant dissipé. Homme qui aime à faire des plaisanteries. *Vous serez donc toujours un polisson ?* Homme sans mérite. *Depuis que je me suis amusé à immoler ce polisson à la risée publique sur tous les théâtres de l'Europe, il est juste qu'il se plaigne un peu.* (VOLTAIRE) Individu qui aime les paroles et les actes licencieux. *Je devins polisson, mais non libertin.* (J.-J. ROUSSEAU)

MAILLOT d'enfant.

polissonner verbe
Faire le polisson, vagabonder, jouer dans les rues, la campagne, en parlant d'enfants. *Il allait polissonner avec d'autres enfants au bord du canal, pêcher dans les étangs.* (Mme RICCOBONI) Dire ou faire des polissonneries. *On ne les voit jamais oisifs et désœuvrés jouer dans une antichambre ou polissonner dans la cour, mais toujours occupés à quelque travail utile.* (J.-J. ROUSSEAU)

polissonnerie nom féminin
Acte ou parole de polisson. *Mon temps ne se passait pourtant pas tout entier à ces polissonneries.* (J.-J. ROUSSEAU)

MONTE-ESCALIER.

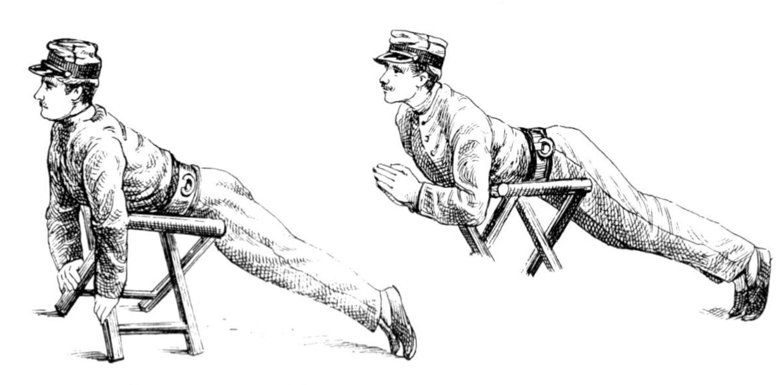

La NATATION au régiment.
Position sur le chevalet
Position des bras
Exercice des bras

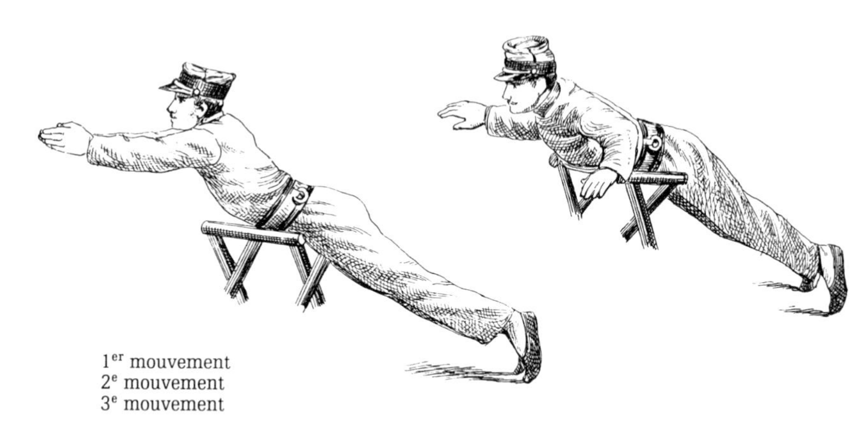

1er mouvement
2^e^ mouvement
3^e^ mouvement

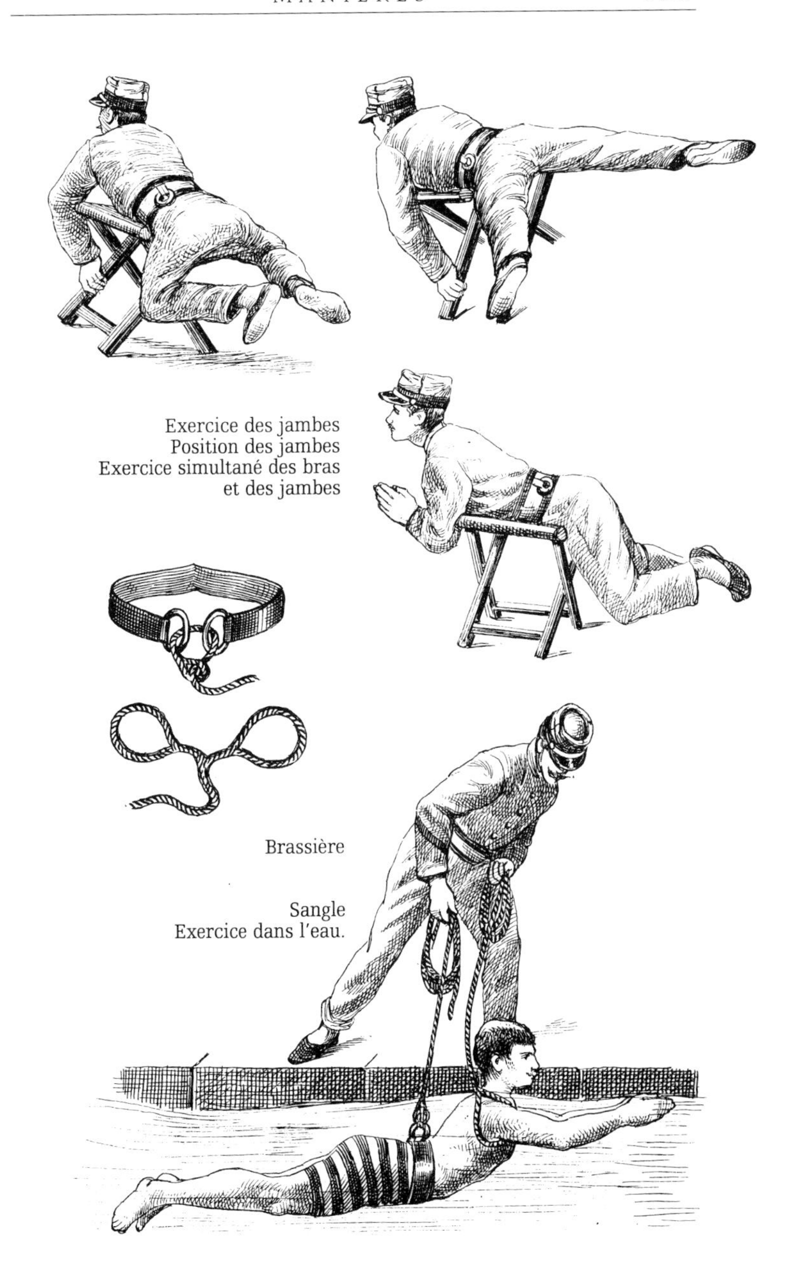

Exercice des jambes
Position des jambes
Exercice simultané des bras
et des jambes

Brassière

Sangle
Exercice dans l'eau.

portraire verbe
Dépeindre, faire la représentation. *Le bon Hercule de Fleuri / Petit prêtre nonagénaire / En Hercule s'est fait portraire / De quoi chacun est ébahi.* (VOLTAIRE)

portrait, aite participe passé
Dépeint, représenté. *Mais je reviens à vous, en qui je vois portraits / De ses perfections les plus aimables traits.* (CORNEILLE)

pourpenser verbe
Méditer longuement, examiner avec attention, avec réflexion. *Je ne cessais de pourpenser à part moi, quels pouvaient être les moyens d'émousser dans ce prince tant de pointes hérissées.* (SAINT-SIMON)

poussade nom féminin
Action de pousser. *La contestation s'échauffa ; elles en vinrent aux poussades et aux égratignures.* (SAINT-SIMON)

précautionné participe passé.
Prudent, avisé. *Il n'y a personne qui ne sorte de cette ville [Paris] plus précautionné qu'il n'y est entré.* (MONTESQUIEU) Mis en garde. *Précautionné par ses maîtres contre les mauvaises lectures.*

précautionner verbe
Prémunir contre. *On l'a précautionné contre les filous de Paris.*

se précautionner verbe
Se mettre en garde contre. *C'est aux hommes à se précautionner contre les erreurs où ils peuvent être jetés par d'autres hommes.* (FONTENELLE)

OUVREUSE.
Machine pour ouvrir la laine, le coton ou la soie.

préliber verbe
[du latin *praelibare,* déguster, effleurer des lèvres].
Effleurer le premier une matière. *Je me contente de préliber, ce qui est le droit du premier venu en toute matière.* (BRILLAT-SAVARIN) - *Droit de prélibation* (terme de féodalité) : droit de quelques seigneurs à passer avec leurs vassales la première nuit des noces.

pressément adverbe
De manière pressée. *Le roi accorda la grâce qui lui était si pressément demandée.* (SAINT-SIMON)

privance nom féminin
Familiarité particulière. *Le duc de Chevreuse, le duc de Beauvilliers, son beau-frère, et leurs épouses avaient alors les plus intimes privances avec le roi et avec Mme de Maintenon.* (SAINT-SIMON)

privauté nom féminin
Grande familiarité. *Jeannot et Colin avaient ensemble de petites privautés dont on se ressouvient avec agrément.* (VOLTAIRE) - *Douces* ou *tendres privautés :* caresses que se font les amants. *Garde-toi de troubler leurs douces privautés...* (MOLIÈRE)

prospect nom masculin
[du latin *prospectus,* vue, aspect].
Manière de regarder un objet. *Le simple aspect est une opération naturelle ; et ce que je nomme prospect est un office de raison qui dépend de trois choses : de l'œil, du rayon visuel et de la distance de l'œil à l'objet.* (POUSSIN)

puamment adverbe
D'une manière puante.
- *Mentir puamment :* mentir avec impudence. *Il mentit bien puamment, car il vint au premier conseil de régence, et n'en manqua plus aucun.* (SAINT-SIMON)

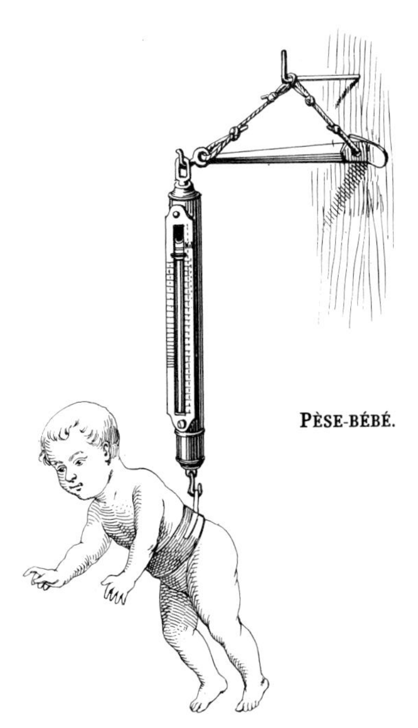

PÈSE-BÉBÉ.

quitterie nom féminin
Brouille à la suite de laquelle on se quitte. *Moncrif persuada Son Altesse Sérénissime, dans une quitterie, de la rendre définitive, et, pour cet effet, il lui donna une autre maîtresse.* (d'ARGENSON)

rabobiner verbe
[De *bobine*].
Arranger grossièrement et malproprement ; raccommoder tant bien que mal. *Ils en rapporteront plus d'honneur et de réputation à l'avenir, que s'ils avaient, à l'imitation de Longueil, Sadolet ou Bembe, recousu et rabobiné je ne sais quelles vieilles rapetasseries de Virgile et de Cicéron.* (RONSARD)

raccointer verbe
[de l'ancien français *accointe,* familier, ami].
Accointer de nouveau. *Un parent, un ami, qui aura plaisir à me raccointer.* (MONTAIGNE)

raccoiser verbe
[de *coi,* calme, lui-même du latin *quietus,* même sens].
Calmer, apaiser. *Il crut devoir mettre cet intervalle de temps pour laisser raccoiser les humeurs et refroidir les esprits.* (SAINT-SIMON)

se raccoiser verbe.
S'apaiser. *La rumeur commençant à se raccoiser...* (Satire Ménippée).

PET-EN-GUEULE (jeu).

raccoutrement nom masculin
Action de raccoutrer ; résultat de cette action. *Le raccoutrement de notre âme.* (MALHERBE)

raccoutrer verbe
[de l'ancien français *racosturer,* recoudre].
Raccommoder, recoudre. *Faire raccoutrer son manteau.*

se raccoutrer verbe
Se remettre. *On parla de tout autre chose ; Charost se raccoutra et s'en alla.* (SAINT-SIMON)

rapetassage nom masculin
Corrections successives dans un texte. *Chercher à rajeunir un ouvrage par des rapetassages. Il ne s'agit plus que de copier ces rapetassages.* (VOLTAIRE, à propos des corrections pour *Rome sauvée*).

rapetasser verbe
[du languedocien *petas,* morceau de cuir ou d'étoffe].
Raccommoder grossièrement de vieilles hardes, de vieux meubles, en y mettant des pièces prises de côté et d'autre. *Rapetasser un vieil habit.* Corriger un texte, le remanier en y ajoutant des morceaux pris de tous côtés. *Enfin, à force de reprendre/Et d'avoir bien rapetassé/Le discours déjà commencé/Il se fit assez bien entendre.* (SCARRON)

rapetasseur nom masculin et adjectif
Compilateur, arrangeur. *Quelques moines rapetasseurs de vieilles gloses...* (PASQUIER)

rapine nom féminin
Action de ravir quelque chose par violence. *De voleurs déterminés, les chats deviennent seulement, lorsqu'ils sont bien élevés, souples et flatteurs comme les fripons ; ils ont la même adresse, la même subtilité, le même goût pour faire le mal, le même penchant à la petite rapine.* (BUFFON) *La rapine a de tout temps été inhérente au métier des armes.* (PROUDHON)

rapiner verbe
Prendre par rapine. *C'est un malhonnête homme ; tout ce qu'il a a été rapiné.*

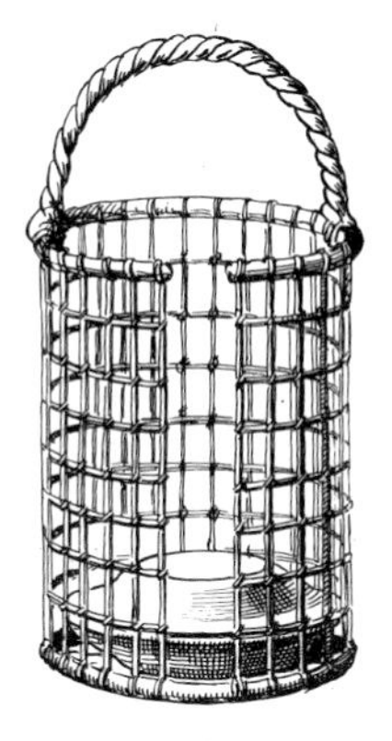

PORTE-DÎNER.

ravaudage nom masculin
Besogne faite grossièrement. *Vous avez l'air de parler froidement de mon Longus, comme si j'y avais fait quelque petit ravaudage.* (P.-L. COURIER)

ravauder verbe
[de l'ancien français *ravault,* diminution de valeur].
Raccommoder à l'aiguille. Maltraiter de paroles. Tenir des discours impertinents et hors de propos. *Il lui a ravaudé mille impertinences.* Dire, écrire des bavardages. *Le fort de M. le cardinal Mazarin était proprement de ravauder, de donner à entendre, de faire espérer, de jeter des lueurs, de les retirer, de donner des vues, de les brouiller.* (RETZ)

ravauderie nom féminin
Action de ravauder. *Ce sont des gens qui reviennent de Versailles, et qui recueillent toutes ces ravauderies pour me les mander.* (Mme de SÉVIGNÉ) Œuvre faite de divers morceaux. Paroles d'amour. *Il m'assure fort qu'il n'épousera pas la petite personne dont je vous ai parlé ; tout le monde me mande qu'il y a de la ravauderie entre eux.* (Mme de SÉVIGNÉ) *Il se trouva si heureux de ce que Madame lui pardonnait sa ravauderie avec Mlle de Grancey, qu'il ne se plaignit pas.* (LA FAYETTE)

PORTE-FAINÉANT.

rebours, ourse adjectif
[du latin *reburrus,* qui a les cheveux retroussés].
Qui est à contre-poil, revêche, peu traitable. *Demandez à vos agréables s'il est aisé d'étaler son caquet avec un esprit aussi rebours que celui-là.* (J.-J. ROUSSEAU)

réfusion nom féminin
Action de répandre sur, de reporter sur. *Il me semble que l'amour que nous avions pour mon père ne doit pas être perdu, et que nous en devons faire une réfusion sur nous-mêmes, et que nous devons principalement hériter de l'affection qu'il nous portait, pour nous aimer encore plus cordialement s'il est possible.* (PASCAL)

regabeler verbe
[de *gabelle ;* faire comme la gabelle : tracasser].
Chercher des difficultés sur. *Je ne laisse pas d'être bien aise d'avoir rencontré avec Saint-Augustin, quand ce ne serait que pour fermer la bouche aux petits esprits qui ont tâché de regabeler sur ce principe.* (DESCARTES)

régalant, ante adjectif
Qui divertit, qui régale. *Cet espiègle de Camille Desmoulin, qui aurait pris plaisir à signer un autre feuilleton des plus régalants.* (SAINTE-BEUVE)

se relaisser verbe
S'arrêter pour séjourner. *M. de Cambrai partit pour son diocèse : il tomba malade, se relaissa chez Malezieux, son ami et domestique.* (SAINT-SIMON)

à rémotis locution adverbiale
[du latin *remotus,* éloigné].
À l'écart. *Sans mettre à rémotis une somme importante...* (BOURSAULT)

rencogner verbe
[de *encoigner,* mettre dans un coin].
Pousser, serrer quelqu'un dans un coin. *Je fus surpris de voir venir à moi, au sortir du cabinet du roi, Madame la Dauphine avec qui je n'avais aucune privance, m'environner et me rencogner en riant avec cinq ou six dames de sa cour plus familières.* (SAINT-SIMON)
- *Rencogner ses larmes :* faire effort pour ne pas pleurer.

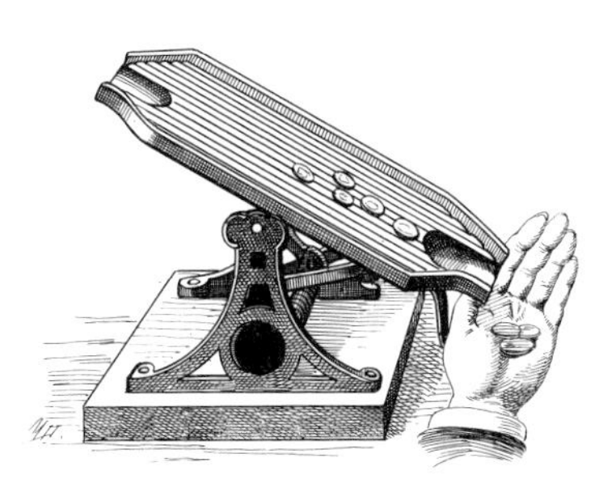

RAMASSE-MONNAIE.

se rencogner verbe
S'enfermer. *Puis Euphémon d'un air tout rechigné/Dans son logis soudain s'est rencogné.* (VOLTAIRE)

se rengorger verbe
Avancer la gorge et retirer un peu la tête en arrière, pour se donner meilleure grâce. *Vous voyez des gens qui entrent sans saluer que légèrement, qui marchent des épaules et qui se rengorgent comme une femme.* (LA BRUYÈRE) Faire le fier, l'important. *Tous les petits se rengorgent ; les grands songent moins à leur grandeur.* (VOLTAIRE) *Quand il disait : mon frère le cardinal, il se rengorgeait que c'était un plaisir.* (SAINT-SIMON)

repart nom masculin
Action de repartir, ou de répliquer. *Il a le repart brusque et l'accueil loup-garou.* (MOLIÈRE)

revancher verbe
Venger, en le secourant et le défendant, quelqu'un qui est attaqué. *Il a revanché son camarade.*

se revancher verbe
Se défendre. Rendre la pareille. *Tel que soit un bienfait et quoi qu'il en coûte, lorsqu'on l'a reçu à ce titre, on est chargé de s'en revancher.* (VAUVENARGUES)

LA ROUE (jeu).

ribon-ribaine locution adverbiale
Coûte que coûte. *Mais si jamais m'êtes tenu/Vous payerez ribon-ribaine.* (SAINT-GELAIS)

ribote nom féminin
Excès de table, et surtout de boisson. *Faire ribote.* État d'ivresse. *Être, se mettre en ribote.*

riboter verbe
[déformation de *ribauder,* paillarder].
Faire une débauche de table, et surtout boire avec excès. *Il va souvent riboter avec des amis.*

riboteur, euse nom
Celui, celle qui aime à riboter. *Cependant, las de godailler/Nos riboteurs veulent payer.* (VADÉ)

ric-à-ric locution adverbiale
Avec une exactitude rigoureuse. *On ne compte guère ric-à-ric avec la fortune, et quand elle veut bien réparer ses torts, on les oublie.* (Mme de GRIGNAN) On dit aussi *ric-à-rac.*

riflade nom féminin
[de l'ancien français *rifler,* érafler].
Coup, blessure qui ne fait qu'égratigner. *Monsieur faillit être tué ; mais Vins se jeta au-devant de lui, si bien qu'il n'eut que quelques riflades au cou, à la main gauche et à la cuisse.* (d'AUBIGNÉ)

rifler verbe
Écorcher. Piller, voler. *Tout le plat pays était riflé.* (FROISSART)

rioter ou **riocher** verbe
Rire un peu, rire dédaigneusement. *Il ne fait que rioter. Saumery ne parlait plus qu'à l'oreille, ou sa main devant sa bouche, souvent riochant, et s'enfuyant toujours des rieurs qu'il ramassait mystérieusement.* (SAINT-SIMON)

rioteur, euse nom masculin et féminin
Celui, celle qui riote. *Un rioteur insupportable.*

riotte nom féminin
Querelle, dispute. *Il y a naturellement de la brigue et riotte entre les femmes et nous.* (MONTAIGNE) *Il est surprenant de voir qu'ayant de l'agrément l'un pour l'autre, et un bon fond, il arrive de temps en temps des riottes entre nous deux.* (BUSSY-RABUTIN)

riotteur, euse nom masculin et féminin
Querelleur, querelleuse. *Elle n'était pas de ces jalouses et de ces riotteuses qui ne peuvent endurer que leurs maris regardent une femme...* (MARNIX de SAINTE-ALDEGONDE)

risée nom féminin
Éclat de rire, le plus souvent de plusieurs personnes qui se moquent. *Elle envoya emprunter un jour toute la parure de Mme de Soubise, ne doutant point d'être comme elle dès qu'elle l'aurait mise ; ce fut une grande risée.* (Mme de SÉVIGNÉ) Moquerie. *Confondre avec risée leur égarement et leur folie...* (PASCAL)

rompement nom masculin
Action de rompre.
- *Rompement de tête :* fatigue causée par un grand bruit ou par une forte application. *Je comprends votre rompement de tête dans l'application dont vous avez eu besoin pour débrouiller cette confusion.* (Mme de SÉVIGNÉ)

routiner verbe
Apprendre à quelqu'un à faire quelque chose par routine. *On l'a routiné à calculer.*

se routiner verbe
Se rompre à une certaine chose. *L'esprit humain est facile à se routiner vers un certain ordre d'idées.*

rusticité nom féminin
[du latin *rus,* campagne].
Manières ou apparences rustiques. *J'ai peur qu'en qualité de ministre accoutumé aux cérémonies, il n'ait été un peu choqué de ma rusticité.* (VOLTAIRE) Manières rustiques poussées jusqu'à la grossièreté. *C'est rusticité que de donner de mauvaise grâce ; le plus fort et le plus pénible est de donner ; que coûte-t-il d'y ajouter un sourire ?* (LA BRUYÈRE)

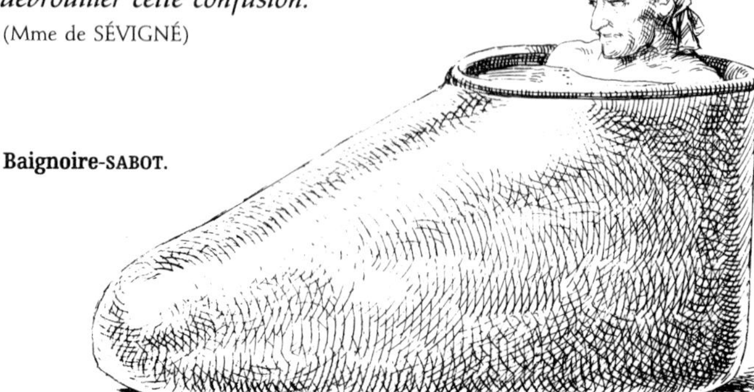

Baignoire-SABOT.

saboulage nom masculin
Action de sabouler. *Il y a un petit homme qui s'est vanté de s'être soustrait à votre saboulage ; vous aviez assez envie de lui marcher sur le haut de la tête ; mais n'avez-vous point peur d'être excommuniée ?* (Mme de SÉVIGNÉ)

sabouler verbe
[croisement de *saboter,* secouer, et de *bouler*].
Houspiller, tirailler, malmener. *Ôtez-moi mes coiffes ; doucement donc, maladroite ; comme vous me saboulez la tête avec vos mains pesantes !* (MOLIÈRE)
Réprimander avec véhémence. *Voilà trois parlements du royaume que j'ai un peu saboulés.* (VOLTAIRE)

safre adjectif
Qui se jette avidement sur la nourriture. *Un enfant safre. Femme safre et ivrognesse, de son corps n'est pas maîtresse.* (COTGRAVE)

safrement adverbe
D'une manière safre. *Nulle colombelle, ou, s'il est rien de plus safrement lascif...* (BAYLE)

safrerie nom féminin
Avidité à manger. *C'est l'avarice, l'orgueil, la safrerie et l'ambition dévorante de toutes les bêtes en soutane...* (Lettre du Père Duchesne)

salauderie nom féminin
Acte, parole de salaud. *La reine lui ayant demandé un jour quelques mots en espagnol pour les dire à l'ambassadeur d'Espagne, et lui, ayant dit quelque salauderie en riant, elle l'apprit aussitôt.* (BRANTÔME)

savanterie nom féminin
Manières des savants. *L'attirail de la savanterie, comme elle, Mme de Verdelin, la nommait, l'effrayait autant que celui de la galanterie.* (SAINTE-BEUVE)

sergenter verbe
Presser, importuner pour obtenir quelque chose. *On n'aime point à être sergenté.*

tabut nom masculin
Trouble, tumulte. *Ils emploient le loisir qui leur est donné, à l'écart du tabut du monde, à méditer les grandes grâces qu'ils ont reçues du ciel.* (LEFAUCHEUR)

tabuter verbe
Tracasser, tourmenter. *Arrêtez de nous tabuter !*

tambourinage nom masculin
Éloges, soins. *Mme de Coulanges a des soins de moi admirables ; elle me rend le tambourinage qu'elle reçoit de beaucoup d'autres.* (Mme de SÉVIGNÉ)

tambouriner verbe
Répandre quelque chose aussi bruyamment que fait un tambour.
Il a tambouriné cela par toute la ville.

se tambouriner verbe
Se vanter bruyamment. *Tout charlatan se tambourine.* (BÉRANGER)

tapinois, oise nom masculin et féminin
[de l'ancien français *se tapir,* se cacher].
Celui, celle qui se cache pour faire quelque chose. *Et vous venez dans l'ombre, en fine tapinoise/Éprouver si mon cœur aisément s'apprivoise.*
(Th. CORNEILLE)

en tapinois locution adverbiale
Sourdement, en cachette. *La pauvre amante approche en tapinois.* (LA FONTAINE) D'une manière rusée, dissimulée. *Que vous semble de ce mot tapinois ? N'est-il pas bien choisi ? Tapinois, en cachette ; il semble que ce soit un chat qui vient de prendre une souris, tapinois.* (MOLIÈRE)

tarabuster verbe
Importuner, contrarier par des interruptions fréquentes, du bruit, des discours à contretemps. *Pourquoi me viens-tu tarabuster l'esprit ?* (MOLIÈRE) Traiter rudement, tourmenter. *Monsieur, si vous saviez comment il me tarabuste.*
(BOURSAULT)

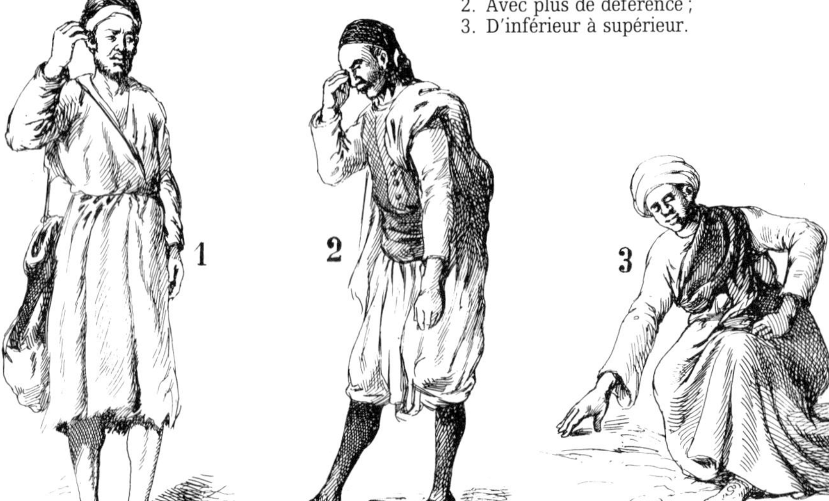

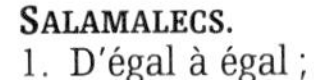

SALAMALECS.
1. D'égal à égal ;
2. Avec plus de déférence ;
3. D'inférieur à supérieur.

tardité nom féminin
Lenteur à apprendre. *Mon précepteur a accommodé sa patience à ma tardité.* (MALHERBE)

ténébreusement adverbe
D'une manière ténébreuse, perfide. *D'Artagnan se poussa ténébreusement à la Cour par l'intrigue.* (SAINT-SIMON)

tigrerie nom féminin
[mot de fantaisie].
Colère de tigre.
Dieux ! que j'aime la tigrerie ! C'est le métier des beaux esprits. (Mme de GRIGNAN)

tôper verbe
[de *top,* onomatopée exprimant le bruit des mains qui se frappent pour exprimer le consentement].
Terme du jeu de dés.
Consentir à jouer autant que met au jeu l'adversaire. Par analogie, adhérer à une offre, à une proposition.
M. d'Elbœuf, qui ne cherchait que de l'argent, tôpait à tout ce qui lui en montrait. (RETZ)
Nous rîmes fort de tout cela, et avec mon fils même ; car il est de bonne compagnie et dit tôpe à tout. (Mme de SÉVIGNÉ)

torquet nom masculin
[dérivé de *torche,* dans le sens de chose tordue, enveloppée].
Ce qui cache une embûche, une attaque. *Et cela avec une franchise de caractère peu commune et qui prête au torquet des courtisans envieux et malins.* (DIDEROT)

toupiller verbe
Tournoyer comme une toupie. En parlant des personnes, ne faire qu'aller et venir dans une maison. *Je vais, je viens, je toupille, et sitôt que je m'assieds, mes pauvres jambes...* (BEAUMARCHAIS)

tournevirer verbe
Faire mouvoir à sa fantaisie. *Les moindres choses tournevirent notre jugement.* (MONTAIGNE) *Il faut qu'elle soit parisienne, car elle entend bien à tournevirer un homme.* (LEROUX)

SAMBUE.
Selle de femme
(du Moyen Âge au XVIe siècle).

traitailler verbe
Faire sans cesse de nouveaux traités, de petites conventions mal observées. Tripoter dans les négociations. *Je connaissais M. de Longueville pour un esprit qui ne se pouvait empêcher de traitailler, dans le temps même où il avait le moins d'intention de s'accommoder.* (RETZ)

traîtreux, euse adjectif
Qui a le caractère de la trahison, de la perfidie, en parlant des choses. *C'est ce même Humbert que M. le duc d'Orléans voulut envoyer à la Bastille par le traîtreux conseil d'Effiat.* (SAINT-SIMON)

tricoterie nom féminin
[de *tricoter*].
Petite malice, petite finesse. *Bien qu'ingénue, elle était capable de tricoteries.*

trigaud, aude nom ou adjectif
[du bas-latin *trigari,* dérivé de *tricari,* chercher des détours].
Qui use de détours, de mauvaises finesses. *Mme de Maintenon, qui en tout genre était une femme fort entendue, excepté dans celui sur lequel elle consultait le trigaud et processif abbé Gobelin, son confesseur...* (VOLTAIRE)

trigauder verbe
Se conduire en trigaud. Tromper. *Trigauder frère et sœur.* (DUFRESNY)

trigauderie nom féminin
Action de trigaud. *Quand je vous dis qu'il est déjà fier, orgueilleux ; qu'il y a même de la trigauderie dans son fait.* (PICARD)

troussé, ée participe passé
Fait, exécuté. *Un compliment bien troussé.* Tourné, bâti, en parlant d'une personne ou d'un animal. *Voilà un gaillard bien troussé.*

SÉCHOIR à cheveux.

trousser verbe
Replier, relever. *Troussez votre robe.* En parlant de personnes, relever leur vêtement. *Destin, s'étant acharné sur une grosse servante qu'il avait troussée, lui donna plus de cent claques.* (SCARRON)
- *Trousser une femme :* relever ses jupes (dans un sens obscène) - *Trousser bagage :* partir brusquement. – *Qu'est devenu Doris ? – Il a troussé bagage.* (LA FONTAINE)
- *Trousser une affaire :* l'expédier promptement.

tumultuaire adjectif
Qui a le caractère du tumulte. *J'oppose un petit nombre choisi à une multitude tumultuaire.* (G. de BALZAC)

tumultuer verbe
S'agiter en tumulte. *Le peuple n'avait pas l'occasion de tumultuer.* (CALVIN)

turlutaine nom féminin
[origine onomatopéique].
Manie, marotte. *La turlutaine de notre temps, c'est la réhabilitation de la femme perdue.* (E. AUGIER)

urbanité nom féminin
La politesse des anciens Romains ou, plus généralement, la politesse que donne l'usage du monde. *Dans les monarchies, l'éducation doit avoir pour objet l'urbanité et les égards réciproques.* (d'ALEMBERT)
L'urbanité n'est qu'une civilité élégante. (LATÉNA)

vaguer verbe
Errer çà et là, aller de côté et d'autre, à l'aventure. *Laisser vaguer ses pensées. L'esprit humain ne se saurait maintenir, vaguant en cet infini de pensées informes.* (MONTAIGNE)

SOCIABLE à huit ressorts.

vaillantise nom féminin
Action de vaillance. *Dieu sait combien alors il me dit de sottises/Parlant de ses hauts faits et de ses vaillantises.* (RÉGNIER)

vaquer verbe
Vaquer à : s'adonner à, s'occuper de. *Je dis toujours que rien n'est si occupé qu'un homme qui n'est point amoureux ; avant qu'il ait vaqué à Madame de..., Madame de..., Madame de..., Madame de..., le jour et la nuit sont passés.* (Mme de SÉVIGNÉ) *La dissipation du monde qui nous empêche de vaquer à Dieu.* (BOURDALOUE)

TAPOTEUSE.
Machine à égaliser dans les moules la pâte de chocolat.

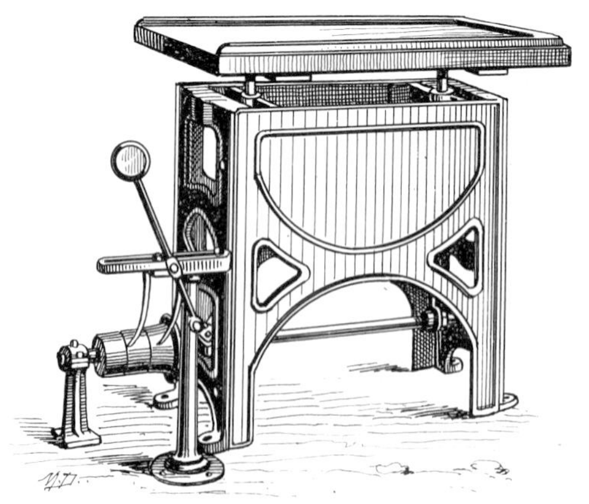

à la venvole locution adverbiale
[de *vent* et *voler :* qui vole au gré du vent].
À la légère. *Il s'était marié à la venvole.* (CHATEAUBRIAND) *Soudain les fleurs périssent, soudain l'air mauvais corrompt les violettes, les lys et le safran ; ainsi les paroles s'évanouissent et s'en vont à la venvole.* (PASQUIER)

vétiller verbe
[de l'ancien français *vette,* ruban].
S'amuser à des vétilles. *Le cardinal, qui s'amusait sur la frontière à vétiller proprement dans l'armée de M. de Turenne, où vous pouvez vous imaginer qu'il n'était pas fort nécessaire...* (RETZ) Faire des difficultés sur de petites choses. *Plus d'un éplucheur intraitable m'a vétillé, m'a critiqué.* (VOLTAIRE)

vétillerie nom féminin
Chicane, raisonnement oiseux. *Il ne comprend rien à ces vétilleries.*

vétilleur, euse nom
Celui, celle qui s'amuse à des vétilles. *Un curé vétilleur passerait pour un fou.* (GRIMM)

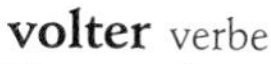

vétilleux, euse adjectif
Qui exige des soins minutieux, une grande attention. *Tromper un capitaine, c'est une besogne diablement vétilleuse.* (DANCOURT) En parlant de personnes : qui s'arrête à des vétilles. *Il était naturellement vétilleux et grondeur ; ce qui est un grand défaut à des gens qui ont affaire à beaucoup de monde.* (RETZ)

volter verbe
Terme d'escrime : changer de place pour éviter les coups de l'adversaire. Par extension : faire des pas, des démarches. *M. de Montfort, de très mauvaise humeur d'être obligé de volter pour arranger cette affaire...* (J. DUMESNIL)

vulgivague adjectif
[du latin *vulgivagus ;* de *vulgus,* vulgaire, et *vagari,* errer].
Qui se livre à l'amour banal, qui se prostitue. *Le mariage, qui est le plus grand frein de l'impudicité vulgivague...* (VOLTAIRE)

VÉLOCIMANE.
Appareil de locomotion spécial pour les enfants.

WISKI.
Sorte de cabriolet haut et léger à deux roues et à un cheval dont la mode fut apportée d'Angleterre.

DISCOURS

Habités par le langage, nous passons une grande part de notre existence à faire circuler des phrases, en dévidant le fil d'un discours immuable : pour être aimés, pour nous défendre, pour blesser, pour avoir simplement le sentiment d'être, et que ne soit pas rompu le lien social.

Avec sa lucidité habituelle, Nietzsche avait observé la force contractuelle du langage dans le mariage, « cette longue conversation » : *Il faut, au moment de contracter mariage, se poser cette question : crois-tu pouvoir tenir agréablement conversation avec cette femme jusqu'à la vieillesse ? Tout le reste est transitoire dans le mariage, mais presque tout le temps de l'échange revient à la conversation.*

Bien des mots nous parlent des mots qui tissent notre vie ; et les dictionnaires montrent comment la langue se *réfléchit* elle-même, en produisant sa propre critique et son enseignement, en particulier dès l'instant où elle est façonnée par la littérature. La langue et la littérature *comprennent* finalement toute la linguistique.

De très nombreux mots racontent les aventures du langage, ses bonheurs comme ses maladies. *Baragouin, babil, balbutie, galimart, grandisonance, pasquilles, rocamboles...* Toutes ces affections, bénignes ou malignes, constituent des « bruits » qui viennent perturber ou même empêcher le discours. Le langage est sans cesse menacé par des maux intérieurs à son être même.

*
* *

La rhétorique, en mettant l'accent sur le supplément, le détour et l'équivoque, souligne que notre parole évolue toujours au bord de la duplicité.

Cette défaillance du langage face au réel (ou face à l'Autre) conduit à la *baliverne,* au *racontar,* à la *contasserie,* aux *godants,* à la *calembredaine...* Nous préférons éviter le vide et la peur en produisant des signes qui accommodent le monde à notre complexion. Les mots sont alors comme ces leurres naturels servant de défense à certains animaux ; à ces insectes, par exemple, dont les dessins de la carapace figurent d'imaginaires monstres repoussants...

Le discours d'esquive, comme à l'escrime, nous dit combien la parole est souvent un espace d'affrontement. Les mots sont des fleurets, plus ou moins acérés : on *dardille* l'autre, on le *picote ;* on se *pointille* et *contre-pointille...* La discussion n'est plus que *bisbilles, attrapade, chamaillis, clabaudage...* L'autre devient l'objet de nombreux reproches : on l'*embarbouille,* on se *rebèque,* on *ragote,* on *rognonne...* Les échanges entre les individus seraient donc surtout contentieux...

Mais le langage déroule parfois des moments de bonheur, car la parole sert aussi à émouvoir l'autre, à le toucher, affectueusement, sensuellement. Roman Jakobson avait évoqué cet effet tactile du langage, en parlant de la fonction « phatique » ; c'est l'exemple du fameux « allo », qui n'a d'autre sens que de dire : « Je suis prêt à vous entendre et à vous parler ». Pourtant cette dimension phatique ne se réduit pas à l'énonciation de quelques signes vides. Le désir de contact et d'attouchement serait bien au contraire le sens primordial de toute parole.

Le marivaudage des salons classiques est l'incarnation superbe de cette parole où le plaisir est retenu et le désir sans cesse avivé dans les effleurements sinueux du verbe. Les mots sont aussi des caresses. « Quoi que nous disions, continuons de parler, de *confabuler,* pour étendre l'agrément d'être ensemble ». Les corps murmurent et frémissent dans le « presque rien » de la conversation amicale ou amoureuse.

Notre société, gouvernée par le souci de l'efficacité (de la rentabilité), n'accorde guère de place au déploiement sensuel et gratuit du langage. Aujourd'hui, même la parole se vend...

*

* *

Tu causes, tu causes, c'est tout ce que tu sais faire ! Le sympathique perroquet de Raymond Queneau est un peu sévère dans son fameux reproche. Car on ne parle jamais « pour ne rien dire ».

Certes la *bavarderie,* le *causage* ou le *parlage* fatiguent le désir. « Quoi, nous allons sans cesse répéter les mêmes phrases ? », comme ces jouets qui se mettent imperturbablement en marche dès que l'on a remonté le mécanisme... Le langage est alors sa propre maladie. On rêverait parfois de pouvoir se taire un peu... *Si le mot que tu prononces n'est pas plus beau que le silence, ne le dis pas,* recommande un proverbe soufi.

Sur les vertus du silence, les religions sont intarissables : c'est là leur visage heureux. Il est dommage que leurs aspirations paisibles s'accompagnent d'injonctions à des renoncements austères. Les suspicions rigides adressées au langage sont toujours inquiétantes : on ne se tait vraiment que dans la mort.

Mieux que toutes les philosophies, la littérature réussit à guérir le langage de ses affections, dans la réconciliation du verbe et du silence.

abouchement nom masculin
Mise face à face, entrevue, conférence. *Napoléon fut la dupe de Bismarck dans leur abouchement, à Biarritz, en 1865.*

aboucher verbe
Mettre face à face, en conférence. *Aboucher des témoins.* Procurer une entrevue. *Je voulais en secret vous aboucher tous deux.* (MOLIÈRE)

s'aboucher verbe
Avoir un entretien afin d'arriver à un accommodement, à un arrangement. *Louis XI et le Téméraire s'abouchèrent à Vérone.*

ABAT-VOIX.

ajouté nom masculin
Ce qu'un auteur ajoute à un manuscrit, à une épreuve. *Balzac faisait beaucoup d'ajoutés.*

amoindrisseur nom masculin
Celui qui copie les ouvrages des autres en les réduisant à des proportions mesquines. *Méfiez-vous des amoindrisseurs ; aujourd'hui ils sont légion.*

apostille nom féminin
[du latin médiéval, *postilla,* formé de *post,* après, et *illa,* ces choses, et qui a donné *postille,* annotation sur les Écritures Saintes].
Annotation en marge ou au bas d'un écrit. *Écrire en apostille.* *Ce que j'ai lu dans l'apostille de votre lettre ne m'a pas extrêmement plu.* (G. de BALZAC)

apostiller verbe
Mettre une apostille. *Apostiller une demande, une pétition.* *Son dessein était de me prier d'apostiller son mémoire.* (BERNARDIN de SAINT-PIERRE)

arrière-sens nom masculin
Sens caché d'une phrase, d'un discours. *Je vois que chacun se mutine si on lui cache le fond des affaires auxquelles on l'emploie, et si on lui en a dérobé quelque arrière-sens.* (MONTAIGNE)

attrapade nom féminin,
attrapage nom masculin
Discussion, dispute. *Avoir un attrapage.* Critique violente.

attrapeur nom masculin
Critique acerbe, plutôt malveillant. *Les attrapeurs manquent souvent de générosité.*

babil nom masculin
[origine onomatopéique].
Abondance de paroles faciles et sans importance. *Les jeunes filles acquièrent vite un petit babil agréable.* (J.-J. ROUSSEAU)

balançoire nom féminin
Baliverne, sornette, conte en l'air, chose peu sérieuse. *Je n'entends pas que ce serment soit une balançoire.* (LABICHE)

balbutie nom féminin
[du latin *balbus,* bègue].
État de celui qui balbutie. *La balbutie de l'enfance, de la vieillesse.* Manière de s'exprimer enfantine et peu précise. *Notre langue est celle qui a retenu le moins de restes de la balbutie des premiers âges.* (DIDEROT) Bagatelles, enfantillages. *Ne dire, ne faire que des balbuties.*

balbutier, bredouiller :
« Le balbutiement est un parler mal articulé, soit à cause de l'âge, soit à cause de l'émotion. Le bredouillement consiste à rouler les paroles les unes sur les autres et à les confondre. » (LITTRÉ)

baliverne nom féminin
[peut-être du provençal *baiuverno,* étincelle].
Propos frivole, chose puérile. *Je n'entends rien à ces balivernes.* (MOLIÈRE)

baliverner verbe
S'amuser à des choses ou propos puérils, futiles, frivoles. *Ils s'en vont balivernant.* (MONTAIGNE) *Mais vous-même, ma mie, êtes-vous ivre ou folle/De me baliverner avec vos contes bleus ?* (REGNARD)

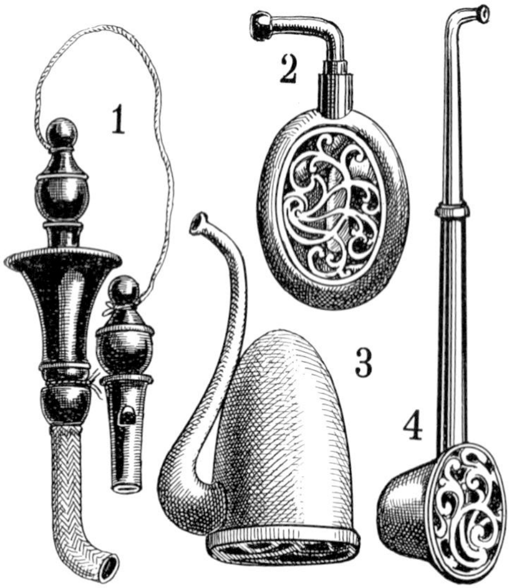

ACOUSTIQUE.
1. Tuyau acoustique.
2., 3 et 4. Appareils pour la surdité.

balivernier nom masculin
Individu qui dit beaucoup de balivernes. *J'ai l'habitude de lire tous les baliverniers pour me préparer à dormir.* (NODIER)

baragouin nom masculin
[sans doute du breton *bara gwin,* pain et vin, mots utilisés pour demander l'hospitalité dans les auberges].
Langage où les sons des mots sont tellement altérés qu'il devient inintelligible. *Je ne puis rien comprendre à ce baragouin.* (MOLIÈRE) Par extension, personne qui parle le baragouin. *Que dites-vous, monsieur le baragouin ?* (d'AUBIGNÉ)

baragouiner verbe
Parler une langue incorrectement. *Ce livre est bâti d'un espagnol baragouiné en terminaisons latines.* (MONTAIGNE) *En buvant et baragouinant nous achevâmes de nous familiariser et dès la fin du repas nous devînmes inséparables.* (J.-J. ROUSSEAU)

baragouineur, euse nom masculin et féminin
Celui, celle qui baragouine. *Ils sont une douzaine de baragouineurs à jouer cartes et dés.* (HAMILTON)

battologie nom féminin
[de *Battos,* roi de Cyrène, qui était bègue et que cette infirmité forçait à répéter souvent le même mot plusieurs fois].
Répétition oiseuse, et presque dans les mêmes termes, de ce qu'on avait déjà dit.

battologie, tautologie :
« Une battologie est la répétition inutile du même mot ou du même membre de phrase, et la tautologie la répétition oiseuse d'une même idée sous des termes différents. » (LITTRÉ)

battologique adjectif
Qui tient de la battologie. *Un style battologique.*

battologue nom masculin
Écrivain qui se répète. *Un battologue ennuyeux.*

bavarderie nom féminin
Passion pour le bavardage. Propos de bavard. *Pardonnez à mes arguments, à ma morale, à ma bavarderie.* (VOLTAIRE)

bavardiner verbe
Diminutif de bavarder. *Nous n'avons fait que bavardiner, et nous n'avons point causé.* (Mme de SÉVIGNÉ)

bavardise nom féminin
Bavardage. ***Échauffez votre tête et travaillez ; vous aurez bientôt oublié ces bavardises de société.*** (J.-J. ROUSSEAU)

bernicles nom féminin pluriel
[du breton *bernic,* sorte de coquillage].
Sornettes, vaines paroles. Gens de rien. ***Ce pays ne peut être habité que par des poètes ou par des bernicles.*** (H. de BALZAC) Interjectivement : nullement, point. ***Il voulait à tout prix m'engager dans cette affaire ; mais, bernicles !*** On dit plus souvent *bernique.*

berquinade nom féminin
[de *Berquin,* littérateur français du XVIIIe siècle].
Œuvre où les réalités de la vie sont peintes à l'eau de rose. ***Elle ne lit que des berquinades.***

bien-dire nom masculin
Habileté à parler. Parler agréable, gracieux, fleuri. ***Il était amoureux fou de Mme la duchesse de Berry, et en admiration perpétuelle de son esprit et de son bien-dire.*** (SAINT-SIMON) ***Disputer le prix du bien-dire.*** (BOSSUET) - ***Être sur son bien-dire, se mettre sur son bien dire :*** affecter le beau langage. Proverbe : ***Le bien-faire vaut mieux que le bien-dire :*** les bonnes actions valent mieux que les beaux discours.

bien-disance nom féminin
Qualité du bien-disant. ***Ce fut certainement un bel esprit, et qui pouvait mettre sa bien-disance entre les exemples.*** (MALHERBE).

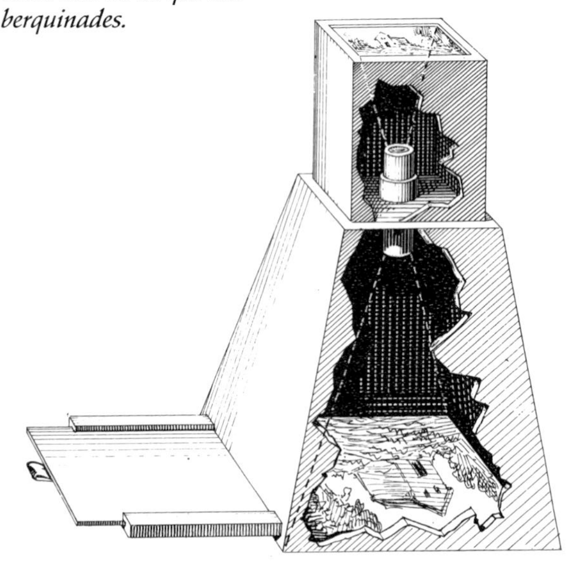

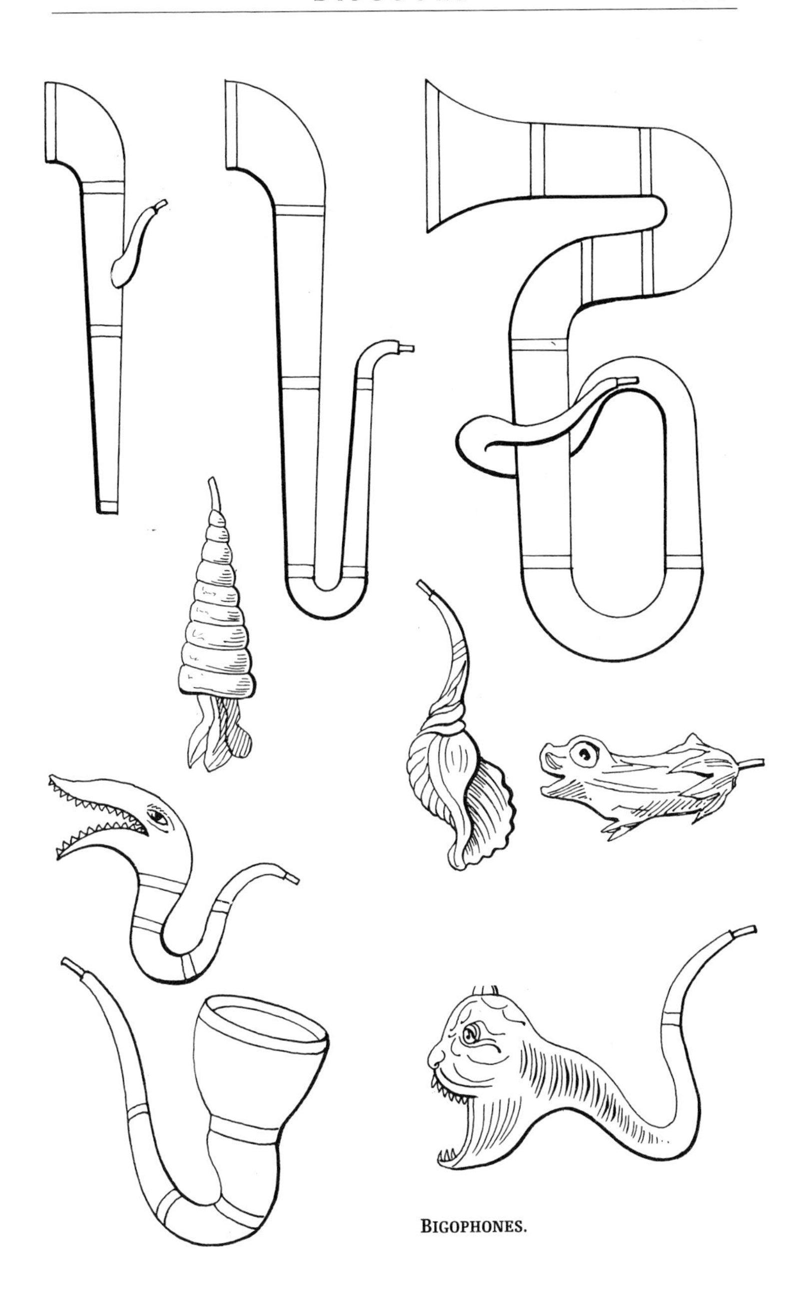

BIGOPHONES.

bien-disant, ante adjectif
Qui parle élégamment, facilement. *Le bien-disant Ulysse...* (LA FONTAINE) *Votre subtile et bien-disante tristesse.* (G. de BALZAC) *Les personnes bien-disantes sont souvent admirées.* Substantivement. *Après ceux qui font des présents,/L'amour est pour les bien-disants.* (RÉGNIER) Qui dit du bien d'autrui, par opposition à *médisant. C'est un homme bien-disant.*

bigarré, ée adjectif
Vers bigarrés, langage bigarré : langage où l'on entremêle les mots de deux langues, comme dans *le Malade imaginaire : Grandes doctores doctrinae/De la rhubarbe et du séné.*

bigarrer verbe
Marquer de couleurs qui tranchent l'une sur l'autre. *Ont-ils pu démêler toutes les nuances qui bigarrent la vie commune ?* (VOLTAIRE) *Bigarrer son ajustement.* Varier agréablement. *Mirabeau m'enchante de récits d'amour, de souhaits de retraite dont il bigarrait des discussions arides.* (CHATEAUBRIAND)

bigarrure nom féminin
Réunion de choses disparates. *Style qui présente des bigarrures de trivial et de sublime.* Réunion de personnes différentes, d'état ou d'opinion. *Cette société est une étrange bigarrure.*

billevesée nom féminin
[peut-être de *beille,* boyau, et *vezé,* gonflé].
Discours frivole, idées chimériques, vaines occupations. *Toutes les billevesées de la métaphysique ne valent pas un argument ad hominem.* (DIDEROT)

bisbille nom féminin
[de l'italien *bisbliglio,* murmure].
Petite brouillerie, querelle sur des objets futiles. *Ils sont toujours en bisbille.*

blasonner verbe
Médire, blâmer, critiquer. *On l'a blasonné à la cour et à la ville.*

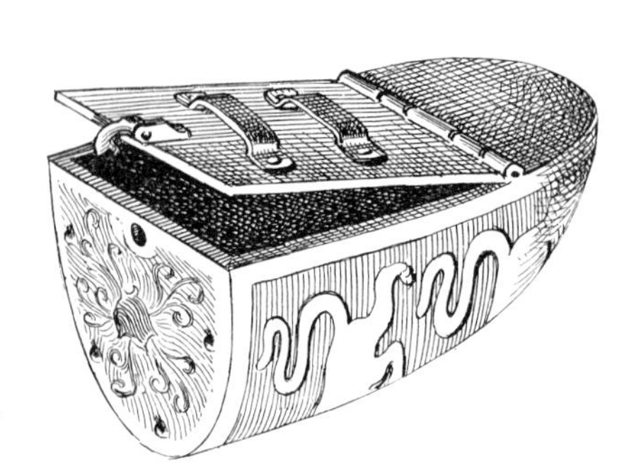

BULLE de messager.

blasonneur nom masculin
Celui qui critique, qui censure. *Je veux fuir les blasonneurs.*

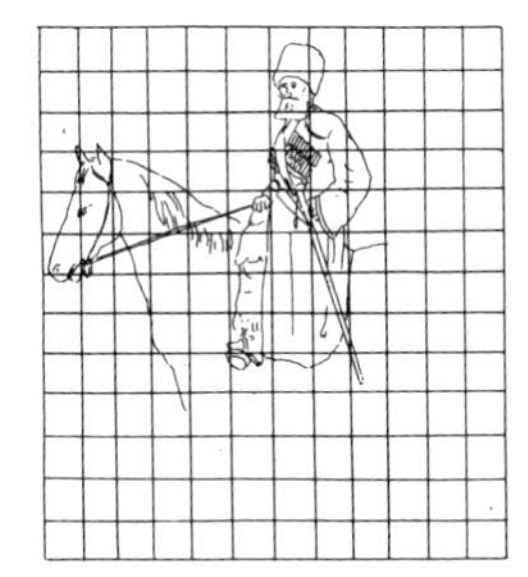

bluette nom féminin
[du normand *beluette, berluette,* étincelle].
Petite étincelle qui pâlit et s'éteint aussitôt. *Quand on frappe les tisons, on en fait jaillir des bluettes.* Saillie, trait vif et léger. Petit ouvrage d'esprit, agréable, sans prétention, mais finement écrit. Ardeur qui ne dure pas. *Bien des amours ne sont que des bluettes.*

Dessin au CARREAU.

brocard nom masculin
[du picard *broque,* broche].
Paroles mordantes, trait piquant. *Dieu sait les brocards que l'on jetait au pauvre gouverneur !* (HAMILTON)

brocard, raillerie : « La raillerie peut être méchante ; mais elle peut être aussi légère, innocente, inspirée par une simple gaieté d'esprit. Le brocard a toujours quelque chose de blessant. » (LITTRÉ)

brocarder verbe
Attaquer avec des paroles. *Que font-ils autre chose que brocarder Dieu même ?* (CALVIN)

cacographe nom masculin
Personne qui fait de nombreuses fautes d'orthographe. *C'est un véritable cacographe.*

cacographie nom féminin
Orthographe vicieuse. Méthode d'enseignement qui consiste à donner à l'élève des phrases mal orthographiées pour les lui faire corriger.
La cacographie a été à peu près abandonnée. (LAROUSSE)

calembredaine nom féminin
[dérivé de *calembour,* sans doute avec l'influence de *bredouiller* et du lorrain, *berdaine,* bavardage].
Bourde, vain propos, faux-fuyant. *Répondre par des calembredaines.*

caricaturier nom masculin
Écrivain qui fait des caricatures, des charges, à la différence du caricaturiste qui est un artiste s'adonnant au genre de la caricature.
Tallemant des Réaux est le caricaturier du XVIIe siècle. (COUSIN)

CARTONNIER.

cassade nom féminin
[de l'italien *cacciare,* chasser, pousser, puis de *cacciata,* cassade au brelan].
Défaite, mensonge, mauvaise excuse. *Un valet l'avait galamment payé d'une cassade.* (RÉGNIER)

cataglottisme nom masculin
[du grec *kata,* autour, et *glôssa,* langue].
Emploi de mots recherchés. *Cet écrivain donne dans le cataglottisme.*

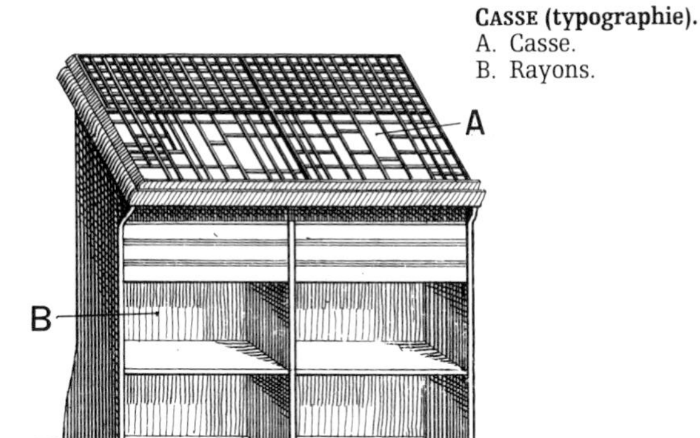

CASSE (typographie).
A. Casse.
B. Rayons.

CAUSEUSE.

causage nom masculin
Action de causer, de babiller. *Des causages perpétuels.*

causailler verbe
Parler inconsidérément, avec indiscrétion, à tort et à travers. *Mieux vaut ne pas trop causailler.*

causant, ante adjectif
Qui parle volontiers. *Je ne suis plus si causante qu'à Paris.* (Mme de SÉVIGNÉ)

causer verbe
S'entretenir familièrement. *Je veux me vanter d'être toute l'après-midi dans cette prairie, causant avec nos vaches et nos moutons.* (Mme de SÉVIGNÉ) *Le duc d'Orléans régent daigna un jour causer avec moi au bal de l'Opéra ; il me fit un grand éloge de Rabelais.* (VOLTAIRE)

causerie nom féminin
Action de causer, conversation familière. *La causerie inspire la confiance, l'altercation l'éloigne.* (de SÉGUR) Propos indiscret, bavardage. *Gâter son affaire par des causeries.* (Mme de SÉVIGNÉ) « La *causerie* est le côté agréable et piquant de la *conversation ;* c'est une chose toute moderne, et que nous devons aux salons du XVIIe et du XVIIIe siècle. La conversation exige de l'instruction, une mémoire heureuse ; la causerie se contente d'un fonds de bonhomie, de goût, de finesse. Un vrai causeur se distingue par son urbanité, son habileté à causer de tout sans choquer personne ; quant aux causeurs brillants, ils sont, en outre, remarquables par leur facilité d'improvisation, leur esprit de répartie, leurs traits spontanés. Les Français ont la réputation d'exceller dans la causerie, et beaucoup de Françaises, sur ce point, ne leur cèdent en rien. » (LAROUSSE)

CÉLÉRIFÈRE.

causeur, euse nom et adjectif
Qui aime à causer, qui sait causer. *Mme de Maintenon était une admirable causeuse.* (de NOAILLES) *La renommée est une grande causeuse ; elle aime souvent à passer les limites de la vérité.* (Mme de MOTTEVILLE) Personne indiscrète ou médisante. *Efforçons-nous de vivre en toute innocence,/Et laissons aux causeurs une pleine licence.* (MOLIÈRE)

cédule nom féminin
[du latin *schedula,* feuillet, page].
Papier par lequel on notifie quelque chose. *Ésope écrivit une cédule par laquelle Necténabo confessait devoir deux mille talents.* (LA FONTAINE) Autrefois, nom que l'on donnait à de petits papiers servant d'aide-mémoire.

CÉLESTA à 3 claviers.

cératine adjectif féminin
[du grec *keras,* corne].
Terme de scholastique. Usité seulement dans la locution *question cératine :* question captieuse, argument sophistique. L'un des exemples les plus célèbres, qui est sans doute à l'origine de cette expression, est le suivant : – *Vous avez ce que vous n'avez pas perdu. – Or, vous n'avez pas perdu des cornes. – Donc, vous avez des cornes.*

chafourer verbe
[peut-être de *chaufour*].
Barbouiller, griffonner. *Il passe toutes ses nuits à chafourer des cahiers.*

chafoureur nom masculin
Barbouillleur. *Un chafoureur de papier.*

chamaillis nom masculin
[de *chamailler,* se battre, lui-même de *mail,* marteau].
Mêlée, combat où l'on chamaille, dispute bruyante. *Ce chamaillis de cent propos croisés/Ressemble aux vents l'un à l'autre opposés.* (VOLTAIRE)

clabaud nom masculin
Chien courant, à oreilles pendantes qui, à la chasse, aboie à tout propos. Personne qui clabaude.

clabaudage nom masculin
Criaillerie sans motif. *Que les clabaudages des méchants et des envieux ne t'arrêtent pas dans le sentier de l'honneur et du bien : le chien aboie et la caravane passe.* (Maxime orientale) On dit encore *clabaudement* ou *clabauderie. Mais le Seigneur plein de furie/Fit cesser la clabauderie.* (SCARRON)

clabauder verbe
[de *clabaud*].
Médire, critiquer, crier sans raison contre une personne ou une chose. *Il clabaude contre tout le monde.*

clabaudeur, euse nom et adjectif
Celui, celle qui crie beaucoup et sans raison. *Quel clabaudeur assommant !*

composeur nom masculin
En mauvaise part, individu qui compose. *Un composeur de romans, d'ariettes.*

CERCEAU.

concetti nom masculin pluriel
[de l'italien *concetto,* pensée].
Pensées brillantes, mais que le goût n'approuve pas. *Fuyez encore les tours trop délicats,/Des concetti l'inutile fracas.* (BERNIS)

confabulation nom féminin
Conversation. *Quand j'écris et parle de moi au singulier, cela suppose une confabulation avec le lecteur.* (BRILLAT-SAVARIN)

confabuler verbe
Se livrer à des causeries familières. *Il vint entre cinq et six/Confabuler chez son ami Zeuxis.* (VOLTAIRE)

confidemment adverbe
En confidence. *Cicéron, parlant confidemment à Pomponius Atticus, avoue que la vertu de Caton était inutile à la patrie.* (G. de BALZAC)

confidemment, confidentiellement :
« Dire une chose confidemment, c'est la dire comme une confidence, comme une chose qui doit rester secrète ; la dire confidentiellement ne suppose pas un si grand désir de secret ; c'est parler d'une manière non publique, comme s'il s'agissait d'une chose qui ne peut intéresser que des amis. » (LAROUSSE)

confidenter verbe
Être en confidence. *Le cardinal confidentait de très près avec lui.* (MIRABEAU)

contasserie nom féminin
Petites nouvelles, ragots. *J'avais compté sur le bon effet de mes contasseries.* (de COURCHAMP) « Le mot est très mauvais, mais il ne l'est pas plus que *racontar* qui se dit aujourd'hui en tant de journaux et dont il est synonyme. » (LITTRÉ)

contentieux, euse adjectif
[du latin *contendere,* disputer]. Qui prête à la dispute. *Aussi a-t-il l'art d'abréger les affaires les plus contentieuses.* (VAUVENARGUES). Qui aime à disputer. *Cherchez hors de cette unité, vous n'y trouverez guère que des cœurs hautains, contentieux et desséchés.* (FÉNELON)

contention nom féminin
Effort fait pour exécuter quelque chose. Débat, dispute. *Il aime la souveraineté, mais il aime encore plus la contention.* (G. de BALZAC)

contredisant, ante nom et adjectif
Qui se plaît à contredire. *Humeur contredisante. Il n'est point disputeur ni contredisant, il n'est pas non plus complaisant et flatteur, il dit son avis sans combattre celui de personne.* (J.-J. ROUSSEAU)

contredit nom masculin
Action de contredire, affirmation contraire, contestation. *Je répondrai quelque chose non pour faire des contredits, mais pour aider nos frères à ouvrir les yeux.* (BOSSUET)

contremander verbe
[de *mander* envoyer, lancer]. Révoquer un ordre, une demande, une commande. *Il a contremandé sa voiture.*

CONFIDENT.

contre-piquer verbe
Répondre à une parole piquante par une autre parole piquante. *Pour le contre-piquer d'un pareil trait de moquerie, il fait une chanson à l'imitation de la sienne.* (AMYOT)

contre-pointer verbe
[de *pointer,* frapper de la pointe].
Contrecarrer, contredire. *Toutes fois que ces philosophes sont ensemble, ils se contre-pointent.* (FURETIÈRE) *Prendre plaisir à contre-pointer quelqu'un.*

craque ou **craquerie** nom féminin
[de l'anglais *to crack,* dire des hâbleries].
Mensonge par exagération, par gasconnade ; hâblerie. *Ce qu'il dit n'est pas vrai ; c'est une craque.*

craqueur, euse nom et adjectif
Celui, celle qui dit des menteries pour attraper quelqu'un. *Cette jeune personne est une craqueuse.*

crierie nom féminin
Cris importuns. *Des crieries d'enfants. Faites cesser cette crierie.* Réclamations bruyantes. *Il ne peut plus supporter cette crierie des avocats.* (LA BRUYÈRE)

croquignole nom féminin
[de *croquer,* frapper].
Chiquenaude. *Au défaut de six pistoles/Choisissez donc sans façon/D'avoir trente croquignoles/Ou douze coups de bâton.* (MOLIÈRE) Injure, outrage, critique, épigramme.

DACTYLOGRAPHE.

DÉTECTIVE.

dardiller ou **dardillonner** verbe
[du mot *dard*].
Piquer par des paroles malignes. *Je ne pouvais m'empêcher de dardillonner tout ce beau monde.* (Marquise de CRÉQUI)

datisme nom masculin
[de *Datis,* satrape de Perse représenté dans une pièce d'Aristophane].
Manière de parler ennuyeuse dans laquelle on entasse plusieurs synonymes pour exprimer la même chose. *Je suis aise, content, satisfait, ravi de vous voir.*

dauber verbe
[a d'abord signifié « crépir »].
Battre, rouer de coups. *Il a daubé celui qui l'avait insulté.* Attaquer en paroles, injurier, railler. *Je les dauberai tant en toutes rencontres, qu'à la fin ils se rendront sages.* (MOLIÈRE) *À ce que je puis voir, vous daubez ma méthode.* (MONTFLEURY)

daubeur, euse nom et adjectif
Celui, celle qui raille les gens, qui en parle mal. *Les daubeurs ont leur tour, d'une ou d'autre manière.* (LA FONTAINE)

débagouler verbe
[de *goule,* gueule, avec le préfixe péjoratif *ba*].
Parler inconsidérément. *Elle vient de débagouler mille injures contre le roi.* (BRANTÔME)

débinage nom masculin
Médisance, dénigrement. *Banquets fratricides où le débinage sert d'entrée, de premier service et d'entremets sucrés.* (Le Figaro, 1877)

débine nom féminin
État misérable. Se dit surtout d'une personne qui fait mal ses affaires. *Il est tombé dans la débine.*

débiner verbe
[de *biner,* sarcler].
Dénigrer, dire du mal de quelqu'un. *Débiner un confrère.*

Écriteau de tapisserie (XVe s.).

se débiner verbe
Se dénigrer l'un l'autre. *Les femmes se débinent par jalousie.*

se déboutonner verbe
Dire sans réserve ou réticence ce qu'on pense. *Suivit un autre tête-à-tête où le duc se déboutonna sur tous ceux qui avaient part aux affaires.* (SAINT-SIMON)

débrider verbe
[du moyen haut allemand *bridel,* rêne].
Faire ou dire une chose avec précipitation. *Il a bientôt débridé son bréviaire.* Couper, élaguer. *Encore une fois, débridez, avalez des détails, afin de ne pas être uniforme.* (VOLTAIRE)

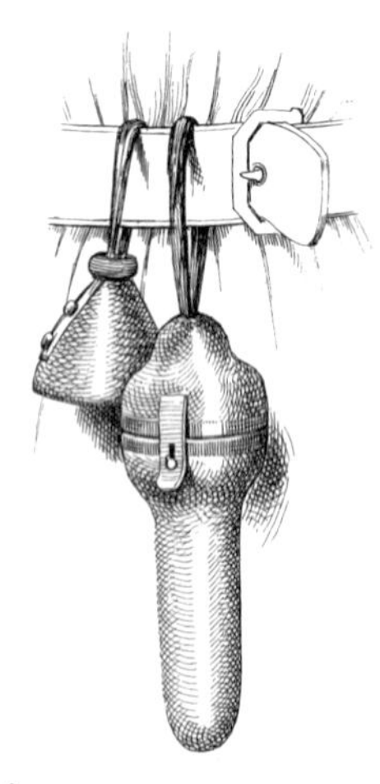

Écritoire (XVe s.).

débrideur, euse nom masculin et féminin
Individu qui expédie lestement. *Un débrideur de grand'messes. – Débrideur de filles :* libertin, séducteur.

décabocher verbe
[de *caboche*].
Détacher de son opinion, de sa pensée, de ses illusions. *Décabocher quelqu'un de ses préjugés.*

dégoisement nom masculin
Action de dégoiser. *Le dégoisement des commères.* Babillage, bavardage. *Le dégoisement des petits enfants ressemble à celui des oiseaux.* (B. BARBE)

dégoiser verbe
[de *gosier*].
Chanter, gazouiller, en parlant des oiseaux. Dire avec volubilité ce qu'on devrait taire. *Ce n'est pas tout, je dis sornettes/Je dégoise des chansonnettes.* (RÉGNIER) *Peste, madame la nourrice, comme vous dégoisez !* (MOLIÈRE) *Mme d'Armagnac dégoisa sur sa propre naissance d'une manière très fâcheuse.* (SAINT-SIMON)

délusoire adjectif
[du latin *deludere,* se moquer].
Propre à induire en erreur, à tromper, à faire illusion. *Un argument délusoire.*

dépaperassement nom masculin
Action d'emporter des papiers. *Il restera l'armoire, avec les brochures et paperasses qu'elle contient, et pour le transport desquelles j'enverrai d'ici une malle, avec une lettre pour prier M. Deleyre de présider à ce dépaperassement.* (J.-J. ROUSSEAU)

déparler verbe
Cesser de parler.
(Ne s'emploie qu'avec la négation.) *Jusqu'au soir nous ne déparlâmes pas un moment.* (J.-J. ROUSSEAU) *L'homme raisonnable se tait souvent, le raisonneur ne déparle pas.* (DIDEROT)

désultoire adjectif
[du latin *salire,* sauter].
Qui passe d'un sujet à un autre. *Pardonnez-moi le style désultoire de ma lettre.* (CONSTANT)

détailliste nom masculin
Écrivain qui se complaît ou qui excelle dans les détails. *Bien des écrivains modernes sont des détaillistes.*

écrivailler verbe
Écrire avec négligence des choses sans valeur. *Écrivailler de mauvais romans.*

écrivaillerie nom féminin
Manie d'écrivailler. *L'écrivaillerie semble quelque symptôme d'un siècle débordé.* (MONTAIGNE)

écrivailleur ou **écrivassier** nom masculin
Mauvais auteur qui écrit beaucoup. *Jean Bodin est un bon auteur de notre temps, et accompagné de beaucoup plus de jugement que la tourbe des écrivailleurs de son siècle.* (MONTAIGNE)

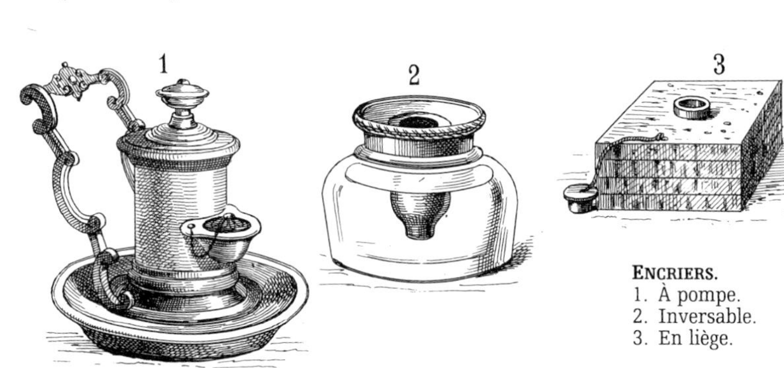

ENCRIERS.
1. À pompe.
2. Inversable.
3. En liège.

écriveur, euse nom et adjectif
Celui, celle qui écrit beaucoup, qui aime à écrire. *Je ne suis pas écriveuse.* (Mme de VILLEROY) *On n'a jamais été plus décidément écriveuse que Mme de Genlis.* (SAINTE-BEUVE)

égoïser verbe
[du latin *ego,* moi].
Ne parler que de soi, citer sans cesse ses idées ou ses actions, rapporter tout à soi-même. *Il est incapable de dire quoi que ce soit sans égoïser.*

égotisme nom masculin
Habitude de parler de soi, de mettre sans cesse en avant le « moi ».

égoïsme, égotisme : « On a quelquefois confondu l'égoïsme et l'égotisme ; l'égoïsme est un mot français qui signifie l'amour excessif de soi ; l'égotisme est un mot anglais qui signifie la manie de parler de soi. » (LITTRÉ)

élucubration nom féminin
Ouvrage produit par un travail assidu, par des recherches longues et laborieuses. *Mais on les y attend, si leurs élucubrations le méritent.* (Satire Ménippée)

Facteurs.
1. De ville.
2. Rural (tenue d'été).
3. Télégraphiste.

élucubrer verbe
[du latin *lucubrare,* travailler à la lumière de la lampe].
Composer laborieusement, à la force de veilles. *Élucubrer un mémoire.*

embabouiner verbe
[de *babouin*].
Amener quelqu'un par des cajoleries à faire ce qu'on souhaite de lui. *La femme morte, il* [*M. de Soubise*] *brusqua un superbe enterrement, embabouina le curé, tellement que Mme de Soubise fut portée droit de chez elle à la Mercy.* (SAINT-SIMON)

s'embarbotter verbe
Ne pas pouvoir continuer des phrases qu'on a commencées. *Va donc, et ne t'embarbotte pas comme tout à l'heure.* (THÉAULON et BAYARD).

embarbouiller verbe
Faire perdre à quelqu'un le fil de ses idées. *Taisez-vous, vous allez l'embarbouiller !*

s'embarbouiller verbe
Se perdre dans ce qu'on dit. *Les conférences continuaient à Rastadt ; Villars s'y embarbouilla si mal qu'il fallut le désavouer.* (SAINT-SIMON)

embéguiner verbe
[de *béguin,* coiffe de béguine].
Endoctriner sottement, infatuer de choses vaines. *Tout ce qui tient une plume s'est donné le mot pour embéguiner le peuple.* (PROUDHON) On dit aussi *embéliner.*

emberlucoquer verbe
[sans doute du radical expressif *bir,* variante de *pir,* pour l'idée d'enveloppement, et de *coque,* chose sans valeur].
Embarrasser, entortiller, séduire en usant de ruse. On dit aussi *emberlicoquer, emberloquer. N'emberlucoquez jamais vos esprits de ces vaines pensées.* (RABELAIS) *Son discours emberlicoqua beaucoup de gens.* (J. de MAISTRE)

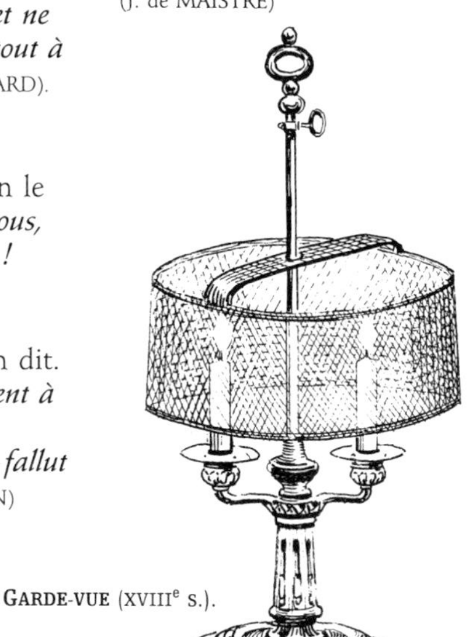

GARDE-VUE (XVIIIe s.).

s'emberlucoquer verbe
S'entêter d'une idée, s'attacher aveuglément à une opinion. On dit aussi *s'emberlicoquer, s'emberloquer. Elle regardait avec ébahissement ce nigaud dont elle regrettait de s'être emberloquée.* (CHATEAUBRIAND)

emboiser verbe
[de l'ancien français, *boise,* mensonge, tromperie]. Engager quelqu'un par des promesses, des cajoleries à faire ce qu'on désire. *Est-ce ma faute à moi si madame l'emboise ?* (BOURSAULT)

emboucher verbe
Instruire d'avance de ce qu'il faut dire, prévenir. *Mon diable d'homme, qui avait son petit intérêt dans cette affaire, courut prévenir les aumôniers, et emboucha si bien les bons prêtres...* (J.-J. ROUSSEAU)

équivoquer verbe
Faire des jeux de mots. User d'équivoque. *Il ne fait qu'équivoquer.*

s'équivoquer verbe
Dire involontairement un mot pour un autre. *Oui, mais enfin parlons sans nous équivoquer.* (Th. CORNEILLE)

Jeu des GRÂCES.

escobarder verbe
[de *Escobar,* jésuite espagnol].
User de réticences, de mots à double entente dans le désir de tromper. *Nous n'escobarderons point sur une des plus grandes questions qui nous aient été soumises.* (MIRABEAU)

escobarderie nom féminin
Parole, acte par lequel on escobarde. « On emploie le mot d'escobarderie pour signifier un adroit mensonge. » (d'ALEMBERT) *L'escobarderie fait partie de ses manières.*

esquicher, s'esquicher verbe
[de l'ancien verbe *eschisser,* glisser, de l'italien *schizzare,* jaillir].
Rester neutre dans une discussion, éviter de se prononcer, de prendre part à une querelle. *Pressé de se prononcer, il s'est esquiché.*

faconde nom féminin
[du latin *facundia,* éloquence].
Facilité à parler, fécondité de paroles. *Derrière chaque siège exerçant sa faconde/Et d'un vague intérêt fatiguant tout le monde.* (DELILLE)

feuilliste nom masculin
Péjorativement, celui qui fait métier d'écrire des feuilles périodiques. *Tous les insectes, les moustiques, les cousins, les critiques, les maringouins, les envieux, les feuillistes, les libraires, les censeurs, et tout ce qui s'attache à la peau des malheureux gens de lettres.* (BEAUMARCHAIS)

folliculaire nom masculin
[mot de Voltaire, à partir du latin *folliculum,* petite enveloppe, considéré à tort par lui comme un diminutif de *folium,* feuille].
Journaliste, au sens péjoratif. *Ces messieurs les folliculaires ressemblent assez aux chiffonniers, qui vont ramassant des ordures pour faire du papier.* (VOLTAIRE)

GRAPHOPHONE. Appareil enregistrant et répétant la parole.

forgerie nom féminin
Au figuré, chose forgée, inventée, donnée faussement comme vraie ; document fabriqué. *Je ne fais jamais de forgeries, ce n'est pas mon genre.* (MARNI)

galimart nom masculin
Galimatias. *Il regarda les livres et se dit : « C'est du galimart. »*

gâte-papier nom masculin
Mauvais écrivain. *Même un gâte-papier peut devenir célèbre.*

gendelettre nom masculin
[contraction de *gens de lettres*].
Homme de lettres, dans un sens ironique. *Un jour Dumas passait ; les divers gendelettres/Devant son gousset plein s'inclinaient à deux mètres.* (Th. de BANVILLE)

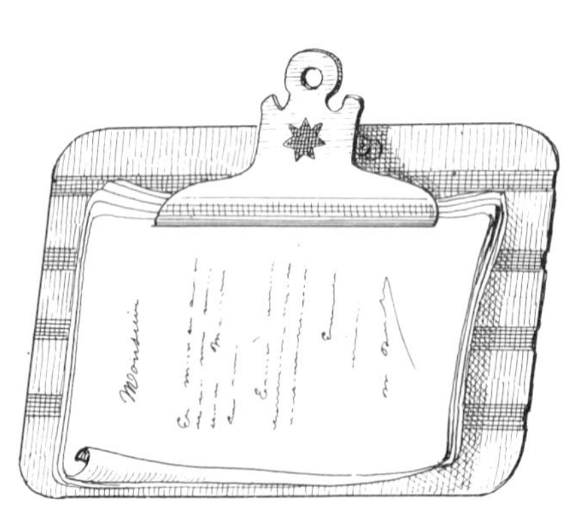

gendelettrerie nom féminin
Ensemble des gens de lettres. Qualité, profession d'homme de lettres. *La gendelettrerie mène à tout.*

girie nom féminin
[contraction de *gillerie,* de *Gilles le Niais,* bateleur du XVIIe s.].
Plainte hypocrite, jérémiade ridicule. *Faire des giries. Quelle girie !* Langage ou maintien affecté. *Ses giries ne sont guère appréciées.*

glossographe nom masculin et adjectif
[du grec *glôssa,* langue, et *graphein,* écrire].
Celui qui recueille et explique les mots anciens ou obscurs d'une langue. *Un écrivain glossographe.*

godan, godant nom masculin
[sans doute de *god,* cri d'appel adressé à des animaux].
Conte, tromperie. *C'était bien certainement à eux à qui je devais cet inepte et hardi godant qu'ils avaient donné à monseigneur.* (SAINT-SIMON) - *Donner dans le godant :* se laisser abuser. *Je ne donne pas dans de semblables godants.* (H. de BALZAC)

HAPPEUR.
Instrument pour assembler et maintenir réunies des notes, des lettres.

grandisonance nom féminin
[du latin *grandis,* grand, et *sonare,* parler d'une voix sonore].
Grandiloquence. *Raynal était amoureux de paroles et de grandisonance.* (JOUBERT)

hâbler verbe
Parler avec vantardise, avec exagération. *Au talent de hâbler il joint l'effronterie.* (Th. CORNEILLE)

hâblerie nom féminin
Discours plein de suffisance. *Sa hâblerie lui avait acquis quelque réputation.* (FURETIÈRE) *Les hâbleries des chasseurs sont parfois amusantes.*

hâbleur, euse nom masculin et féminin
Celui, celle qui se vante. *Cette grande hâbleuse a étourdi tout le monde de son caquet.* (SCARRON) *Tout voyageur est plus ou moins bavard, vaniteux et hâbleur.* (RIGAULT)

hâbleur, fanfaron :
« Hâbleur, qui ne dit rien sans exagérer, qui se plaît à débiter des mensonges. Fanfaron, qui se vante, qui exagère tout ce qui est dans les intérêts de son amour-propre et surtout de sa bravoure vraie ou fausse. » (LITTRÉ)

se harpigner, se harpiller verbe
[de *harper*].
S'attaquer avec des propos piquants. *La comtesse et elle se harpignèrent ; les autres ne dirent rien.* (TALLEMANT des RÉAUX)

historier verbe
[de *histoire,* pour le sens de raconter ; quant à celui d'enjoliver un livre, il vient de ce que *histoire* a eu le sens de tableau, dessin, représentation].
Décrire, raconter. *Sans historier le tout par le menu...* (RÉGNIER) Enjoliver de divers petits ornements. *Historier un lambris trop nu.*
- *Historier un récit :* l'enjoliver de détails faux.

HARMONIFLÛTE.

historiette nom féminin
Récit d'une aventure plaisante ou d'un fait de peu d'importance. *C'est grand signe que je vieillis, puisque je suis conteur d'historiettes.* (BOUHOURS)

imager verbe
Orner d'images. Remplir de figures, de métaphores. *L'argot a la propriété d'imager le langage.* (NODIER)

impétrer verbe
[du latin *impetrare,* accorder]. Obtenir à la suite d'une supplique, d'une requête. *Sainte Vierge, impétrez-moi la charité, qui est mère de la paix, qui adoucit, tempère et réconcilie les esprits.* (BOSSUET)

improvisade nom féminin
Œuvre d'improvisation. *Quant aux farces que Molière jouait sur-le-champ pendant qu'il courait les provinces, l'on sait assez que ces sortes de farces n'étaient que des improvisades à la manière des Italiens, qui ne pouvaient divertir que par le jeu du théâtre.* (J.-B. ROUSSEAU)

à l'improvisade locution adverbiale
En improvisant. *Il ne veut pas faire ce travail à l'improvisade.*

incidenter verbe
Chicaner, faire des objections peu importantes. *Deviez-vous incidenter sur des choses si communes ?* (VOLTAIRE)

insolenter verbe
Traiter avec insolence. *Madame la duchesse se sentit soulagée d'avoir au moins insolenté sa sœur.* (SAINT-SIMON)

jaboter verbe
[de *jabot*].
Parler beaucoup, d'une voix peu élevée et de choses peu intéressantes. *Entendez-vous comme ces jeunes filles jabotent ?*

HARMONINO.
Instrument de musique de la famille des harmonicas.

jactance nom féminin
[du latin *jactancia,* de *jactare,* jeter, vanter].
Hardiesse à se vanter, à se faire valoir. *Parler avec jactance.* *Calvin a tant loué la sainte jactance et la magnanimité de Luther, qu'il était malaisé qu'il ne l'imitât.* (BOSSUET)

jactancieux, euse adjectif
[néologisme proposé par L.-S. Mercier].
Qui a de la jactance. *La jeunesse est jactancieuse.*

se jacter verbe
Se vanter. *Elle n'arrête pas de se jacter.*

jacteur nom masculin
Bavard. *Tous ces jacteurs sont fatigants.*

janotisme, jeannotisme nom masculin
[de *Jeannot,* surnom donné aux farceurs faisant parade dans les foires].
Construction vicieuse de la phrase qui donne lieu à des amphibologies ridicules.
Exemple : *Aller chercher une oie chez le traiteur qu'on a fait cuire.*

jober verbe
[du nom de *Job,* qui fut raillé par sa femme].
Railler, moquer. *Si tu jobes ton voisin, il te le rendra bien.*

journaleux nom masculin
Rédacteur d'un journal insignifiant, mauvais journaliste. *Les journaleux nuisent à la presse.*

LAMINOIR à **papier.**

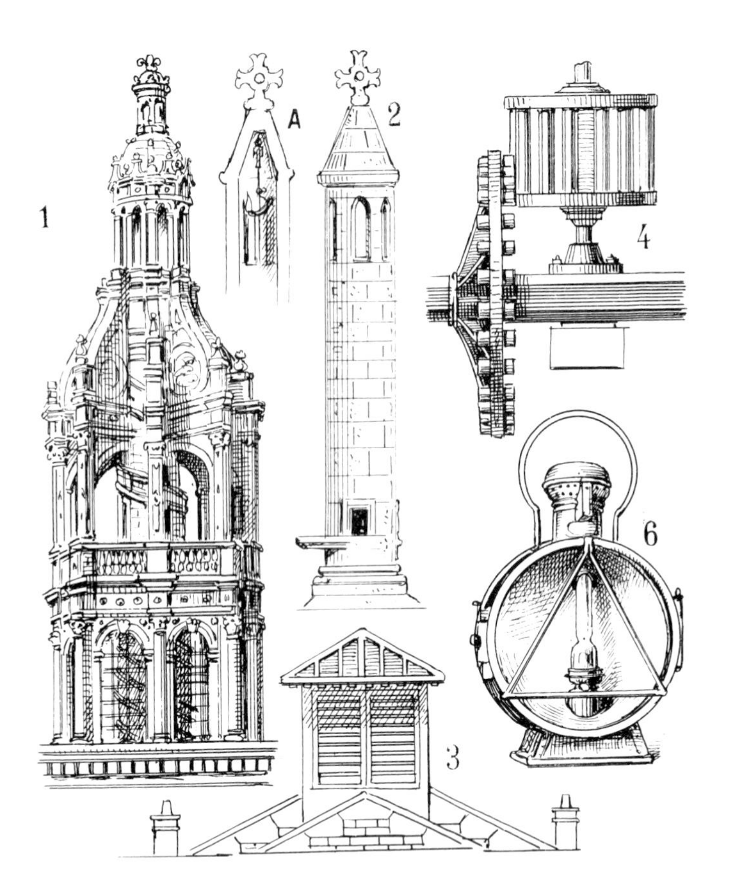

Lanternes.
1. Du château de Chambord.
2. Des morts (XIIIe s.).
A. Coupe.
3. Du marché.
4. Engrenage.
5. Applique.
6. De locomotive.
7. De charrette.

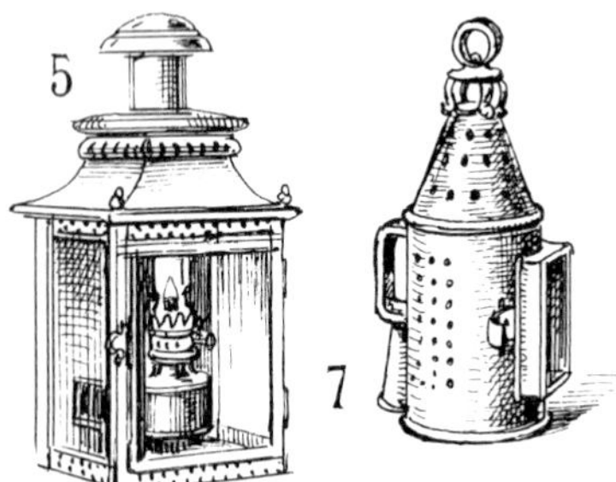

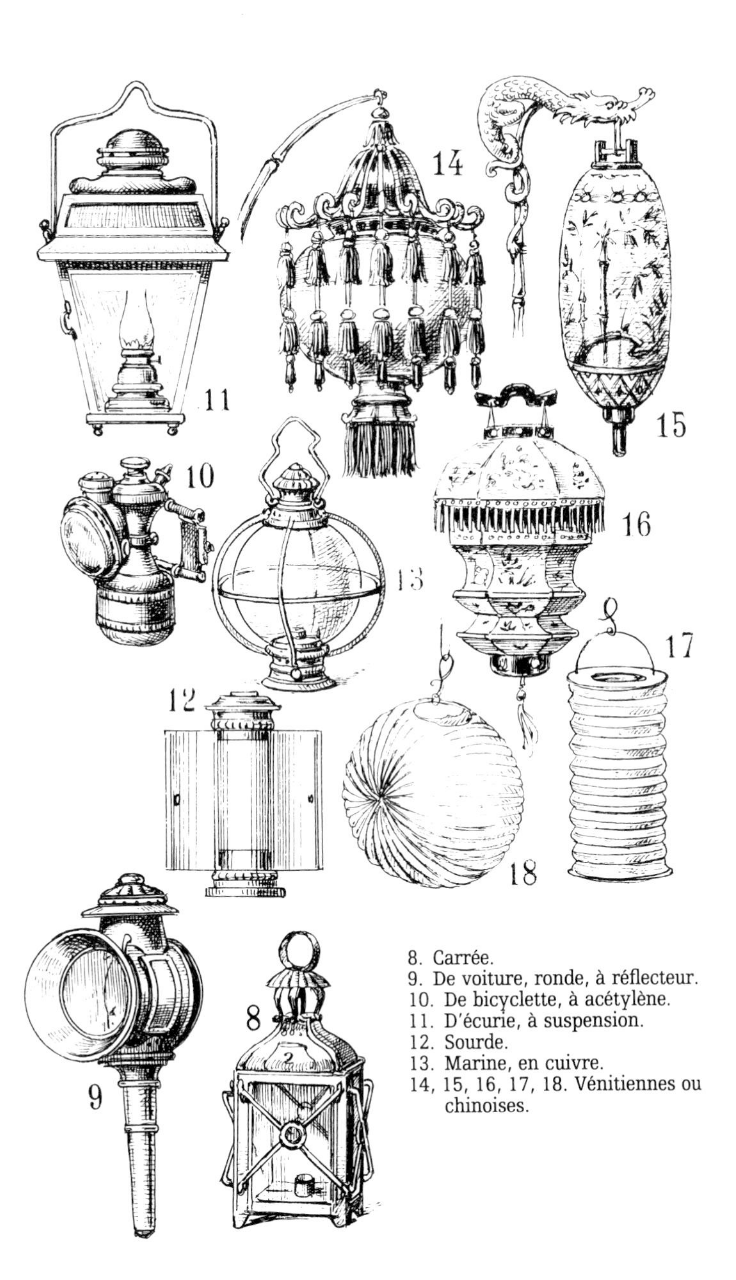

8. Carrée.
9. De voiture, ronde, à réflecteur.
10. De bicyclette, à acétylène.
11. D'écurie, à suspension.
12. Sourde.
13. Marine, en cuivre.
14, 15, 16, 17, 18. Vénitiennes ou chinoises.

journaliser verbe
Écrire dans les journaux, faire un journal. *Il voulait journaliser, écrire des livres et voyager.*

jouter verbe
[du latin *juxtare,* être attenant, toucher à].
Lutter contre, disputer. *Milton a jouté avec le Tasse avec des armes inégales.* (VOLTAIRE)

jouteur nom masculin
Celui qui joute contre quelqu'un. *Quand j'eus le malheur de vouloir parler au public, je sentis le besoin d'apprendre à écrire, et j'osai m'essayer sur Tacite... Un si rude jouteur m'a bientôt lassé.* (J.-J. ROUSSEAU)

languard, arde adjectif
Qui a de la langue, qui parle beaucoup, qui dit du mal. *Notre voisine est languarde et méchante.* (LA FONTAINE)

langueyer verbe
Causer avec, faire parler. *Cela a quatorze ou quinze ans ; je l'ai un peu langueyée ; demain elle viendra chez moi.* (SAINT-SIMON)

lantiponnage nom masculin
Action de lantiponner. *Que de lantiponnage !* (MOLIÈRE)

lantiponner verbe
[de *lent,* croisé avec *lanterner*].
Tenir des discours frivoles, inutiles et importuns. *Hé, tétigué ! ne lantiponnez pas davantage, et confessez à la Franquette que vous êtes médecin.* (MOLIÈRE)

LÉONTINE (chaîne).

LECTRIN (XVe s.).

liseur, euse nom masculin et féminin
Celui, celle qui a l'habitude de lire beaucoup. *C'est une liseuse ; elle sait un peu de tout.* (Mme de SÉVIGNÉ)

littératurier, ière nom masculin et féminin
Mauvais écrivain. *Le littératurier efface le littérateur.* (E. TEXIER)

littéromanie nom féminin
Manie d'écrire. *La littéromanie fait des progrès effrayants.*

livrier nom masculin
Celui qui fait des livres par métier. *Mercier, le plus grand livrier de France, comme il s'appelait.* (CHUQUET) Mauvais faiseur de livres. *J'ai fait des livres, il est vrai, mais jamais je ne fus un livrier.* (J.-J. ROUSSEAU) Adjectivement. Qui appartient aux mauvais écrivains. *Un style livrier, qui sent le papier et non le monde.* (JOUBERT)

logomachie nom féminin.
[du grec *logos,* discours, et *machê,* combat].
Dispute sur des mots. *Rien n'a plus retardé le progrès des sciences que la logomachie, et cette création de mots nouveaux à demi techniques, à demi métaphysiques, et qui, dès lors, ne représentent nettement ni l'effet ni la cause.* (BUFFON) *La philosophie n'est souvent qu'une logomachie.* (PROUDHON)

logomachique adjectif
Qui relève de la logomachie. *Un style logomachique.*

logophile adjectif
[du grec *logos,* discours, et *philos,* ami].
Qui aime à parler. *Il a la passion des mots ; c'est un logophile.*

loueur, euse nom masculin et féminin
Personne qui donne des éloges, qui aime à les donner. *Rien n'est plus tuant que ces loueurs de profession.* (SAINT-ÉVREMONT)

maronner verbe
[signifie « miauler », en normand ; origine onomatopéique désignant le murmure, comme le verbe *marmonner,* ou l'allemand *murren*].
Exprimer sa colère en marmonnant. *Cette bizarrerie avait achalandé sa boutique et lui amenait des jeunes gens se disant : Viens donc voir maronner le père Hucheloup.* (HUGO) Dire en maronnant. *Elle l'entendit maronner des injures.*

LISEUR à miroir.

métaphysiquer verbe
Parler, écrire sur un sujet d'une manière métaphysique, trop abstraite. *Le littérateur politique, le politique métaphysique.* (GRIMM)
Pratiquons la philosophie et métaphysiquons moins. (FRÉDÉRIC II)

métromanie nom féminin
[du grec *metron,* mesure, et *mania,* fureur ; *la Métromanie,* comédie de Piron].
Manie de faire des vers. *Mordu du chien de la métromanie/Le mal me prit, je fus auteur aussi.* (VOLTAIRE)

mieux-disant nom masculin et adjectif
Celui qui parle le mieux. *Me laisserai-je éternellement ballotter par les sophismes des mieux-disants ?* (J.-J. ROUSSEAU)

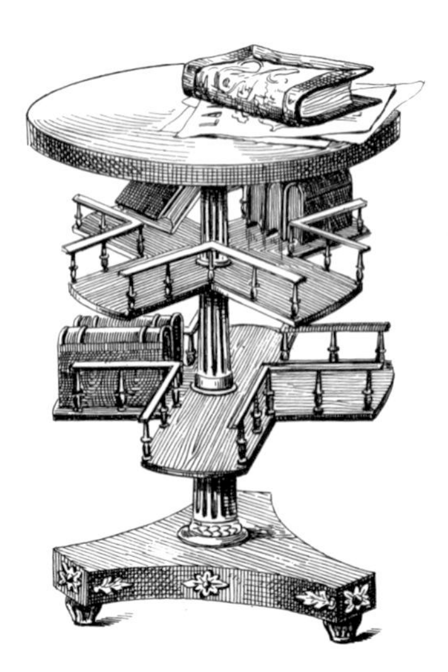

misologie nom féminin
[du grec *miseîn,* haïr, et *logos,* discours, pensée].
Haine de la raison ou du raisonnement. *Cette misologie a la même cause que la misanthropie.* (COUSIN)

misologue nom masculin
Ennemi de la raison. *Prenons bien garde, dit Socrate, d'être des misologues.* (COUSIN)

mordicant, ante adjectif
Qui aime à mordre, à railler. *Les pinces mordicantes de l'esprit de Chamfort.* (HÉRAULT de SÉCHELLES)

narré nom masculin
Discours par lequel on rapporte quelque chose.
Tel est le narré fidèle de ma demeure à l'hermitage et des raisons qui m'en ont fait sortir. (J.-J. ROUSSEAU)

nasarde nom féminin
Chiquenaude sur le nez. *Ce qu'il vient de faire mériterait cent nasardes.* (DESTOUCHES)
- *Donner des nasardes, nasarder :* se moquer avec des marques de mépris. *Votre indignation, mon cher philosophe, est des plus plaisantes ; j'aime vous voir rire au nez des polichinelles, à qui vous donnez tant de nasardes.* (VOLTAIRE)

LISEUSE.

outrageant, ante adjectif
Qui outrage, en parlant des choses. *Souvenez-vous mes frères, des outrageantes paroles dont a usé M. Jurieu, en m'appelant déclamateur, calomniateur.* (BOSSUET)

outrageant, outrageux
« En raison de la finale, outrageant a rapport particulièrement à l'action, et outrageux à la nature de la chose. Des paroles outrageantes outragent actuellement ; des paroles outrageuses sont de la nature de l'outrage. En outre, outrageux se dit à la fois des personnes et des choses ; outrageant ne se dit que des choses. » (LITTRÉ)

pantouflerie nom féminin
Conversation familière, intime, sans prétention. Raisonnement de pantoufle. *Vous êtes désaccoutumée de philosopher, ma bonne, mais non pas de raisonner ; il y a des philosophes dont la pantouflerie ne vous déplairait pas.* (Mme de SÉVIGNÉ)

paperasser verbe
Remuer, feuilleter des paperasses. *Paperassez à votre aise ; vous me rendrez ces papiers à votre grand loisir.* (Mme de MAINTENON) Faire des écritures inutiles. *Cet avoué aime à paperasser.*

papilloté, ée participe passé [de *papillon*].
Garni de papillotes. Qui fatigue par l'abus des expressions brillantes. *Un certain jargon papilloté qui a de faux brillants.* (J.-J. ROUSSEAU)

LIVRE feint.

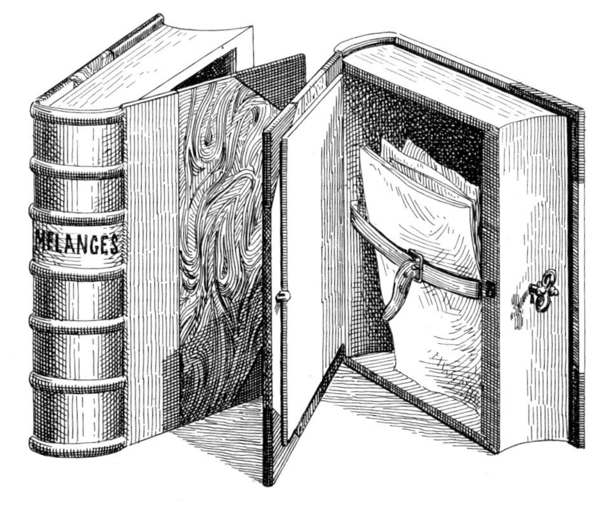

paradoxer verbe
Faire des paradoxes. *Au milieu de l'atonie générale de la foule et de la critique, on aimerait à paradoxer un peu, à chercher des nouveautés, à pêcher en eau trouble.* (BÜRGER)

parlage nom masculin
Verbiage, abondance de paroles inutiles ou dépourvues de sens. Discours trompeur. *Se laisser prendre à un parlage mielleux.*

parlerie nom féminin
Babil fatigant. *Francisque Taverna, ambassadeur du duc de Milan, homme très fameux en science de parlerie.* (MONTAIGNE)

parlier, ière adjectif
Qui parle trop. *Vos pièces ont du mouvement et de l'intérêt ; et, ce qui vaut bien cela, de la philosophie, non pas de la philosophie froide et parlière, mais de la philosophie en action.* (d'ALEMBERT, à Voltaire)
Qui se dit en paroles. *Je hais toute sorte de tyrannie, et la parlière et l'effectuelle.* (MONTAIGNE)

pasquille nom féminin
[de l'italien *pasquillo,* brocard].
Plaisanterie grossière, insultante. *Personne ne peut supporter ses pasquilles continuelles.*

pasquin nom masculin
[de *Pasquin,* nom d'une statue mutilée, à Rome, à laquelle on attachait des satires et des railleries, en vers ou en prose.].
Méchant diseur de bons mots. *Faire le pasquin.*

pasquinade nom féminin
Placard satirique. Raillerie bouffonne, triviale. *Je croyais être venu ici pour discuter des intérêts sérieux, et non pour écouter des pasquinades d'écolier.* (Ch. de BERNARD)

pasquiner verbe
Diriger contre quelqu'un ou quelque chose des pasquins, des plaisanteries. *Nous pasquinerons leurs malices.* (CORNEILLE)

patarafe nom féminin
[corruption probable de *parafe*].
Assemblage de traits informes, de lettres confuses et mal formées. *Excusez mes patarafes et mes ratures.* (BOILEAU)

patenôtre nom féminin
[de *Pater Noster*].
Se dit des premières prières qu'on apprend aux enfants, et surtout du *Pater.* Vaines paroles sans cesse répétées. *Il marmotte toujours certaines patenôtres/Où je ne comprends rien.* (RACINE)

patrociner verbe
[du latin *patrocinari,* patronner, protéger].
Parler longuement, jusqu'à l'importunité. *Prêchez, patrocinez jusqu'à la Pentecôte/Vous serez ébahi, quand vous serez au bout/Que vous ne m'aurez rien persuadé du tout.* (MOLIÈRE)

peccavi nom masculin
[du latin *peccavi,* j'ai péché].
Se dit de tout aveu qui coûte. *Là, je dis hautement mon peccavi, m'avouant humblement ou fièrement l'auteur de la pièce.* (J.-J. ROUSSEAU)

pétoffe nom féminin
[du provençal *petofias,* sornettes ; mot forgé par Mme de Sévigné].
Affaire ridicule, querelle futile. *Votre santé, votre famille, vos moindres actions, vos sentiments, vos pétoffes de Lambesc, c'est là ce qui me touche.* (Mme de SÉVIGNÉ)

LIVREUSE.

phrasier, ière nom et adjectif
Faiseur de phrases, parleur affecté. *La du Rocher était plus phrasière que jamais.* (Mme de GENLIS) Écrivain verbeux, sonore et vide. *Ces contes ne sont bons que pour être commentés par ce phrasier d'Houteville.* (VOLTAIRE)

picoter verbe
Attaquer souvent par des traits malins. *Je n'ai point l'intention de vous picoter.* (Mme du DEFFAND)

picoterie nom féminin
Paroles dites dans l'intention de picoter. *Cette conversation entre deux femmes, leurs petites picoteries, n'élèvent l'âme du spectateur ni ne la remuent.* (VOLTAIRE)

plumitif nom masculin
Employé aux écritures, commis de bureau. Adjectivement. Mauvais écrivain. *La canaille plumitive...* (BEAUMARCHAIS)

pointille nom féminin
Contestation, dispute sur un sujet fort léger. *Il y a autant de faiblesse que d'impudence à sacrifier les grands et solides intérêts à des pointilles de gloire.* (RETZ)

pointiller verbe
Piquer par des railleries. *Il ne lui laisse aucun repos et la pointille sur tout ce qu'elle dit.* Disputer sur des riens. *Je ne sais pourquoi aussi, parlant des ministres huguenots, il s'est amusé à pointiller sur leur nom.* (G. de BALZAC)

se pointiller verbe
Se quereller sur des riens. *Ils ne font que se pointiller.*

poissard, arde adjectif
[de *poix ;* le mot poissard signifiait voleur au XVIe s.]. Qui imite le langage et les mœurs du plus bas peuple. *Un style poissard, une chanson poissarde. Le genre appelé poissard, qui immortalisa le nom de Vadé.* (d'ALEMBERT)

politicomanie nom féminin
Défaut de ceux qui s'occupent à l'excès de politique. *La politicomanie est vite insupportable.*

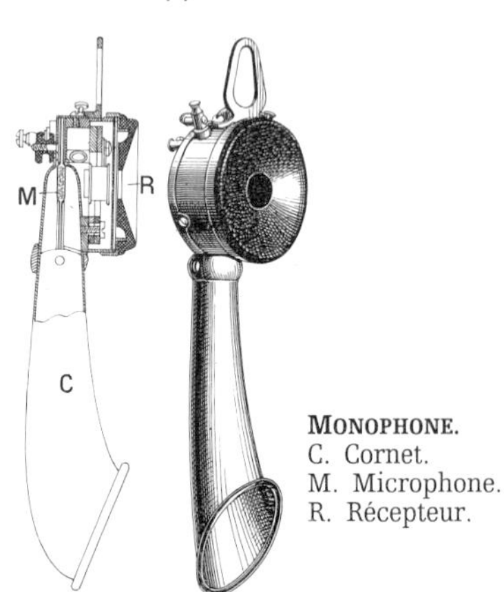

Monophone.
C. Cornet.
M. Microphone.
R. Récepteur.

politiquant, ante adjectif
Qui raisonne sur les affaires politiques. *Il est bien inutile de leur donner* [aux Arabes] *notre manie raisonneuse et politiquante.* (Journal officiel, 1er mai 1875)

politiquer verbe
Se mêler de raisonner sur les affaires publiques. *Je reviens de chez Mme de La Fayette ; on a fort politiqué.* (Mme de SÉVIGNÉ)

politiquerie nom féminin
Manie des gens qui parlent politique sans s'y connaître. *La politiquerie est un vice bien français.*

pourparleur nom masculin
Celui qui est chargé d'une négociation, d'un pourparler. *Pour arranger cette affaire, il faut un pourpaleur.*

proser verbe
Mettre en prose. *Car s'ils font quelque chose/C'est proser de la rime et rimer de la prose.* (RÉGNIER)

rabâcherie nom féminin
Discours, écrits ennuyeux et qui se répètent. *Le sujet était fait exprès pour lui* [Voltaire], *et prêtait à mille rabâcheries, dont on ne se lasse pas de sa part.* (GRIMM)

rabâcheur, euse nom et adjectif
Celui, celle qui rabâche. *On n'ose parler de patrie et de vertu sans passer pour rabâcheur.* (J.-J. ROUSSEAU)

racontage nom masculin
Bavardage ; petits contes faits à plaisir ; petites médisances. *Certains journaux ne vivent que par les racontages.*

ragoter verbe
[de l'ancien français *ragot,* sanglier].
Murmurer souvent et sans sujet contre quelqu'un. *Elle est fort avare, lui est prodigue ; elle l'appelle panier percé et le ragote sans cesse sur sa dépense.* (TALLEMANT des RÉAUX)

PAPETERIE.

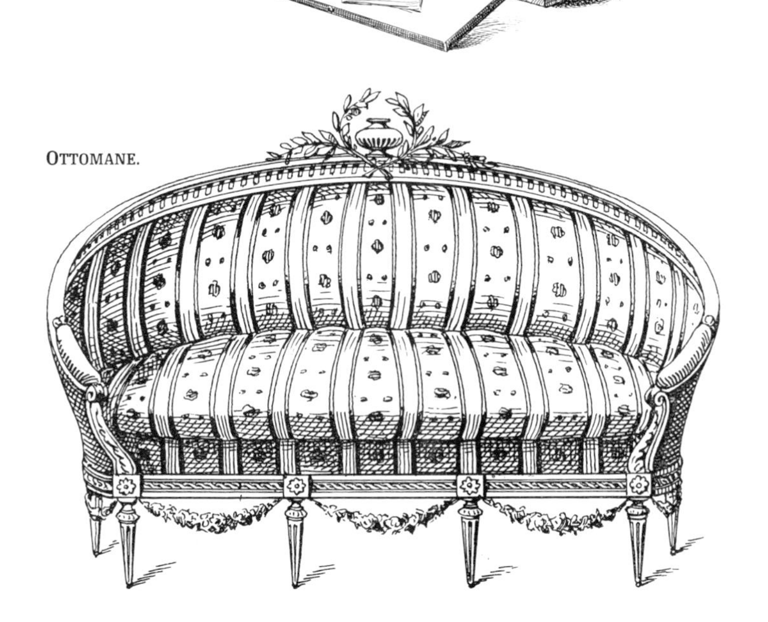

OTTOMANE.

raisonnaillerie nom féminin
Abus du raisonnement. *Le raisonnement se distingue mieux de la raisonnaillerie, que le sentiment ne se distingue de la fantaisie.* (NICOLE)

rebéquer, se rebéquer verbe
[de *bec*].
Répondre et tenir tête à un supérieur. *Sa fatuité se rebéquait à l'écart en insolence, mais ménagée avec art, quand il n'était pas content des gens.* (SAINT-SIMON)

rebuffade nom féminin
[de l'ancien français *rebuffe,* même sens, lui-même de l'italien *rebuffare,* déranger].
Refus accompagné de paroles dures. *Essuyer des rebuffades. La cabale se mit à répandre doucement le conseil de Chamillart à Monseigneur le duc de Bourgogne, et la rebuffade du roi à Mme la duchesse de Bourgogne.* (SAINT-SIMON)

recorder verbe
[du latin *recordari,* se souvenir].
Répéter une chose que l'on a apprise par cœur pour mieux se la rappeler. - *Recorder son rôle, recorder sa leçon :* se bien remettre en l'esprit ce qu'on doit dire ou faire. *Moi je recorderai la leçon du bosquet de Clarens.* (J.-J. ROUSSEAU)
- *Recorder quelqu'un :* lui remettre en l'esprit. *Il se mit en devoir de lui recorder son rendez-vous.*

se recorder verbe
Se rappeler ce qu'on a à dire ou à faire. *Il faut bravement nous recorder : ne faisons point comme ces acteurs qui ne jouent jamais si mal que le jour où la critique est le plus éveillée.* (BEAUMARCHAIS)
Se concerter avec quelqu'un. *Avant de rien entreprendre, il faut bien nous recorder.*

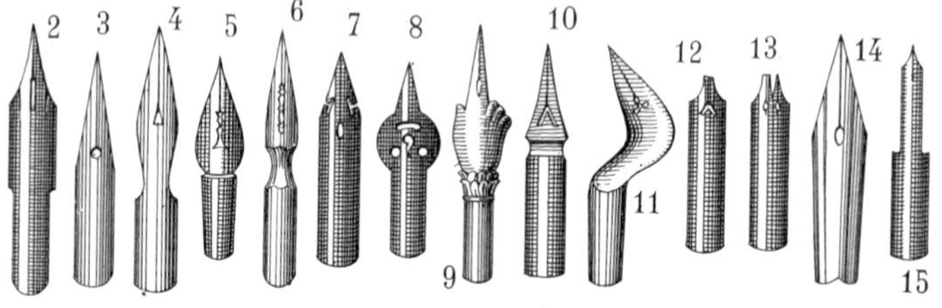

Plumes.
2. Comptable.
3. À bec de corbeau.
4. et 5. Lance.
6. Sergent-major.
7. Française.
8. Tête de mort.
9. À main.
10. Triangulaire.
11. Oblique.
12. De ronde.
13. À deux becs.
14. En or, à bec d'iridium.
15. De lithographe.

rediseur, euse nom masculin et féminin
Celui, celle qui répète souvent les mêmes choses. *Les rediseurs sont des sots qui prennent ceux qui les écoutent pour des sots.* (DIDEROT) Celui qui répète par indiscrétion ou par malignité. *Si vous prenez le parti de vous éclaircir avec l'archevêque... vous videriez bien des affaires en peu de temps, ou vous feriez taire les rediseurs.* (Mme de SÉVIGNÉ)

rhapsodage nom masculin
Action de rhapsoder. *Il vous en coûtera des manches neuves ; ce serait un rhapsodage que les allongements des épaulettes.* (Mme de SÉVIGNÉ)

rhapsoder verbe
[du grec *rapthein,* coudre, et *ôdé,* chant].
Mal raccommoder, mal arranger (au sens figuré aussi). *Quand on gâte ses affaires, on passe le reste de sa vie à les rhapsoder.* (Mme de SÉVIGNÉ)

rhapsodie nom féminin
Chez les anciens, morceaux détachés des poésies d'Homère que les rhapsodes chantaient. Ramas de mauvais vers, de mauvaises proses. *Ne laissez pas de m'envoyer les rhapsodies du jour ; elles amusent parce qu'elles sont nouvelles.* (VOLTAIRE)

rhapsodieur nom masculin
Celui qui rhapsode. *Cet impertinent rhapsodieur n'a pas moins de malice que d'impertinence.* (G. de BALZAC)

rhapsodique adjectif
Qui a le caractère d'une rhapsodie. *Une compilation rhapsodique.*

rhapsodiste nom masculin
Auteur de rhapsodies. *Ce n'est qu'un rhapsodiste maladroit.*

rimaille nom féminin
Poésie, vers de peu de valeur. *Voilà de la rimaille qui m'a échappé.* (VOLTAIRE)

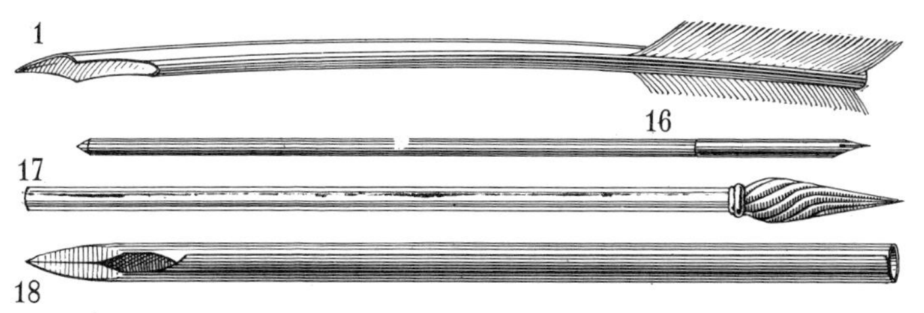

1. D'oie
16. À dessin.
17. En verre.
18. En celluloïd.

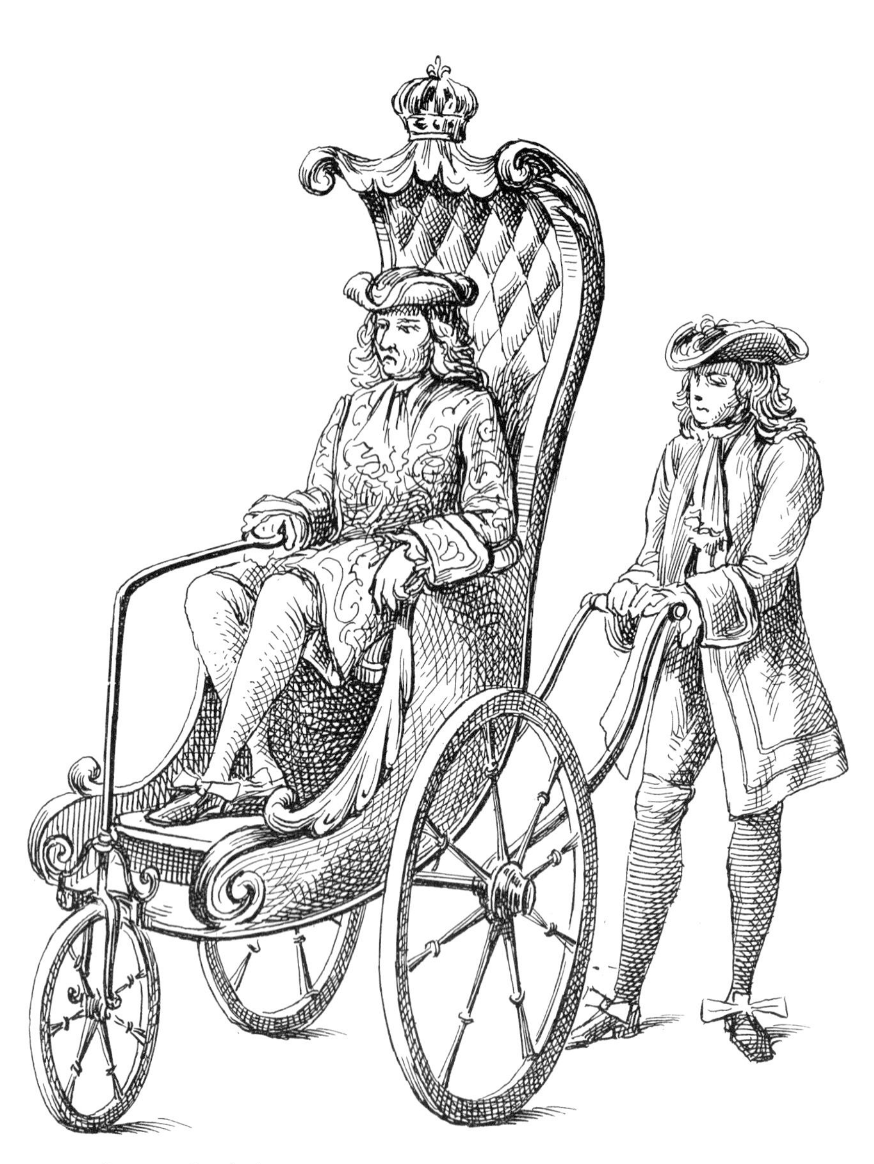

Roulette (XVIIe s.).

rimailler verbe
Faire de mauvais vers. *A demain, maître fou ! si jamais tu rimailles/Ce ne sera, morbleu qu'entre quatre murailles.* (PIRON)

rimaillerie nom féminin
Mauvaise poésie. *Il ne sait écrire que de la rimaillerie.*

rimailleur nom masculin
Personne qui rimaille. *Tel se croit poète, qui n'est qu'un rimailleur.*

rocambole nom féminin
[de l'allemand *Rockenbolle,* ail]. Plaisanterie usée, objet futile, sans valeur. *Mais ta loi sociale est une rocambole.* (Th. de BANVILLE) Ce qu'il y a de piquant dans une chose. *À tout péché la loi qui l'interdit/Est un attrait, est une rocambole.* (Abbé du CERCEAU)

rogaton nom masculin
[du latin *rogatum,* demande]. S'est dit par plaisanterie pour requête, supplication. *Scarron a fait quelques rogatons en vers.* Par extension, en termes de littérature, petit ouvrage de rebut. *Lorsqu'à Pluton le messager Mercure/Eut apporté le Banquet de Platon/Il fit venir le maître d'Épicure/Et lui dit : tiens, lis-moi ce rogaton.* (J.-B. ROUSSEAU) Bruits de la ville, nouvelles du jour, de peu d'importance. *Vous savez comme j'aime à ramasser des rogatons pour vous divertir.* (Mme de SÉVIGNÉ) Petites choses bonnes à manger. *Te voilà ravi d'emplir tes poches de cédrat, de pistaches et d'autres rogatons, dont tu farcis la pauvre fille, malgré qu'elle en ait.* (HAMILTON)

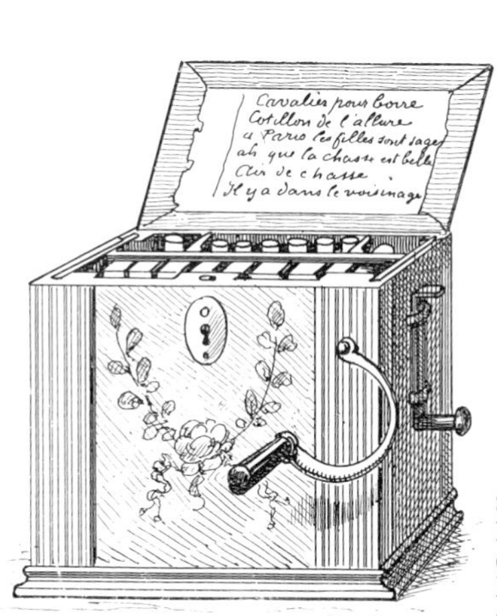

SERINETTE.
Petite orgue mécanique qui sert à instruire les serins et d'autres oiseaux.

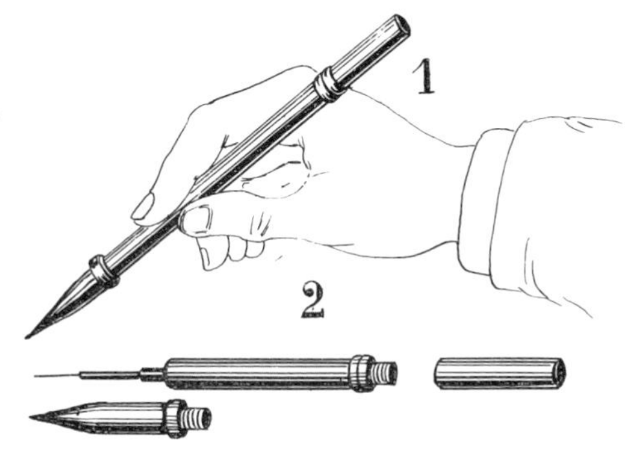

1. **STYLOGRAPHE.**
2. Démonté.

rognonner verbe
[de *rogne*].
Gronder, grommeler entre ses dents. *M. de Monaco y était ardent, sauf ses parties et sa bourse, encore payait-il bien en rognonnant.* (SAINT-SIMON)

rogneux, euse nom et adjectif
Qui a la rogne. *Une bête rogneuse, un esprit rogneux.*

romancerie nom féminin
Les romans, la littérature des romans. *L'Arioste emprunta à la romancerie française les enchantements et les prophéties de Merlin.* (CHÉNIER)

romancine nom féminin
[de *romance,* pris dans un sens détourné].
Plainte. *Boufflers étant sur la fin de sa romancine, Chamillart ajouta qu'il n'y avait pas un seul régiment de payé.* (SAINT-SIMON)
Réprimande. *Quels diables d'anges ! Je reçois le paquet avec une romancine ; vraiment, comme on me lave la tête !* (VOLTAIRE)

schibboleth nom masculin
[repris d'un passage biblique où les gens de Galaad, en guerre avec ceux d'Ephraïm, reconnaissaient les fuyards en leur demandant de prononcer le mot *schibboleth,* « épi », car ces derniers n'arrivaient pas à le prononcer autrement que *sibb*...].
Difficulté ou épreuve insurmontable qui doit décider sans réplique de la capacité ou de l'incapacité d'une personne. Langage ou manières qui appartiennent à des groupes exclusifs, et qui désignent ceux qui en sont et excluent ceux qui n'en sont pas. *Le duc d'Hérouville, poli comme un grand seigneur avec tout le monde, eut pour le comte de la Palférine ce salut particulier qui, sans accuser l'estime ou l'intimité, dit à tout le monde : « Nous sommes de la même famille, de la même race, nous nous valons ! » Ce salut, ce schibboleth de l'aristocratie, a été créé pour le désespoir des gens d'esprit de la haute bourgeoisie.* (H. de BALZAC)

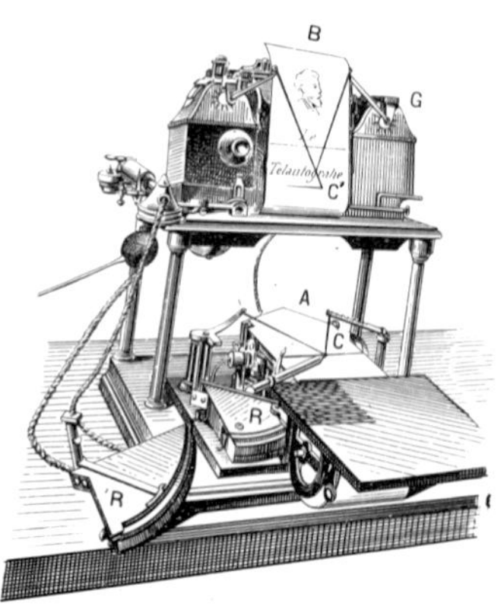

TÉLAUTOGRAPHE.
Appareil permettant de transmettre à distance l'écriture et le dessin.

secouade nom féminin
Réprimande, paroles vives. *M. de la Force, qui craignait les secouades du maréchal de Tallard...* (SAINT-SIMON)

signifiance nom féminin
Indice, marque. *Je veux vous bailler ici quelque petite signifiance de ce que j'ai remarqué de la littérature actuelle.* (P.-L. COURIER)

tancer verbe
[du latin populaire *tentiare,* tendre, faire effort, puis quereller].
Réprimander. *Ciel ! comme elle a tancé ma hardiesse.* (VOLTAIRE)

se tancer verbe
Se faire des reproches à soi-même. *Ah ! sotte, répondais-je après en me tançant.* (RÉGNIER)

tortillage nom masculin
Façon tortueuse et embarrassée de s'exprimer. *Elle parle de la meilleure santé de Mme de La Fayette ; tout cela saucé dans mille douceurs, point tant de tortillages...* (Mme de SÉVIGNÉ) *Quelque chanson qui valait bien le tortillage moderne...* (J.-J. ROUSSEAU)
Échappatoire, détour. *Ces chanceliers cèdent à toutes les duchesses partout, même à brevet, jusqu'à aujourd'hui, et sans tortillage ni difficulté.* (SAINT-SIMON)

verbiager verbe
Employer beaucoup de paroles pour dire peu de choses. *Mme de Ventadour se met à verbiager, pour laisser à Madame le temps de respirer et de se remettre.* (SAINT-SIMON)

verbiageux, euse ou **verbiageur, euse** nom et adjectif
Qui fait des verbiages. *J'ai été beaucoup trop verbiageur.* (VOLTAIRE) *Il y a des endroits fort bons, mais ils sont noyés dans un océan d'éloquence verbiageuse.* (Mme du DEFFAND)

vespérie nom féminin
[du latin *vesper,* soir].
Réprimande. *Mme de Maintenon lui fit une forte vespérie, et lui fit voir que ce qu'elle croyait cacher était vu par toute la cour.* (SAINT-SIMON)

vespériser verbe
Réprimander. *Insensible à ses remords, son père l'a vespérisé.*

victimer verbe
Railler, persifler. *Il ne put s'empêcher de la victimer pendant toute une soirée.*

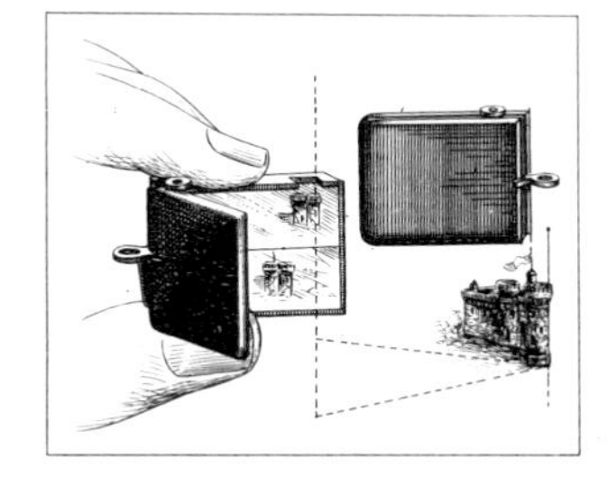

TÉLÉMÈTRE.

COULISSES

Il est plaisant de retrouver, dans les divers emplois du mot *coulisse* – théâtral, bien sûr, mais aussi mécanique, boursier, agricole (« coulisse : petit fossé couvert, dans les champs et les prés humides, pour faciliter l'écoulement des eaux ») – un mélange agréable de traits communs : la mobilité furtive, l'utilité secrète, le supplément nécessaire.

En somme, la coulisse d'un théâtre ou d'un tiroir, c'est ce qui permet à l'ensemble de fonctionner heureusement.

Les coulisses de ce livre rassemblent des mots qui trouvaient difficilement place dans les autres chapitres. Chaque fois que l'on établit un classement, des éléments résistent. Les grammaires, qui ont toujours constitué pour la langue la figure exemplaire d'un rappel à l'ordre, connaissent des problèmes de ce genre. Certains mots flottent à l'intérieur des catégories retenues, et leur indocilité provocante rappelle que tout classement comprime comme un corset.

La théorie est donc une violence provisoire : violence, parce qu'il faut forcer, provisoire, parce que la validité du geste ne vaudra que pour une durée incertaine.

Au mieux, une théorie est un mirage utile ; et la métaphore (celle du théâtre, ici) permet d'adoucir la rigidité du classement, en laissant du *jeu.*

En fait, et c'est ce que l'on pourrait leur reprocher, les grammaires sont toujours arrogantes. Elles avouent peu la difficulté de classer les mots (vivants et mobiles comme des anguilles, ils ne se laissent pas pêcher si facilement) et n'offrent aucun supplément pour accueillir l'excès de la langue : sa *vitalité.* Comme si la division se faisait sans reste. Nous aimerions pourtant trouver dans l'énumération des parties du discours un « jocker », une case vide réservée aux mots indésirables ailleurs.

Cette pièce, lieu d'interrogations et d'ouverture, serait la marque visible d'un embarras. Elle signalerait aussi qu'un travail de cette nature n'a de sens qu'inachevé.

Koyu, le religieux, dit : seule une personne de compréhension réduite désire arranger les choses en séries complètes. C'est l'incomplétude qui est désirable. En tout, mauvaise est la régularité.

Dans les palais d'autrefois, on laissait toujours un bâtiment inachevé, obligatoirement. (Yoshida No Kaneyoshi, XIVe s.)

*

* *

Les coulisses de *l'Obsolète* nous font rencontrer le vide et les petits riens, l'abîme et la frivolité.

Ce lieu sensible et intelligent rassemble les « bricoles » (*califourchons, brimborions, fanfreluches* et autres *frioleries*) qui rendent la vie possible, et permettent à la partie de se jouer.

On y trouve les cartes majeures de notre destin : le Temps, avec ses plis et ses replis, et toutes ces péripéties (*accroches* et *encombres*) qui, malgré notre attention à rester dans la mesure, à nous ajuster à ce qui arrive, mènent souvent au *farrago,* à la *malenchère,* à la *défortune...*

Il ne reste plus qu'à se ronger les sangs et à pester : *foin, prrr, tarare, zest !*

Les grammaires ne s'inquiètent guère de nos agacements ou de nos désarrois ; elles s'occupent rarement de ces petits mots (onomatopées, interjections) ou gros mots (jurons, insultes) qui sont comme autant de jets de vapeur, pétards ou confettis...

Émile Benveniste note, dans son bref article « *La blasphémie et l'euphémie* » : *Le juron appartient bien au langage, mais il constitue à lui seul une classe d'expressions typiques dont le linguiste ne sait que faire et qu'en général il renvoie au lexique ou à la phraséologie.*

Une fois de plus la littérature, seule, prend en compte le refoulé de la linguistique ; et avec Sganarelle ou le capitaine Haddock l'accent est mis au contraire sur ces débordements de la langue. De son côté, Jean Tardieu, sous la plume du Professeur Froeppel, a proposé un glossaire de tous les mots enfantins qui circulent parmi nous : *bibi, boum, badaboum...*

De tels mots indisposent sans doute parce qu'ils nous échappent : décharges émotives qui ruinent toutes les théories de la communication ! Toujours à propos du juron, Benveniste précise : *Il ne transmet aucun message, il n'ouvre pas de dialogue, il ne suscite pas de réponse, la présence d'un interlocuteur n'est même pas nécessaire. Il ne décrit pas davantage celui qui l'émet. Celui-ci se trahit plutôt qu'il ne se révèle.* Le juron, symbole extrême de l'écriture ?

Toutes ces espiègleries, par lesquelles affleurent nos affects, sont nécessaires. Ces mots transitionnels (comme on parle d'« objets transitionnels ») constituent des intermédiaires essentiels, ponctuation qui nous fait tenir et laisse la langue respirer.

Les nombreux jurons présents dans les pièces de Molière (*parquenne, testiguienne, jarni,* etc.) invitent à se demander où en est l'invention de ce côté. L'interdit, qui produit des incitations séduisantes, n'existe plus que mollement (ou alors il est si puissant qu'il échappe à notre conscience).

L'injure stagne, le juron est exsangue ; quant à l'onomatopée, elle s'est réfugiée dans le territoire bien délimité de la publicité et de la bande dessinée. Pas de mots *déplacés* dans notre parole !

Inventons des règles et des interdits, pour le plaisir de les transgresser. Toutefois, le libertin n'étant pas un adepte du « n'importe-quoi » et du « laisser-aller », la transgression ne peut être atteinte sans une connaissance déliée de ces lois. Le désir de la langue est aussi à ce prix.

acabit nom masculin
[du provençal *acabir,* se procurer].
Qualité bonne ou mauvaise des choses. *Ces fruits sont de bon acabit.* En parlant des personnes : *Ce sont des gens de même acabit. Vous ne le corrigerez pas, tel est son acabit.* (Académie)

à cause que locution conjonctive
Parce que. *On n'est pas entendu à cause que l'on s'entend soi-même.* (LA BRUYÈRE) *Ils ne découvrent pas la lumière à cause qu'ils détournent les yeux.* (BOSSUET) *Il est rare que les géomètres soient fins et que les esprits fins soient géomètres, à cause que les géomètres veulent traiter géométriquement les choses fines.* (PASCAL)
« Des grammairiens ont voulu bannir la locution conjonctive *à cause que ;* elle doit être conservée, étant appuyée par de bons auteurs, et, dans certains cas, d'un emploi préférable à *parce que.* » (LITTRÉ)

accroche nom féminin
Difficulté, embarras, retardement qui arrivent en quelque affaire. *Gare aux accroches ! M. le chancelier peut venir à Lyon pour éviter toutes les accroches qui arriveront s'il n'y est point.* (RICHELIEU) On dit aussi *accrochement.*

affiquet nom masculin
Petit objet d'ajustement. *Mme de Montauban était bossue, pleine de blanc, de rouge et de filets bleus, de parures et d'affiquets.* (SAINT-SIMON) *Ces femmes jolies/Qui par les affiquets se rendent embellies.* (RÉGNIER) Ce mot s'emploie presque toujours au pluriel.

ahan nom masculin
Grand effort, tel que celui que fait un homme qui fend du bois ou soulève un fardeau pesant. *Avec autant d'ahan que s'il lui eût coûté la vie.* (CHAPELAIN) - *Suer d'ahan :* faire une chose très pénible.
« Ce mot populaire, très usité jadis, est tombé en désuétude. Pourtant il serait bon de faire des efforts pour le conserver ; car il est expressif et a des liaisons avec toutes les langues romanes. (LITTRÉ)

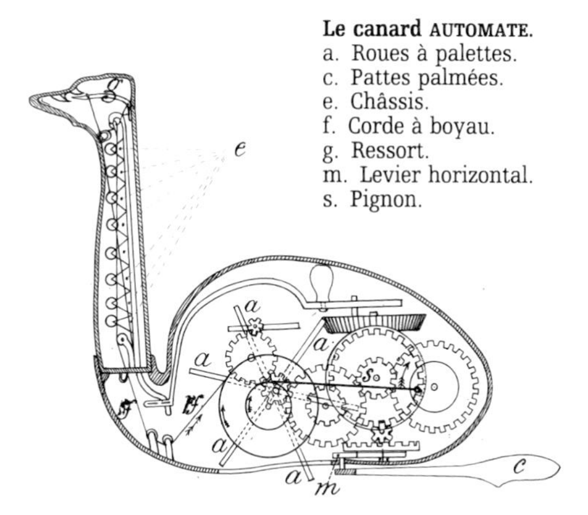

Le canard AUTOMATE.
a. Roues à palettes.
c. Pattes palmées.
e. Châssis.
f. Corde à boyau.
g. Ressort.
m. Levier horizontal.
s. Pignon.

ahaner verbe
Éprouver une grande fatigue en faisant quelque chose. *Je sais combien ahane mon âme en compagnie d'un corps si tendre.* (MONTAIGNE)

ahi interjection
Exprime le sentiment d'une vive douleur. *Ahi ! ahi ! ahi ! Vous ne m'avez pas dit que les coups en seraient.* (MOLIÈRE)

amusoire ou **amusette**
nom féminin
Moyen d'amuser, de distraire. *Cela n'est pas sérieux ; ce n'est qu'une amusoire. D'Avaux, notre ambassadeur en Hollande, lassé de toutes les amusettes avec lesquelles on le menait, salua le roi le lendemain.* (SAINT-SIMON) *Chaque siècle a son amusette.* (BÉRANGER)

assortissant, ante adjectif
Qui convient, qui assortit bien. *On prend des manières assortissantes aux choses qu'on dit.* (J.-J. ROUSSEAU) *Un visage assortissant au désagrément de sa figure.* (HAMILTON)

attrape nom féminin
[de *trappe*].
Tromperie, chose qui attrape. *Au milieu de huit ou dix boîtes d'attrapes, une autre boîte garnie de bonbons...* (J.-J. ROUSSEAU) Apparence trompeuse. *L'air de naïveté de La Fontaine n'est qu'une attrape.*

attrapette nom féminin
Petite malice, petite tromperie. *Les enfants aiment faire des attrapettes.*

1. BALL-TRAP simple.
2. Ball-trap double.

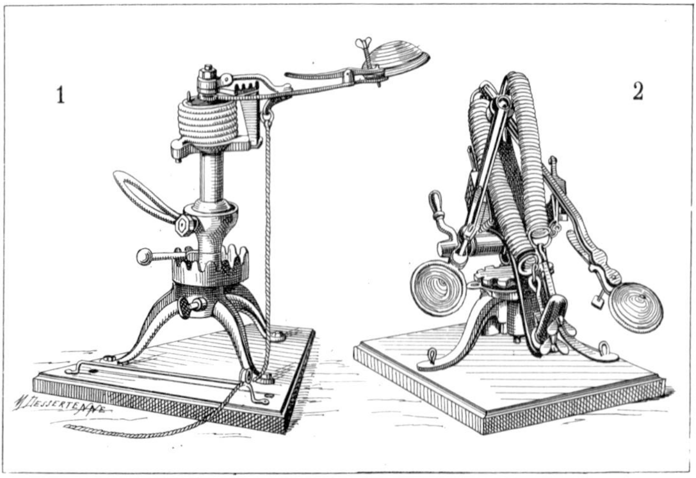

attrapoire nom féminin
Piège pour attraper les animaux. Ruse pour tromper quelqu'un. *Les filous ont cent sortes d'attrapoires.*

bastant, ante adjectif
Suffisant pour, capable de. *Louville, avec Mme de Maintenon, n'était pas bastant pour être de la conférence.* (SAINT-SIMON) *La majorité des suffrages est reconnue bastante à l'achèvement de la loi.* (CHATEAUBRIAND)

baste interjection
[de l'italien *bastare,* suffire].
Indique que l'on se contente, qu'on ne se fâche pas. *Baste ! Ce n'est pas peu que deux mille francs...* (MOLIÈRE) Elle marque parfois le dédain. *Baste ! laissons-là ce chapitre.* (MOLIÈRE)

billebaude nom féminin
[peut-être de *bille* et *baude,* fém. de *baud,* fier].
Confusion, désordre. *Quand on ne boit point ici* [*à Vichy*], *on s'ennuie ; c'est une billebaude qui n'est point agréable.* (Mme de SÉVIGNÉ)

biscotin nom masculin
Petit biscuit ferme et cassant. *Le roi mettait dans ses poches force biscotins pour ses chiennes couchantes.* (SAINT-SIMON)

bredi-breda locution adverbiale
[sorte d'onomatopée].
Avec précipitation, confusément. *Sautant bredi-breda d'arbre en arbre et de branche en branche...* (XVIe s.) *Dire, faire quelque chose bredi-breda.* On dit aussi *brelique-breloque.*

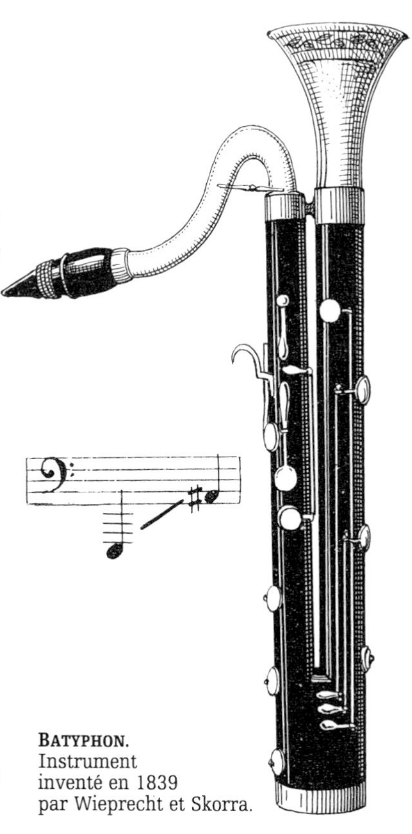

BATYPHON.
Instrument inventé en 1839 par Wieprecht et Skorra.

brimborion nom masculin
[de *briber, brimber,* mendier, et du latin *brevarium,* abrégé].
Chose sans valeur et sans utilité. *Je ne désire que les brimborions dont vous me faites l'honneur de me parler.* (VOLTAIRE, à Frédéric II)

cache-sottise nom masculin
Ce qui est propre à cacher les fautes. *La nuit, qui est le plus grand des cache-sottise...* (HUGO)

califourchon nom masculin
[du breton *kall,* testicules, et du français *fourche*].
Marotte, manie, dada. *La science des livres est le plus aimable de mes califourchons.* (NODIER)

callipédie nom féminin
[du grec *kallos,* beauté, et *paidos,* enfant].
Art de procréer de beaux enfants. *La callipédie intéresse toujours les parents.*

chape-chute nom féminin
[qui signifiait à l'origine *chape tombée*].
Bonne aubaine due à la négligence ou au malheur d'autrui. *Attendre, chercher chape-chute. Un villageois avait à l'écart son logis/Messire Loup attendait chape-chute à la porte.* (LA FONTAINE)

comprenette nom féminin
Intelligence. - *Ne pas avoir la comprenette facile :* comprendre difficilement.

BERTHE.
A. Sur robe montante.
B. Sur robe décolletée.

conglutiner verbe
Joindre deux ou plusieurs corps par le moyen de quelque substance visqueuse qui les tient unis.

conglutineux, euse adjectif
Visqueux, gluant. *Toutes les humeurs conglutineuses la dégoûtent.*

congru, ue adjectif
[du latin *congruus,* qui convient].
Qui est conçu ou qui s'exprime en termes exacts et précis. *Réponse congrue, phrase congrue.* Apte, capable, en parlant de personnes. *Vous faites le savant et n'êtes pas congru.* (RÉGNIER)

débiffer verbe
Défaire. *Un drap débiffé. Il avait le visage tout débiffé.* Mettre en mauvais état. *L'île de Tariffe/Que l'océan ronge et débiffe.* (SAINT-AMANT)

défortune nom féminin
Mauvaise fortune succédant à un état de prospérité. *L'honneur de tant de victoires, qu'une seule défortune pourrait lui faire perdre.* (MONTAIGNE) « Ce vieux mot ne forme pas un double emploi avec *infortune,* car on peut naître dans l'infortune. » (LAROUSSE)

diantre interjection
Juron que l'on emploie par euphémisme pour « diable ». *Mais quand il faut payer, au diantre le téton.* (RÉGNIER) *Qui diantre me poussait à être de l'Académie ?* (P.-L. COURIER) - *Diantre soit de...* se dit pour « envoyer au diable » la personne ou la chose qui importune. *Diantre soit des femmes qui fourrent des épingles partout.* (BEAUMARCHAIS)

encan nom masculin
[du latin *in quantum,* pour combien].
Vente publique à l'enchère. *L'empire mis à l'encan par l'armée.* (BOSSUET) *Vendre à l'encan.* Trafic honteux d'une chose que l'honnêteté défend de vendre à prix d'argent. *Mettre sa conscience à l'encan.*

encombre nom masculin
[de l'ancien français *combre,* barrage de rivière].
Accident fâcheux qui empêche, qui fait échouer. *Cependant, devant qu'il fut nuit/Il arriva nouvel encombre/Un loup parut.* (LA FONTAINE)

BUIES.
Entraves de fer et de bois en usage au Moyen Âge.

entendement nom masculin
L'esprit considéré en tant qu'il conçoit. *J'appelle la faculté ou la capacité qu'a l'âme de recevoir différentes idées et différentes modifications, entendement.* (MALEBRANCHE) *Comme l'oreille entend les sons, l'âme entend les idées et on dit l'entendement de l'âme.* (CONDILLAC)

expédient, ente adjectif
[du latin *expedire,* être utile, littéralement tirer le pied hors de].
Qui est à propos, qui est utile et convenable. *Il était expédient de faire cela. Vous seul [Dieu] savez ce qui m'est expédient, vous êtes le souverain maître, faites ce que vous voudrez.* (PASCAL)

fanfreluche nom féminin
[de l'ancien français *fanfelue,* bagatelle].
Chose légère, sans consistance. *L'idée qu'on peut faire passer une infinité de lignes courbes entre la tangente et le cercle m'a toujours paru une fanfreluche de Rabelais.* (VOLTAIRE)

CARCAN.

fanfrelucher verbe
S'amuser de fanfreluches, vaquer aux bagatelles du plaisir et autres. *Elle n'aime que se distraire, recevoir des amies, fanfrelucher.*

farrago nom masculin
[du latin *farrago,* mélange de diverses espèces de grains].
Amas, mélange confus de choses disparates. *Ce livre est un farrago.*

fi interjection
Exprime le blâme, le dédain, le mépris. *Ah ! quel honteux transport ! fi ! tout cela n'est rien !* (MOLIÈRE) Se construit avec la préposition *de. Adieu donc ; fi du plaisir/Que la crainte peut corrompre.* (LA FONTAINE) *Ses dernières paroles furent : « Fi de la vie ! qu'on ne m'en parle plus ! »* (DUCLOS)

fi donc interjection
Se dit surtout quand on entend exprimer quelque chose qui blesse la délicatesse, et aussi quelque chose d'équivoque et de gaillard. *Hé fi donc, monsieur, vous me faites rougir.* (DANCOURT)

fillage nom masculin
État de fille, de femme non mariée. *Le fillage ne lui convient pas. Ma destinée/Ou de fillage ou d'hyménée.* (LA FONTAINE)

fluant, ante adjectif
[du latin *fluere,* couler].
Qui ne dure pas. *Le présent est un point invisible et fluant.* (DIDEROT)

foin
Locution interjective servant à exprimer la répulsion (sans doute de l'expression *bailler foin en corne,* duper ; d'après l'usage de signaler la méchanceté d'un taureau en accrochant une botte de foin à ses cornes). *Foin du loup et de sa race !* (LA FONTAINE) *Foin du plus parfait des mondes si je n'en suis pas !* (DIDEROT)

foison nom féminin
[du latin *fusio,* fusion, action de répandre].
Extrême abondance. *Je vois des foisons de religions en plusieurs endroits et de tous les temps.* (PASCAL)

foisonner verbe
Être à foison. *De ces lieux où l'ennui foisonne,/J'ose encore écrire à Paris.* (VOLTAIRE)

fondement nom masculin
Nom vulgaire de l'anus. *Un employé aux mines de diamants du grand Mogol trouva le moyen de s'en fourrer un dans le fondement.* (SAINT-SIMON)

friolerie nom féminin
[de l'ancien français, *frioler,* frire, puis être friand].
Gourmandise, friandise. *Aussi peu eussé-je pu vivre sans ces frioleries à quoi j'avais goût.* (LESAGE)

ginguet, ette adjectif
[variante de *guiguet,* trop court].
Qui a peu de force, peu de valeur. *Vin ginguet, habit ginguet. On a représenté Sémiramis sur mon théâtre, et elle a été très bien jouée ; j'avais perdu de vue cet ouvrage, il m'a fait sentir que les Scythes sont un peu ginguets en comparaison.* (VOLTAIRE) - *Esprit ginguet :* esprit médiocre et frivole.

gouverne nom féminin
Ce qui doit servir de règle de conduite dans une affaire. *Cette lettre vous servira de gouverne.*

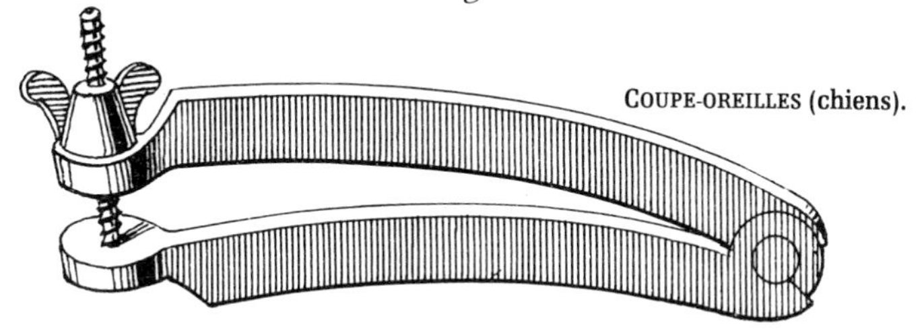

COUPE-OREILLES (chiens).

haha nom masculin
[de l'exclamation *ha !ha !*].
Obstacle inattendu et désagréable sur le chemin que l'on suit. Au féminin, femme d'une grande laideur. *Une vieille haha.* (SCARRON)

hourvari nom masculin
[de l'interjection *hou,* et de l'exclamation *revari,* dans le langage de la chasse].
Cri des chasseurs pour ramener les chiens qui sont tombés en défaut.
Grand bruit, tapage. *Il y a eu un étrange hourvari.*
Contretemps. *Hier on [Louis XIV et Mme de Montespan] alla ensemble à Versailles, accompagnés de quelques dames ; on fut bien aise de le visiter avant que la cour y vienne ; ce sera dans peu de jours, pourvu qu'il n'y ait point de hourvari.* (Mme de SÉVIGNÉ)

icastique adjectif
[du grec *eikôn,* image].
Naturel, sans déguisement, sans embellissement. *Doit-on préférer le genre icastique ou fantastique ?* (TRÉVOUX)

immarcescible adjectif
[du latin *marcescere,* flétrir].
Qui ne peut se flétrir, qui est incorruptible. *Une gloire immarcescible.*

inanité nom féminin
[du latin *inanis,* vide].
Vide et vanité. *Fuis l'embarras du monde autant qu'il t'est possible/Ces entretiens du siècle ont trop d'inanité.* (CORNEILLE)

indigence nom féminin
Manque d'une chose spéciale. *Une indigence de rubans.* (MOLIÈRE) Privation de choses morales et intellectuelles. *Ce qui frappe dans ses livres, c'est l'indigence d'idées.*

ÉCURIES.

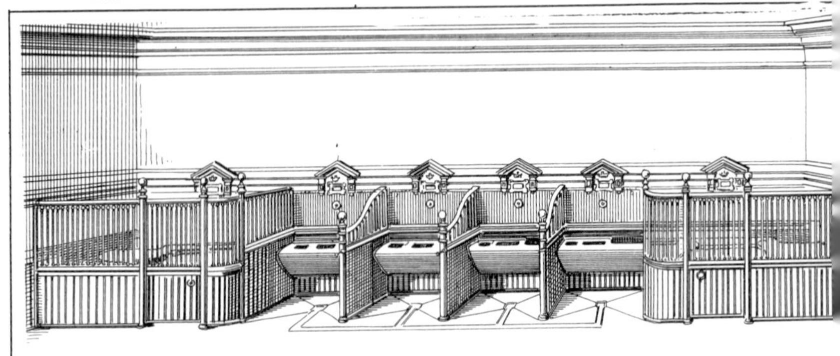

indigence, misère, pauvreté : « Strictement, la pauvreté n'est que l'opposé de la richesse : elle existe même avec un peu d'argent, un peu de bien. L'indigence est la pauvreté aggravée au point que l'on manque de certaines choses nécessaires, ce qui appelle des secours. La misère est l'indigence poussée à l'extrême et devant inspirer la pitié. On peut être heureux dans la pauvreté, supporter philosophiquement l'indigence ; mais la misère impose forcément la souffrance. » (LITTRÉ)

joyeuseté nom féminin
Parole ou action réjouissante. *Les délicieuses joyeusetés de la vie de garçon.* (H. de BALZAC)

las Interjection plaintive. *Las ! je n'ai que trop fui.* (CORNEILLE) *Las ! apprends en deux mots quelle crainte me presse.* (ROTROU)

machinette nom féminin
Œuvre, chose de peu d'importance. *Il ne réalise que des machinettes.*

maine nom féminin
[du latin *manus,* main].
Une poignée, plein la main. *Oh ! parguienne, sans nous il en avait pour sa maine de fèves.* (MOLIÈRE)

malemort nom féminin
Mort tragique et cruelle. *Si vous suivez son avis, vous mourrez tous de malemort.* (P.-L. COURIER)

FLABELLUM.

malenchère nom féminin
[de *enchère,* lui-même de *cher,* aimé, coûteux].
Mauvaise chance. *En surcroît de malenchère, nous avions en face Albion grondante.* (CHATEAUBRIAND)

malencontre nom féminin
[de l'ancien français *encontre,* rencontre].
Mésaventure, fâcheux accident, mauvaise rencontre. *Les œufs cassés et le poisson mort signifient malencontre.* (MOLIÈRE) Proverbe : *Qui se soucie, malencontre lui vient :* le malheur arrive à celui qui le redoute. On dit aussi *malencombre.*

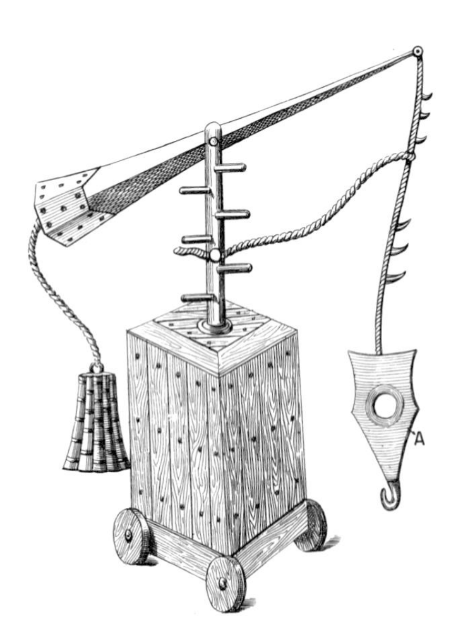

minerve nom féminin
[du latin *Minerva,* déesse de la sagesse].
Tête, cervelle, intelligence. *Une douzaine de flandrins fatiguent leur minerve à maintenir un intarrissable flux de paroles : la belle occupation !* (J.-J. ROUSSEAU)

nanan nom masculin
[mot du langage enfantin].
Tout ce qui est fort agréable, qui a un grand mérite, dont on veut faire valoir le prix. *Lisez cela, c'est du nanan.*

néantise nom féminin.
Chose de néant. *Si toutefois la France aperçoit ces néantises...* (CHATEAUBRIAND) Nullité, absence de faculté. *Nos rois commencent par leur néantise à s'abâtardir.* (PASQUIER)

nonobstant préposition
[du latin *obstare,* faire obstacle].
Sans avoir égard à, sans que la chose empêche. *Il faut, nonobstant tout, avoir pitié de vous.* (MOLIÈRE) *Nonobstant son mariage, il eut de nombreuses galanteries.*

Machine à FONDE.
A. Poche pour le projectile.

nonobstant, contre, malgré : « Faire quelque chose contre la règle, c'est faire un acte qui soit l'opposé de ce que prescrit la règle ; faire quelque chose malgré la règle, c'est le faire bien que la règle le défende ; nonobstant la règle, c'est le faire sans tenir compte de l'obstacle qu'oppose la règle. Il a agi contre mes recommandations, il a fait le contraire de ce que je lui recommandais ; il a agi malgré mes recommandations, je lui recommandais de ne pas agir et il n'en a pas tenu compte ; il a agi nonobstant mes recommandations, mes recommandations n'ont pas été un obstacle pour lui. » (LITTRÉ)

nonpareil, eille adjectif et adverbe
Qui n'a pas son égal, qui surpasse toutes choses ou tout le monde. *Colette entra dans des peurs nonpareilles.* (LA FONTAINE) *M. de Pompone fut aise de nous voir, et m'a su gré nonpareil de cette petite équipée* (Mme de SÉVIGNÉ)

obsolète adjectif
[du latin *solere,* avoir coutume]. Qui est désuet, hors d'usage. *Un terme obsolète. Il aime collectionner les objets obsolètes.*

opposite nom masculin
L'opposé, le contraire. *Ce qu'on appelle mépris est l'opposite de ce qu'on appelle faiblesse.* (BOSSUET) Adjectivement. Qui est opposé. *Des routes opposites.* (MONTAIGNE)

OCTOBASSE.

parachronisme nom masculin
Erreur de chronologie qui consiste à placer un événement plus tard qu'on ne le dit. « Le parachronisme met l'événement plus tard et l'anachronisme plus tôt qu'il ne l'est réellement. » (LITTRÉ)

penchant, ante adjectif
Qui est sur son déclin. *Ô mon fils ! ô ma joie ! ô l'honneur de nos jours !/ Ô d'un état penchant l'inespéré secours !* (CORNEILLE) Enclin à. *Le cœur des hommes est étrangement penchant à la légèreté.* (PASCAL)

perdurable adjectif
Qui dure toujours, éternel. *Si durant une vie où rien n'est perdurable...* (CORNEILLE) *« Pourquoi dit-on durable, et ne dit-on pas perdurable, qui l'agrandit ? »* (MARMONTEL) « Mot vieilli mais qui pourrait être repris. » (LITTRÉ)

pérenne adjectif
[du latin *perennis,* durable].
Qui dure toute l'année. *Le houx est plaisant à la vue, pour la verdeur luisante et pérenne de ses feuilles.* (O. de SERRES) *Le monde n'est qu'une bransloire pérenne.* (MONTAIGNE)

périssant, ante adjectif
Qui passe. *L'âme considère les choses périssables comme périssantes et même déjà péries.* (PASCAL)

politie nom féminin
[du grec *polis,* cité].
Société et gouvernement. *Ces lieux doivent être habités par des peuples barbares : toute politie y serait impossible.* (J.-J. ROUSSEAU)

polypharmaque adjectif
[du grec *pharmakon,* remède].
Médecin polypharmaque : médecin qui a l'habitude de prescrire un grand nombre de médicaments. *De nos jours, les polypharmaques sont légion.*

ŒUFRIER en faïence.

procrastination nom féminin [du latin *procrastinationem ;* de *cras,* lendemain].
Remise au lendemain, ajournement. *Chénedollé écouta trop le démon de la procrastination, comme on l'a appelé ; il n'invoqua pas assez la muse de l'achèvement.* (SAINTE-BEUVE)

prrr
Sorte d'onomatopée qui signifie : je t'en donne, vas-y voir. *Elle croit bonnement que je l'épouserai, mais prrr !* (LESAGE)

ragoulement nom masculin [de *gueule*].
Murmure que fait entendre un chat satisfait. *Lorsqu'elle joue et qu'on la caresse* [*la marmotte*]*, elle a la voix ou le murmure d'un petit chien ou le ragoulement d'un chat.* (ADANSON)

randon nom masculin [de l'ancien français *randir,* courir rapidement].
Course impétueuse, afflux impétueux. *L'hiver survient souvent avec grande furie/Monceaux de neige et grands randons de pluie.* (LA FONTAINE)

rapportant, ante adjectif
Qui a du rapport avec, conforme à. *Ainsi vous quitteriez Alcippe pour un autre/Dont vous verriez l'humeur rapportante à la vôtre.* (CORNEILLE)

rarescent, ente adjectif [du latin *rarus,* rare].
Qui devient rare. *Un fluide rarescent.*

rasibus préposition
Tout contre, tout près. *La balle me passa rasibus de l'oreille.* (CHAMPMESLÉ)

rémora nom masculin [du latin *remora,* qui retarde].
Obstacle, retardement. *La paresse est le rémora qui a la force d'accroître les plus grands obstacles.* (LA ROCHEFOUCAULD)

OUBLIES

renchéri, ie participe passé [de *renchérir*].
Devenu plus cher, plus coûteux. *Le blé est fort renchéri, à Saint-Quentin.* (RACINE) Substantivement. Difficile, dédaigneux. *Loin de faire la renchérie, quand l'occasion s'en présentait, elle ne marchandait seulement pas.* (HAMILTON)

rimbobo nom masculin
Mot italien qui signifie retentissement. *Il faut pourtant s'attendre au rimbobo de toute la France.* (BOSSUET) *Il me semble qu'il y a là un rimbobo de paroles et une variété sur laquelle tous les caractères de la musique peuvent s'exercer.* (VOLTAIRE)

rôlet nom masculin
Petit rôle ; ne se dit figurément que pour signifier la vie, le rôle de chacun. *Selon, ou plus ou moins, que dure le rôlet.* (RÉGNIER) - *Jouer bien son rôlet :* bien jouer son personnage. *Il continua à jouer son rôlet. - Être au bout de son rôlet :* être au bout de ce qu'on avait à dire. *Je suis au bout de mon rôlet ; aussi est-il temps de finir cet ennuyeux discours.* (MALHERBE)

sauveté nom féminin
[de *sauf*].
État d'une personne ou d'une chose mise hors de péril. *On ne se crut en sauveté qu'au Rhin et au bout du pont de Strasbourg.* (SAINT-SIMON) « Terme vieilli, mais qui serait à remettre en usage. » (LITTRÉ)

semblance nom féminin
Extérieur, ressemblance. *Comment connaissent-ils la semblance de ce de quoi ils ne connaissent pas l'essence ?* (MONTAIGNE)

sot-l'y-laisse nom masculin
Morceau très délicat qui se trouve au-dessus du croupion d'une volaille. *La Reynière trouva son fils à table : – Comment donc ! c'est vous qui faites embrocher sept dindons pour votre souper ! – Monsieur, je vous avais ouï dire assez souvent qu'il n'y a presque rien de bon dans une grosse dinde, et je n'en voulais manger que les sot-l'y-laisse.* (DECOURCHAMPS)

PAMBAN.
Pirogue très fine et très allongée de la côte de Malabar.

tantinet nom masculin
[de l'ancien français *tantin,* diminutif de tant].
Une très petite quantité. *Quant à son Salluste que j'ai persiflé un tantinet...* (MIRABEAU) S'emploie aussi adverbialement. *Vous êtes un tantinet ladre de votre naturel.* (DANCOURT)

tarare
Interjection familière qui marque la moquerie, le dédain. *Dorante par mes soins l'épousera – Tarare ! Elle est dans nos filets.* (REGNARD)
- *Tarare pon-pon :* se dit pour se moquer de la vanité étalée par quelqu'un dans un récit, dans des projets. - *Hippolyte : Mais il m'aime tu vois. – Jacinte : Lui ! Tarare pon-pon !* (BOURSAULT)

tintin nom masculin
Se dit, par onomatopée, pour exprimer dans une partie de table le choc des verres. Tintement. *Au tintin de la sonnette...* (DU BELLAY)

tissure nom féminin
Liaison de ce qui est tissé. *La tissure de cette toile est inégale.* Disposition, ordre de ce qui est comparé à un tissu. *L'ingénieuse tissure des fictions avec la vérité, où consiste le plus beau secret de la poésie.* (CORNEILLE) *Je ne suis pas aussi content du fond de votre allégorie et de la tissure de l'ouvrage, que je le suis des beaux vers qui y sont répandus.* (VOLTAIRE)

tousserie nom féminin
Toux fréquente et fatigante. *Les Rochefoucault furent toute la nuit dans le jardin pendant le feu ; et, le lendemain, l'abbé de Marsillac et ses sœurs étaient dans un enrouement et une tousserie pitoyables.* (Mme de SÉVIGNÉ)

tout beau
Locution interjective qui signifie doucement, « modérez-vous ». *Tout beau, ma passion, deviens un peu moins forte.* (CORNEILLE) *Tout beau ! Mon âme pour mourir/N'est pas en bon état.* (MOLIÈRE)

PÉTOIRE.

tout doux
Locution interjective familière dont on se sert pour retenir quelqu'un qui s'emporte, qui s'oublie. *Tout doux : et s'il est vrai que ce soit chose faite,/Voulez-vous l'approuver, cette chaîne secrète ?* (MOLIÈRE)

ubéreux, euse adjectif
[du latin *uberosus,* fertile].
Qui produit beaucoup, fécond. *Ce qui est ubéreux, surtout la gaieté, répugne singulièrement aux natures délicates et rêveuses.* (SAINTE-BEUVE)

uchronie nom féminin
[du grec *ou,* non, et *khronos,* temps].
L'histoire refaite telle qu'elle aurait dû être. *L'uchronie est toujours amusante, même si elle est plutôt vaine.*

unissonance nom féminin
Qualité de ce qui n'a qu'un son. *Son oreille était bercée, ainsi que la mienne, de l'unissonance des vagues.* (CHATEAUBRIAND)

usance nom féminin
[de *user*].
Connaissance des usages. *Avoir les usances de la mer.*

PASSE-BOULE.

vertigo nom masculin
[du latin *vertigo,* vertige, tournoiement].
Caprice, fantaisie. *Quel vertigo est-ce donc là, mon pauvre Covielle ? Dis-moi un peu ce que cela veut dire.* (MOLIÈRE)

vileté nom féminin
Bas prix d'une chose ; son peu d'importance. *La vileté de la matière.* Bassesse, abjection. *Par quelle vanité voulons-nous que, dans notre langue, tout ce qui est à l'usage du peuple contracte un caractère de bassesse ou de vileté ?* (MARMONTEL) *Mais j'ai tant vu de vileté/Tant connu d'infidélité...* (SAINT-GELAIS)

vipérin, ine adjectif
Venimeux comme la vipère. *Une grâce perfide et vipérine.*

zest, zeste
Interjection familière et ironique dont on se sert pour repousser ce que dit une personne. Elle indique aussi la promptitude. *Et zeste ! si quelqu'un vous pouvait prendre au mot, vous diriez : serviteur, je ne suis pas si sot !* (DESTOUCHES) *La nuit, si madame est incommodée, elle sonnera de son côté ; zeste, en deux pas tu es chez elle.* (BEAUMARCHAIS) – *Être entre le zist et le zest :* être fort incertain sur le parti qu'on doit prendre. Se dit aussi d'une chose qui n'est ni bonne ni mauvaise. *Il n'est pas assez dépourvu d'esprit pour être tout à fait sot. Il est entre le zist et le zest.* (CARMONTEL)

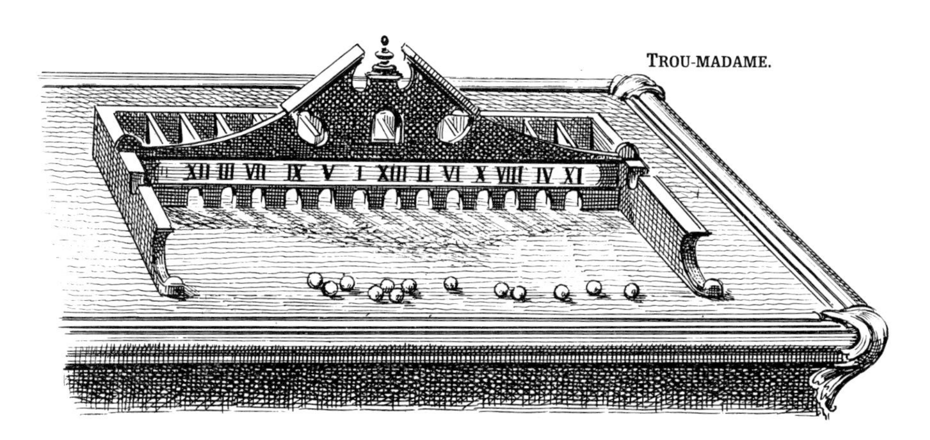

TROU-MADAME.

POSTFACE

Des mots tombent en désuétude ; mais, dans plus d'un cas, il est difficile de dire si tel mot doit définitivement être rayé de la langue vivante, et rangé parmi les termes vieillis dont l'usage est entièrement abandonné et qu'on ne comprend même plus. En effet, il faut bien se garder de ce jugement dédaigneux de l'oreille qui repousse tout d'abord un terme inaccoutumé et le rejette parmi les archaïsmes et, suivant l'expression méprisante de nos pères, parmi le langage gothique ou gaulois. Pour se guérir de ce dédain précipité, il faut se représenter que chacun de nous, même ceux dont la lecture est le plus étendue, ne possède jamais qu'une portion de la langue effective. Il suffit de changer de cercle, de province, de profession, quelquefois seulement de livre, pour rencontrer encore tout vivants des termes que l'on croyait enterrés depuis longtemps. Il n'en est pas moins vrai que la désuétude entame journellement la langue et qu'il y a là un terrain qu'on ne peut fixer avec sûreté. Ma tendance a toujours été d'augmenter la part d'actif de l'archaïsme, c'est-à-dire d'inscrire plus de mots au compte du présent qu'il ne lui en appartient peut-être réellement. Ce qui m'y a décidé, c'est d'abord cette incertitude qui existe en certaines circonstances sur le véritable état civil d'un mot : est-il mort ? est-il vivant ? En second lieu, c'est la possibilité qu'un terme vieilli effectivement n'en revienne pas moins à la jeunesse ; on rencontrera plus d'un exemple de ce genre de résurrection dans le dictionnaire ; plusieurs mots condamnés par l'usage ou par un purisme excessif sont rentrés en grâce ; il n'est besoin ici que de rappeler sollicitude, *que les puristes Philaminte et Bélise, dans* les Femmes savantes, *trouvent* puant étrangement son ancienneté, *et contre lequel nul n'a plus les préventions de ces dames. Enfin la qualité même et la valeur du mot m'ont engagé plus d'une fois à le noter, soit qu'il n'ait plus d'équivalent dans la langue moderne, soit qu'il complète quelque série ; et je l'ai mis, non sans espérance que peut-être il trouvera emploi et faveur, et rentrera dans le trésor commun d'où il est à tort sorti. Pas plus en cela qu'en autre chose il ne faut gaspiller ses richesses, et une langue se gaspille qui sans raison perd des mots bien faits et de bon aloi.*

ÉMILE LITTRÉ

INDEX GÉNÉRAL

INDEX DES ILLUSTRATIONS

Achevé d'imprimer le 20 octobre 1989
par l'Imprimerie Mame, Tours,
pour France Loisirs.
D.L. : octobre 1989. – N° d'édition : 15317.
Imprimé en France.
799024-10-89.